Historia social
del flamenco

PENÍNSULA ATALAYA

Alfredo Grimaldos
Historia social
del flamenco

Prólogo de José Manuel Caballero Bonald

ediciones península

Ediciones Península quiere agradecer a Elke Stolzenberg, José Lamarca,
Antonio de Benito, José Vicente Rosino y C. de Luna su generosa
y desinteresada contribución fotográfica a este libro.

Primera edición en este formato: febrero de 2015
Tercera impresión: marzo de 2017

© de esta edición: Grup Editorial 62, S.L.U.,
Ediciones Península,
Avda. Diagona, 662-664
08034 Barcelona
edicionespeninsula@planeta.es
www.edicionespeninsula.com

ÁTONA VICTOR IGUAL • fotocomposición
BOOK PRINT DIGITAL • impresión
DEPÓSITO LEGAL: B. 85-2015
ISBN: 978-84-9942-384-5

A la memoria de don Antonio Mairena

Agradecimientos a José Lamarca, Elke Stolzenberg,
Antonio de Benito, José Vicente Rosino y C. De Luna.

ÍNDICE

Prólogo, de J. M. Caballero Bonald.   13
Introducción.   15

1. La tragicomedia flamenca.   25
2. Las alegrías de Cádiz y la traición del Borbón . . .   41
3. La prehistoria del cante: hermetismo
   y persecución.   57
4. Fandangos por la República y un comandante
   gitano en el frente de Madrid.   69
5. Cantar para distraer el hambre.   93
6. Antonio Mairena y la transición del flamenco
   desde las ventas a los festivales.   115
7. Menese y Moreno Galván: compromiso
   y renovación   139
8. Dinastías gitanas.   159
9. El Madrid de los tablaos.   175
10. «No quieren soltar la prenda»   211
11. Jerezanos de hoy.   251
12. «Agitanaos».   267

Epílogo   283
Notas.   301
Bibliografía   313

PRÓLOGO
J. M. Caballero Bonald

El carácter social del flamenco es, sin duda, una de sus más ilustrativas claves históricas. Basta un simple escrutinio de urgencia en torno a su voluble pasado para apreciar la validez de ese juicio. En efecto, desde sus inciertos orígenes hasta sus más recientes modos de manifestarse, las fortunas y las adversidades artísticas del flamenco han dependido normalmente de la aventura vital de los intérpretes, de sus necesidades expresivas, pero sobre todo de su grado de integración en una determinada sociedad. Podría decirse que la evolución cíclica del flamenco —del cante, del baile, del toque— ha estado supeditada en todo momento a las condiciones ambientales en que fue desarrollándose.

Alfredo Grimaldos, uno de los más solventes estudiosos actuales del flamenco, ha sabido abordar con sobrada lucidez este significativo engranaje entre el cante y su escenario social. El autor se ha valido de dos esenciales instrumentos de trabajo: el de la experiencia personal y el de la indagación en unas fuentes que, no por intrincadas, dejan de facilitar un precioso acopio de interpretaciones. Grimaldos consigue de este modo una excelente información de primera mano y, a la vez, el análisis de unos hechos que la tradición oral ha ido salvando de la piqueta del tiempo. Resulta innegable que de esas pesquisas pueden deducirse, como es ahora el caso, unos abundantes materiales aclaratorios sobre un aspecto de la cuestión muy defectuosamente atendido hasta ahora.

El autor de esta *Historia social del flamenco* aproxima sagazmente al lector a una tesis consabida: la que corrobora que las andanzas históricas del flamenco a partir de sus primeras apariciones públicas —pongamos que a mediados del siglo xix— han estado condicionadas por sus correspondientes formas de integración en la sociedad. Nada más obvio, desde luego. De la aceptación o del despego hacia el flamenco por parte de esos sectores sociales en que fue produciéndose dependió en muy buena medida su apogeo o su declive. Del mismo modo —por ejemplo— que las exigencias escénicas derivadas de la incorporación del flamenco a los Cafés Cantantes y las *varietés* motivó una serie de nuevas conyunturas formales, su sometimiento a la espesa eventualidad de las «juergas de señoritos» y de tantas penosas nocturnidades influyó de algún modo en su decaimiento o su mixtificación.

A través de un complementario repertorio argumental, Alfredo Grimaldos articula efectivamente en este libro un agudo balance sociológico de las profusas contingencias del flamenco. Desde las grandezas y miserias profesionales de un cantaor arquetípico hasta el trasvase temático de la política —la invasión francesa, las agitaciones campesinas andaluzas, el ascendiente republicano, las luchas por la libertad— y desde los abigarrados vínculos con el bandolerismo hasta los pactos con la misma sociedad que lo maltrató, este texto supone un valioso compendio histórico del flamenco, un valioso registro social y una ya indispensable referencia bibliográfica en torno a estos temas. Celebro poder refrendarlo.

INTRODUCCIÓN

El flamenco es un arte de transmisión oral que, durante mucho tiempo, se ha preservado, fundamentalmente, en el seno de grandes dinastías gitanas de la Baja Andalucía, transmitiéndose de generación en generación en el ámbito familiar y el barrio. A lo largo de más de treinta años conviviendo con los flamencos y escribiendo sobre su vida y su música, he tenido el privilegio de disfrutar de la sabiduría y los recuerdos de las grandes figuras del arte jondo de estas últimas décadas. De una forma cercana, cálida y entrañable. Durante largas conversaciones entabladas por el puro placer de escuchar a los maestros y también gracias a infinidad de encuentros profesionales.

Siempre he procurado —truco de periodista veterano— hacer las entrevistas a los flamencos con tiempo por delante, sin nadie que venga apretando a continuación, para poder compartir una caña o un vaso de vino cuando ya se ha cumplido el protocolo de hablar del disco que acaba de aparecer o del nuevo espectáculo que se va a presentar, con el fin de escribir inmediatamente la nota informativa correspondiente. Después del guion de obligado cumplimiento es cuando ya se habla de todo. Y la mayor parte de ese material grabado se queda archivado, sin publicar. En estas páginas recupero comentarios inéditos obtenidos en charlas con Antonio Mairena, Manuel Soto, Sordera, Juan Habichuela, Rafael Romero, Fernanda y Bernarda de Utrera, Juan Varea... Valiosos testimonios sobre una forma de vida que ha ido cambiando con los años, documentos orales de una generación de grandísimos artistas que ya han desaparecido.

Del duro trabajo en el campo y las noches en vela cantando para los señoritos en las ventas, los flamencos pasaron a los tablaos y los festivales veraniegos, primero, y después han alcanzado los grandes teatros. Los profesionales del arte jondo gozan hoy de mayor consideración social que nunca, pero en el camino también se han perdido muchas cosas. La crónica de esta evolución la hacen aquí sus propios protagonistas, figuras incuestionables de este arte y, algunos de ellos, grandes patriarcas gitanos. Las peripecias de la vida de Rancapino con las que se abre este libro —relatadas por él mismo en clave de tragicomedia— constituyen un ilustrativo cuadro de lo que ha sido el caldo de cultivo en el que se han forjado artistas de duende como él. Después, más o menos cronológicamente, los testimonios de los protagonistas nos conducen desde la época hermética del cante, en los reductos gitanos marginales, hasta el flamenco en la era de la globalización.

En las letras flamencas hay un poso de rebeldía, fruto de la persecución y la marginación. La Guardia Civil y la Justicia aparecen siempre amenazantes. Desde siempre, los cantes mineros denuncian la explotación laboral en los tajos, y en el recogimiento de la soleá o la seguiriya pueden encontrarse quejas íntimas que aún conservan toda su vigencia:

> Dime qué llevas en el carro,
> que tan despacio caminas.
> Llevo al pobre de mi hermano,
> que un barreno, en la mina,
> le ha cortado las dos manos.

> Dicen que he robao un cáliz,
> ojú, qué mentira es eso,
> desde que me bautismaron
> no he vuelto a entrar en el templo.

Durante los años 30 del pasado siglo, se dedicaron fandangos al capitán de Jaca Fermín Galán y a las «banderitas republicanas», y a lo largo de los últimos años del franquismo y la transición, numerosos artistas adquirieron un claro compromiso sociopolítico.

Para los aficionados más puristas, el flamenco está hoy en peligro. En cambio, los aperturistas lo sitúan en el mejor momento de su historia. Y todos tienen parte de razón. Lo cierto es que los profesionales del arte jondo disfrutan ahora de mayor consideración social que nunca: la «dignificación» del flamenco, por la que luchó toda su vida el maestro Antonio Mairena, se ha conseguido hace tiempo. Ahora, el cante, el toque y el baile cuentan con espacios propios en los certámenes musicales más prestigiosos del circuito internacional. Desde hace años, los principales recintos teatrales norteamericanos echan chispas con la programación del Festival Flamenco Londres-USA. Por primera vez, el Festival de Salzburgo ha abierto las puertas al flamenco, el pasado año, con un espectáculo del compositor Mauricio Sotelo y del cantaor Arcángel, que después se ha presentado en el Auditorio Nacional de Madrid, y por otra parte, cada vez es mayor la presencia de aficionados extranjeros en los principales acontecimientos flamencos que se programan en nuestro suelo.

Miles de norteamericanos y japoneses, sobre todo, acuden a cada edición del Festival de Jerez o de la Bienal de Sevilla. Y su presencia es también notable en el Festival de Cante de las Minas, que se celebra todos los veranos en la localidad murciana de la Unión, o en el Festival Flamenco de Caja Madrid. Además, surgen nuevos certámenes, como la Suma Flamenca, en Madrid, o el Festival de Cante de la Puerta de Alcudia, en Puertollano, que sigue la estela del de La Unión. Efectivamente, el arte jondo se universaliza, pero también sufre importantes pérdidas.

Desde una perspectiva social y profesional, el salto del cante desde el cuarto de los señoritos a los grandes teatros es irreprochable, pero, en este proceso, se ha diluido algo fundamental para conservar la riqueza, la personalidad y la enorme diversidad de matices que siempre han caracterizado a esta música: las reuniones entre artistas, la vida flamenca cotidiana. Hoy, un flamenco se parece cada vez más a un artista del pop o del rock.

Entre 1960 y 1980, por ejemplo, en la época dorada de los tablaos madrileños, artistas de la talla de Camarón, Paco de Lucía, Sordera, los Habichuela, La Paquera, El Güito o Bambino se reunían todos los días, después de actuar en sus respectivos lugares de trabajo, para hacer su propia fiesta y gastarse entre ellos lo que habían ganado, mientras se cantaban y bailaban unos a otros. Esas reuniones eran un semillero inagotable de inspiración. Así descubrió el joven y fagocitador Camarón de la Isla los tangos extremeños, los cantes de Levante y otros muchos estilos que después él recreó con su descomunal talento.

Hoy existe mucha menor diversidad —hay palos que se pierden— y los jóvenes artistas escuchan el flamenco en los discos. En muchos casos, teniendo como referencia lo más reciente y comercial de figuras que cuentan con una obra importantísima, como el propio Camarón. Las raíces van quedando cada vez más atrás y muchos no se preocupan de descubrirlas. El flamenco todavía tiene mucha vitalidad y en el mundo de la guitarra, por ejemplo, surgen constantemente jóvenes con una capacidad rítmica y de afinación increíbles. Pero no sólo de grandes recursos técnicos puede vivir una música que requiere, ineludiblemente, citas con el duende.

El flamenco se ha abierto mucho, ha conseguido salir de los reductos de «cabales» para llegar al gran público, y eso hay que aplaudirlo. En estos momentos, la etiqueta de «flamenco» abarca un amplio espectro, que va desde el cante gitano más primitivo hasta temitas comerciales con estribillos ramplones que nada tienen que ver con el arte de don Antonio Chacón o Manuel Torre. Hay que deslindar la jondura de la pachanga. En algunos casos, el «flamenquito» tiene cierta calidad musical y sirve para enganchar a nuevas generaciones, pero es imprescindible seguir sabiendo cómo se canta por soleá o seguiriya.

Juan Talega decía que el cante se empieza a hacer con fundamento a partir de los cuarenta años. La carrera de un flamenco es lenta y larga. Un aprendizaje de toda la vida. El pelotazo a los veinte es propio de otras músicas, no del arte jondo. Pero lo cierto es que, hoy, muchos gitanitos a los que les suena un poco la voz quieren ser Michael Jackson, no Talega o Tomás Pavón. El flamenco no ha sido nunca una música de triunfadores:

> Pérdidas que son ganancias
> son caudales redoblaos,
> estoy tan hecho a perder
> que cuando gano me enfao.

«Cuando canto, me acuerdo de lo que he vivido», le decía Manolito el de María a José Manuel Caballero Bonald. Y Tía Anica La Piriñaca acuñó una frase muchas veces citada, pero que no pierde su rotundidad: «Cuando canto a gusto, la boca me sabe a sangre». El cante no surge de la misma forma en dos ocasiones distintas. Cada intérprete aborda los tercios según le van viniendo a la cabeza, sin un orden fijo preestablecido; por eso, en esta música, quizás más que en ninguna, el *play-back* resulta absolutamente imposible. Las estrofas tienen autonomía propia, son pequeños destellos intimistas, fogonazos que definen una sensación, un estado de ánimo o un momento muy concreto. En los cantes raramente se relatan historias completas, de principio a fin, como en una canción. Cada tercio suele constituir una reflexión o un recuerdo aislado. Por eso, los aspectos corales están prácticamente descartados en el cante tradicional. Sin embargo, una de las características del llamado «nuevo flamenco» o «flamenquito» es, precisamente, la de buscar con reiteración los estribillos comerciales a varias voces.

A este respecto, resulta muy ilustrativa una anécdota, real o mítica, protagonizada por el cantaor gaditano Aurelio Sellés (1887-1974). Al parecer, en cierta ocasión, un grupo de amigos llevó al veterano artista a un teatro de Cádiz donde actuaba el Orfeón Donostiarra. Aurelio siguió con atención el desarrollo del concierto y, cuando éste finalizó, sus anfitriones le preguntaron: «¿Qué tal, maestro, le ha gustado?». A lo que él respondió: «Mu bien, ha estao mu bien. Pero lo que no entiendo es pa qué hace falta tanta gente, si tos cantan lo mismo».

En el baile sucede algo similar. Sólo hay que recordar el desbordante talento y la personalidad absolutamente singular de artistas como Mario Maya, Farruco, El Güito o Antonio Gades, todos ellos de la misma generación, para invalidar la propuesta que hace Carlos Saura en la escena final de su película *Flamenco*, en la que presenta una factoría de zapateadores clónicos. «En mi generación, para saber de cante y baile, ha sido necesario pasar por el bachillerato de muchas noches sin luna y, sobre todo, ser un buen aficionado —señalaba Mario Maya—. Claro está que sin olvidar el rigor y la dureza diaria de la disciplina dancística. Ésa y no otra ha sido mi escuela, donde aprendí la dignidad y el respeto a los anteriores maestros. Y al arte flamenco. Ahora vivimos en una sociedad de consumo cada vez más competitiva, y que exige adaptarse y aprender formas y ritmos coreográficos que nada tienen que ver con la profundidad arraigada en el arte flamenco. Por ello, la sociedad provoca la creación de bailarines de laboratorio». Resulta muy elocuente que fuera precisamente él, un artista abierto, culto, estudioso de otras músicas y danzas, quien se manifestara en estos términos, para poner las cosas en su sitio: «Cada vez hay un mayor desconocimiento de lo genuino, posiblemente porque, cada vez, lo genuino está más oculto, más desvirtuado y apartado del original. Cada nueva generación tiene menos oportunidad de conseguir unos conocimientos que sólo se transmiten *in situ* y que se adquieren a medida que se trabaja en los ambientes flamencos con los artistas tradicionales. El flamenco no es fuerza bruta, sino sensibilidad; no es virtuosismo facilón, sino gracia inesperada. Lo difícil del arte es hacer que parezca fácil, inexplicable... e indefinible».

«El flamenco está a punto de extinguirse —suele afirmar Manuel Morao—. Antes había artistas y ahora sólo profesionales». El actual patriarca de los tocaores jerezanos considera que el ejercicio del cante, el toque y el baile se está convirtiendo en un oficio que se aprende haciendo poco más que un cursillo. Pero la verdad es que las visiones apocalípticas que auguraban el fin del flamenco han sido constantes desde hace más de cien años. Ya a finales del siglo xix, Antonio Machado y Álvarez, Demófilo, anunciaba la inminente desaparición del cante. Pero contrariamente a sus vaticinios, durante las décadas siguientes el arte jondo alcanzó momentos de gran esplendor.

Sin embargo, entonces y durante muchos años más, el flamenco era una filosofía de vida, como queda claro en muchos de los testimonios que aquí se recogen. Constituía una forma de expresión cotidiana en la familia, el barrio o el trabajo, y la cantera de flamencos resultaba inagotable, aunque muchos de ellos no fueran artistas profesionales. En cada localidad e incluso en cada barrio se cantaba con un aire propio. De ahí la riqueza estilística y la gran variedad de matices musicales características del flamenco. La estructura formal de los cantes se puede aprender, más o menos, estudiando discos en casa, pero la concepción del mundo que hay detrás y la capacidad de transmisión no se adquieren con un máster. Y por supuesto, ni siquiera todo el que vive el flamenco desde niño y lo siente dentro es capaz de interpretarlo con fundamento.

Poco a poco van desapareciendo, como consecuencia de la especulación urbanística y del cambio en los hábitos de vida cotidianos, los ambientes naturales en los que el cante siempre ha germinado: el patio de vecinos, la tabernita donde se puede cantar, los multitudinarios festejos familiares... En este sentido, Triana ya no es la Triana de antes. También resulta cada vez más difícil encontrar una reunión flamenca espontánea en Lebrija o Utrera, de donde han salido tantas figuras. Y en Jerez, el lugar donde más rescoldos quedan, muchas casas del mítico barrio de Santiago se están hundiendo y la mayoría de las familias gitanas con hondas raíces flamencas se han diseminado por otras barriadas.

«El arte no se puede globalizar porque pierde su personalidad —insiste Manuel Morao—. Lo mejor que nos podría ocurrir sería que el flamenquito se pasara de moda y que fueran al flamenco sólo los que de verdad lo sienten. Que se acabara el esnobismo y la confusión. Volverían a aparecer chicos interesados en mirar atrás y refugiarse en sus propias raíces». En ese sentido, le daba la razón el director canadiense Robert Lepage, en 2007, al recoger el Premio Europa de Teatro: «Si quieres un público global, habla de temas locales». Y el prestigioso músico norteamericano Ry Cooder, también preocupado por el futuro de las músicas populares, que afirma: «La mayoría de la música actual resulta idéntica, plastificada, artificiosa, y eso sucede porque nos hemos dejado arrebatar la memoria, y con ella el fuego».

De todos modos, hay que evitar visiones catastrofistas, como hace Enrique de Melchor: «Ahora los artistas estamos mucho mejor. Yo he conocido a todas las grandes figuras del flamenco desde chaval, y he visto que Niño Ricardo no tenía nada y Manolo de Huelva estaba en las ventas, esperando a un borracho que llegara para darle para comer. Hoy tenemos más consideración que nunca. Antes decías que eras flamenco y te consideraban lo más bajo de la sociedad, en este momento puedes decir que eres guitarrista y la gente te reconoce».

Y Enrique Morente, abanderado de la modernización del flamenco, sin perder pie en la más sólida tradición, añade: «No hay que tener miedo a actualizar el cante. Eso sí, se debe mostrar respeto y cariño hacia las raíces. Así, si te equivocas, el error no será catastrófico. Además, todo hay que hacerlo con honestidad. En Triana se cruzaba el río con barca, hasta que llegó un francés e hizo un puente. Ahora la gente pasa sin tener que remar. Para mí, ha sido así la evolución del cante. Se habla de los cambios en el flamenco con mucha vigilancia, pero esta música ha estado modificándose constantemente desde sus orígenes».

LA TRAGICOMEDIA FLAMENCA

Con el caray, caray, caray,
hay que ver las cosas
que pasan en Cái,
que ni la jambre la vamo a sentí,
¡mire usté que grasia
tiene este país!

(Bulerías de Cádiz)

«El flamenco no se aprende en una academia, se canta con faltas de ortografía», asegura Rancapino, uno de los últimos cantaores clásicos. Gitano de la vieja escuela, el cante constituye para él una filosofía y una forma de vida. Camarón, su inseparable amigo de correrías infantiles, le llamaba El Viejo. Artista de artistas, el reconocimiento de la gran afición flamenca le ha llegado tardíamente.

Comenzó cantando y bailando «al plato» en los bares de su Chiclana natal y se ha convertido en un flamenco de culto. Relata la tragicomedia de su vida con la amarga lucidez de un pícaro superviviente. «El cante "aprendido" no duele», asegura. Y para comprobar la certeza de esa rotunda afirmación, sólo hay que escucharle soltar la voz, por lo bajini, en la barra del bar El Manteca —gloria de la hostelería gaditana—, recreando los ecos de Juan Talega o Manolo Caracol. Su ilustrativo y espontáneo arranque desata la pasión de la concurrencia. Es uno de los personajes más conocidos y queridos de la bahía de Cádiz. Ya quedan pocos flamencos tan auténticos como este gitano, nieto de La Obispa y miembro de una familia que atesora el arte en la sangre: «Yo nací cantando, esto no se aprende. Para poder improvisar, hay que llevarlo dentro. El cante gitano tiene unos reflejos que son difíciles de captar y controlar. Hay veces que parece que se te va a ir, pero lo recoges».

Era aún un chiquillo que levantaba pocos palmos del suelo cuando comenzó a buscarse la vida en la calle, y desde entonces no ha parado de pelear. «He pasado muchas fatigas, de niño, comiendo las cáscaras de las naranjas y mendrugos de pan duro... —recuerda—. En mi calle había un niño, hijo de la panadera, que salía todas las tardes con media telera untada de manteca colorá. Y yo, que estaba *esmayao*, le decía: "Venga, Paco, vamos a jugar a la *viyarda*". Empezaba yo primero, le daba al palo y no veas dónde lo mandaba. Mientras él iba a recogerlo, yo le sujetaba el bocadillo, y cuando volvía, ya sólo quedaba un chusco».

Prosigue su relato con cierto poso de amargura, pero sin que se le borre la sonrisa de la boca: «Fíjate, en verano, con el calor que hacía, cargar haces de leña siendo tan pequeño. Me iba con los de un camión a recoger leña al campo, porque me daban parte de su bocadillo. Iba subido al vehículo por fuera de la cabina, agarrado a la puerta. Y ese camión dando saltos por medio del campo. El conductor me hacía cosquillas en las orejas con un palo y yo no me podía soltar; hasta me hacía heridas. Ellos se reían. Todavía me ocurren cosas muy desaborías».

VOZ RONCA Y NUDILLOS ENCALLECIDOS

Sus nudillos están encallecidos de hacer compás miles de veces en los mostradores, de soltar la voz en los bares, sin guitarra, marcándose él mismo los tiempos. Asegura que esa dolorosa escuela de la vida es la que le ha hecho expresarse como él lo hace. Con una capacidad comunicativa estremecedora. Su inconfundible voz opaca —justita, no necesita más— es la idónea para acariciar los tercios en sus tonos bajos. Rehuye con sabiduría el grito estridente y es capaz de mecer al aficionado entre la queja trágica de la seguiriya y la dulzura vitalista de los aires salineros por alegrías. Lo atesora todo: conocimiento, un sonido flamenquísimo y compás natural. «Al cante de verdad no se le da su sitio —se queja—. Los dineros se los lleva el que no sabe abrir la boca, ni duele cantando, ni nada. Los que han aprendido con discos. Y uno, que lleva toda la vida en esto...».

«Tengo la voz ronca de haber andado tanto tiempo descalzo», afirma con semblante serio. Se expresa con absoluta precisión, proporcionando titulares constantemente. Su exquisito lenguaje metafórico no necesita dar vueltas innecesarias. Posee una irónica y cruda capacidad narrativa que lo convierte en un cronista de la talla de El Lazarillo de Tormes. «Aquí no me tires fotos, que luego me cae Hacienda en todo lo alto», bromea en la puerta de un banco madrileño, donde va a cobrar un talón de *Autores*. Antes, casi ningún flamenco registraba sus obras y, claro, no se cobraban los derechos que generaban sus creaciones, pero eso, afortunadamente, ha cambiado bastante. Al salir de la oficina bancaria, con los «derechos» en el bolsillo y la cara iluminada, nos cuenta un breve chiste: «Un gitano que va a un banco y le dice el director: "¿Cuánto necesitas?". Y le contesta el gitano: "¿Cuánto hay ahí?"».

«Los artistas estamos ahora mejor, pero el flamenco, no —precisa Rancapino—. Los jóvenes se van a lo comercial. Eso es lo que está de moda, no el cante puro. Los chavales están muy ilusionados con los grupos y eso, pero lo que hacen no debería llamarse flamenco, porque es otra música. ¿Qué tienen que ver Maíta vende Cá o Navajita Plateá con una soleá de Manolo Caracol, una seguiriya de Manuel Torre o unas bulerías de Camarón? Lo que hacen es desvirtuar la pureza flamenca y confundir a la gente».

ERRANTE POR SU CHICLANA

Alonso Núñez Núñez nació en la localidad gaditana de Chiclana de la Frontera, en un hogar gitano donde se respiraba flamenco. Su nombre de hidalgo medieval fue herencia de un tío suyo, y lo de Rancapino, el apelativo familiar que siempre ha utilizado como nombre artístico, se lo puso un vecino. «De chiquitillo, yo estaba corriendo en cueros a todas horas —recuerda—. Como tenía la piel muy renegrida, un gitano de Chiclana, El Mono, me decía siempre: "¿Dónde vas, que pareces un pino quemado?"».

Su abuela, La Obispa, se convirtió en la primera referencia artística del joven Alonso. Ella nunca fue profesional, pero cantaba muy bien, con mucha personalidad, y en cualquier momento se encontraba dispuesta a animar las fiestas y reuniones familiares. La Perla de Cádiz se tiraba días enteros escuchando sus cosas, y de ella cogió algunos tercios de bulerías que ya son inmortales, como ese de «Páseme usted el Estrecho, que lo mando yo...». Una letra que también interpreta habitualmente Rancapino.

El padre del cantaor contaba con escasos recursos económicos para sacarles adelante a él y a sus siete hermanos, así que el joven Alonso tuvo que echarse a la calle muy pronto: «Yo tenía nueve años y mucha hambre cuando empecé a buscarme la vida. Entonces bailaba "La Raspa" y me daban una gorda o un real. También hacía *el cochinito*, imitando el ruido de los cerdos, y como yo era muy chico, a la gente le hacía gracia. Así me crié, errante por mi Chiclana. En algunos bares, cuando iba a cantar o bailar, me agarraba el dueño por una oreja y me sacaba. "¡Fuera de aquí, que eres muy feo!", me decía, y me tiraba a la calle como si fuera un gato».

Pronto conoció a Camarón, que era cuatro años más joven que él. «Mi tía Juana, su madre, venía a Chiclana a vender las alcayatas gitanas que hacía su marido, Luis, pariente de mi padre. Las llevaba a una ferretería que se llamaba Olmo. Como yo, de chiquitito, andaba por todas las calles, cuando la veía, le decía que me quería ir con ella, porque al llegar a La Isla, siempre me daba un dulce o un trozo de pan con manteca colorá. Y para mí eso era una delicia. Yo les caía muy bien a los padres de Camarón, les hacía mucha gracia: tan pequeño, muy feo y con mi flequillo...».

Otras veces era el padre de Camarón el que visitaba Chiclana, acompañado por sus amigos El Gafas y Currito, dos gitanos de La Isla muy populares. La relación entre José y Alonso continuó estrechándose. «Mi tío Luis padecía asma y tenía que echarse aire con un aparato, pero cantaba muy bien, sobre todo por seguiriya —recuerda con nostalgia Rancapino—. Algunas de las veces que venía a mi pueblo, se traía a Camarón. Cuando ya había tomado unos vinos, cogía a José, que era muy pequeñito, y lo sentaba en el mostrador. Y Camarón le cantaba a su padre por bulerías y fandangos».

Con doce años, Camarón ya iba solo a Chiclana, en busca de Rancapino. Le llevaba hasta allí algún taxista de La Isla de San Fernando, a cambio de un cantecito. Una vez juntos, los dos amigos se dirigían, invariablemente, hacia el establecimiento de Miguel Pérez, un barbero muy aficionado al flamenco. «Como a José le gustaba tanto tocar la guitarra, enseguida cogía la de Miguel y empezábamos a cantar en la barbería —rememora Rancapino—. No veas, aquello se llenaba de gente, hasta la calle. Camarón me decía que iba a cantar un fandango de Valderrama, y se ponía a imitarle. Después hacía un fandango de Porrina, y al final, decía que iba a cantar como su primo Rancapino, y me imitaba a mí. Era un artista especial. Muy grande».

HERMANOS DE CANTE

Y así se fueron haciendo cantaores. Unas veces, José iba a Chiclana con los taxistas, y otras, Rancapino se acercaba a La Isla en los autobuses amarillos que unían ambos pueblos. «A las once de la noche cogíamos el último *canario* y nos íbamos para San Fernando. Yo me tenía que quedar toda la noche en la Venta de Vargas, para buscarme la vida. Camarón era todavía muy pequeño y yo le decía que se quedara un ratito conmigo, que después lo acompañaría hasta la calle del Carmen, a su casa. Y María, la propietaria de la venta, se enfadaba: "¡Me vas a meter en un lío con este crío aquí, que es muy chico!". A las dos de la noche empezaban a venir los señores y nos mandaban llamar a Manuel, el hermano de Camarón, a Pablito de Cádiz, a mí... En aquella época, El Chato de la Isla ya estaba en Madrid. Entonces yo decía: "Ojú, tengo un primo que canta más bien...". "¿Dónde está, ahí?, pues llámalo". Y después de que Camarón cantara, ya no podíamos salir ninguno. Se quedaba la fiesta para él solo, porque volvía loca a la gente. No sé qué biógrafo de José dice que él cantó en un tren pidiendo. Mentira, Camarón no pidió ni en tren, ni en tranvía, ni en autobús. No saben lo que dicen».

Se entusiasma cuando recuerda sus andanzas con José. Comienza a hilar una tras otra, sin fin. No pierde ocasión de ensalzar la figura de su amigo desaparecido, relegándose él a un modesto segundo plano en todos los relatos. «En otra ocasión, antes de venirme a Madrid, me pasó una cosa muy curiosa —señala, y se ríe con ganas—. Resulta que yo me iba a un espectáculo con Miguel de los Reyes y Enrique Montoya, porque a Pansequito lo habían llamado para la mili. Yo tenía que sustituirle cantando a cuatro bailaoras por alegrías: "Que le llaman relicario, / a Cái no le llama Cái...".». Y de nuevo, el arranque ilustrativo hace que se revolucione la barra de El Manteca.

«Me contrataron para trabajar en el teatro de Las Cortes, en San Fernando —retoma otra vez el hilo de la narración—. Como José estaba siempre conmigo, le dije que se viniera al día siguiente, para ver si también podía trabajar él. Total, que aparecimos los dos y le dije a Miguel de los Reyes: "Mira, aquí está mi primo Camarón, que canta muy bien". Y después de escucharle, me suelta Miguel: "Rancapino, tú vienes hasta Ceuta nada más. Después, nos acompaña este chaval". Me volví hacia Camarón y le dije: "Le estoy cogiendo una manía al marisco..."». Lógicamente, ninguno de los dos se quedó en tierra, embarcaron en la gira juntos. «Sólo teníamos una chaqueta para salir a actuar, y el primero que se levantaba era el que se la ponía», añade el cantaor chiclanero.

Rancapino le llevaba algo más de cuatro años a Camarón, pero todo un siglo en picardía. Él era quien buscaba las fiestas, el que ajustaba los precios y quien olfateaba las encerronas en las que no había ni un duro. Su prematura experiencia vital en la calle y un enorme talento natural le han permitido adelantarse siempre a los acontecimientos. Pero las circunstancias le han sido muy adversas y ha levantado la cabeza a duras penas. Y eso que sus cantes son una verdadera joya. Camarón siempre le llamó El Viejo, por su sabiduría. José conoció a la que sería su mujer, Dolores Montoya, La Chispa, gracias al chiclanero, que fue pretendiente, durante un tiempo, de una de las hermanas mayores de ella, en La Línea de la Concepción.

CON LOLA FLORES Y CURRO ROMERO

«Una vez, estábamos los dos contratados para cantar en una caseta de la Feria de Sevilla —recuerda otra anécdota Rancapino—. Antes de llegar, nos encontramos con unas gitanitas que iban cantando y bailando por la calle, y nos fuimos detrás de ellas. Cuando nos quisimos dar cuenta, eran ya más de las cuatro de la mañana. Llegamos a la caseta y nos encontramos en la puerta con un gachó muy grande, que le dijo a Camarón: "No te doy una hostia porque eres muy pequeño, y de aquí te marchas ahora mismo". Entonces le contesté: "Mire usted, si se va mi primo, yo me voy también". Y me dijo: "Tú, ni haber venido"». Sin demasiada pena, se fueron a dar una vuelta por la feria y, de repente, escucharon una juerga de las buenas en otra caseta, a las seis o las siete de la mañana. Rancapino levantó las cortinillas y vio que dentro estaban nada menos que Lola Flores, Gitanillo de Triana y Curro Romero. «El que llevaba la fiesta era Picoco, que me conocía, y nos dejó entrar. Por la gloria de mi madre, si miento, cuando Lola escuchó a Camarón eso de "Devuélveme el rosario de mi madre y quédate con todo lo demás", se cayó de la silla. Era la primera vez que le oía cantar. Y ya, no veas, Gitanillo se partió la camisa y salió bailando por bulerías. Entonces yo le dije a El Pinto, un bailaor que venía con nosotros: "Antes de que Camarón empiece otra vez, te voy a cantar un poquito, para justificarnos". Y salí por bulerías: "Me duele la boquita, prima, de decirte...". Cuando terminó la fiesta, se vino el dueño de la caseta para mí y me preguntó que cuántos éramos. Íbamos tres, pero yo le dije que diez, y me dio diez mil pesetas. Camarón estaba sentado en las faldas de Lola. Él tenía entonces unos trece años, era chiquitillo, muy bonito. Ella le hizo un regalo a escondidas, pero yo me di cuenta. He estado en las fiestas desde niño y siempre he sido muy pillín. Le dio mil duros y Camarón se los guardó. Cuando fuimos a repartir, le dije: "Si tú te guardas eso, yo me quedo con todo esto"».

Fue también en la Feria de Sevilla donde Rancapino conoció en persona a su admirado Juan Talega. «Yo sabía de él sólo por los discos» —explica—. Es el que más me ha gustado; compraba todo lo que él había grabado cuando yo no tenía todavía ni tocadiscos. El día que le vi en la caseta de la Feria, le dije a Camarón: "José, mira, ese gitano es Juan Talega". Entonces todavía no conocíamos tampoco a Antonio Mairena. Me fui para Talega y le dije: "¿Tío, le importa que me haga una fotografía con usted?". Y me contestó: "Claro, sobrino". Llamé a Camarón y Talega llamó a Mairena: "Ven, Antonio, que nos vamos a hacer una fotografía con estos gitanitos". Antonio Mairena estaba hablando con el hijo de Manuel Torre, Tomás. Y nos hicimos la foto con ellos, La Perla y todos los demás». Aquella instantánea se convertiría en un valioso documento y hoy se puede encontrar, enmarcada, en numerosas peñas flamencas.

«Ese día, nosotros no nos atrevimos ni a abrir la boca —prosigue Rancapino—. La primera vez que Antonio Mairena escuchó a Camarón fue en Sevilla, pero más tarde, en La Campana, estaba Paco Valdepeñas y le dijo: "Antonio, vas a escuchar a un niño de La Isla, verás cómo canta". Y cómo cantaría Camarón, que salió Mairena bailando, sin guitarra ni nada, sólo con palmas».

Cuando Rancapino hizo su primer viaje a Madrid, en busca de trabajo, el cantaor tenía diecisiete años recién cumplidos. Llegó desde Chiclana en el camión de pescado de un amigo, que lo depositó en el mercado de la Puerta de Toledo, con todo el aroma de la bahía gaditana encima y sin un duro. Entonces trabajaban en Las Brujas su hermano Orillo y El Chato de la Isla. Hacia allí se encaminó el cantaor con la intención de hacerse un hueco en el cuadro. El camionero le tuvo que prestar dinero para el taxi. Cuando hizo, como prueba, el «Carcelero, carcelero», de Caracol, el propietario del establecimiento le contrató inmediatamente, para que lo cantara todas las noches, por 150 pesetas diarias. «Por el tablao venía un señor al que decían don Saturio, que era uno de los dueños de Kelvinator, lo de las neveras. Una noche nos invitó a su finca. Allí había un tentadero y, como además del cante, a mí me gustaba mucho el toro, y lo sabían, tuve que saltar al ruedo. La vaca me dio una paliza y me cagó encima. Hasta tiraba bocados. Ojú, qué fatigas pasé».

TOREROS DE ARTE

Reconoce que quiso ser torero, pero le faltó valor. Para acreditarlo, muestra unas cuantas fotos en las que aparece con un capote en la mano, en el campo, frente a una vaquilla. También conserva una película pasada a vídeo en la que se le puede ver toreando junto a Camarón, otro espada frustrado. En la filmación casera aparece el artista de La Isla dando unos muletazos, mientras se escucha a la suegra de Rancapino, Rafaela Núñez, cantando por bulerías. Rafaela y su yerno provienen de la misma estirpe flamenca: el padre de ella y el de Rancapino eran primos hermanos.

Juan Luis, uno de los seis hijos varones de Alonso —tiene, además, una niña—, hizo sus pinitos en el mundo del toro, pero no cuajó como figura. También atesoraba más arte que valor. En una ocasión que se encontraba un poco cortito de dinero, Rancapino se sacó de la manga una peña flamenca-taurina con su nombre, en Chiclana, y organizó un festival benéfico, con el fin de superar el bache. Consiguió que toreasen en su pueblo, en una plaza portátil, nada menos que Curro Romero, Rafael de Paula, Pepe Luis Vázquez y Ortega Cano, junto a su hijo Juan Luis. «Cuando fuimos al tentadero a escoger los novillos, mi niño dio varios pases a una vaquilla. Eligió una de su tamaño, y alguien le gritó: "¿No has encontrado una más pequeña?". Curro Romero le contestó: "Pues así deberían ser todos"».

Sostiene que el mundo del toro y el del flamenco tienen que seguir tan unidos como lo han estado hasta ahora: «A Caracol le gustaba el toro más que el cante. Era un genio. Un cantaor tiene que estimularse con cosas de arte. Ahora, a los jóvenes les gusta el tenis y el golf. ¿Qué van a cantar luego? Si Caracol, Talega o Mairena escuchasen cantar a algunos gitanitos famosos de ahora, los mandaban meter presos. Y a sus padres, por dejarles hacer esas cosas».

Después de su primera y breve visita a Madrid para trabajar en Las Brujas, Rancapino volvió a la capital, ya junto con Camarón, en 1969, durante la época dorada de los tablaos. «Estuvimos en la casa de un palmero de Bambino, a quien decían El Chico, muy buena gente. Allí parábamos Fernanda y Bernarda de Utrera, Turronero, Pansequito, Camarón y yo. Para que se pudiera vestir uno, tenían que salir todos los demás. Estaba en la calle de López Silva, al lado de El Rastro. Bambino ha sido un genio en su género. Pasarán muchos siglos hasta que salga otro como él. Fue el que revolucionó las canciones por bulerías y los tangos metidos en aire de rumba. Era un fenómeno».

Toda su vida, Rancapino ha sido un artista de artistas, pero cuando empezó a ser conocido y valorado por la mayor parte de la afición madrileña fue ya después de 1980. Desde entonces, se ha convertido en uno de los flamencos que tiene mayor tirón. En la terminal del AVE le conoce todo el mundo. «Una de las veces que fui a Madrid, llegué a Atocha y resulta que hacía mucho frío. Tenía que cantar en la Peña Chaquetón, y cuando me vio tiritando su presidente, Pablo Tortosa, que había venido a recogerme, se asustó, pensando que me iba a poner malo y no iba a poder cantar esa noche. Me dijo: "Espérate", entró en una tienda del paseo de las Delicias y me compró un abrigo. Bien bonito que es, no veas lo que *roneo* yo con él. Estoy loco por que haga frío para ponérmelo». En otra ocasión, cuando llegó a la misma peña, se dio cuenta de que había dejado los zapatos de las actuaciones en el hotel, y no podía salir a cantar con los que llevaba puestos. Hubo que pedir unos prestados entre el público. Los que se consiguieron le apretaban y no pudo dar patadas para marcar el compás en toda la noche.

Entre sus inagotables recuerdos del pasado, le viene a la cabeza una anécdota reciente: «El otro día, en Madrid, iba por la Gran Vía con mi maleta en la mano, camino del hotel Regente, donde paro siempre, y veo que se me acerca un morito por un lado. Enseguida noto que otro me va a cerrar, y entonces, me paro y les digo: "Pero ¿dónde vais?, si yo soy como ustedes"».

No se muestra nada optimista cuando analiza el futuro del flamenco. Detrás de su permanente sonrisa y buen humor, de su actitud cariñosa con todo el mundo, Rancapino acumula el peso de muchos reveses: «La vida la he visto siempre muy fea, porque me han tratado muy mal. He recibido muchos golpes y he tenido que estar en la calle desde muy niño. Eso me ha hecho coger una psicología fuera de lo normal. Sé lo que es pasar sinsabores y doy su sitio a todo el mundo. Por eso, y porque canto con sentimiento, me quiere la gente. Si fuera por la cara que tengo... Chano Lobato me decía que soy el Robert Redford de África. Sólo pido que me den el sitio que me corresponde, tener trabajo para dar de comer a mis niños y que tengan la ropita limpia, y nada más. No envidio a nadie ni soy egoísta. Quiero que mis hijos estén buenos, que sean prudentes y respeten a todo el mundo. Y mi potaje en casa. Llevo unos años trabajando mejor, pero nunca estoy desahogado —confiesa—. Cuando veo quinientas mil pesetas juntas, me creo que soy el rey de España. Tengo siete niños y necesito trabajar mucho».

A pesar de ser un artista exquisito, durante mucho tiempo ha tenido que sobrevivir a salto de mata, fundamentalmente gracias a su proverbial ingenio. Las tragicómicas anécdotas que ha protagonizado dan para escribir un tratado de picaresca. En una ocasión, el constructor y ex presidente del Sevilla, José María González de Caldas, encargó a Rancapino la gestión de una casa en El Rocío para él y sus amigos. El cantaor se tenía que encargar no sólo de la parte flamenca, sino también de la infraestructura. Y para conseguir los somieres y los colchones que necesitaba, se le ocurrió acudir a un sargento de Intendencia amigo suyo, un hombre muy aficionado al cante. El militar le proporcionó material de desecho que estaba arrumbado en un barracón del Ejército, y lo trasladaron al lugar donde tenían que descansar los adinerados romeros. Pero lo que no estaba previsto es que en los muelles de los somieres y en el interior de los colchones viajaran también imprevistos invitados. Y al día siguiente, al levantarse, a los señoritos les picaba la juerga por todas partes.

EL PADRINO

En la primavera de 1999, Felipe González y Carmen Romero apadrinaron a José, el séptimo hijo del chiclanero, que aprovechó esa circunstancia para casarse con su mujer, Juana, después de más de dos décadas de convivencia. Cautivado por la gracia y el talento de Rancapino, el ex presidente del Gobierno no pudo resistirse a ser su compadre. «De acuerdo, yo pago el convite. ¿Y tú qué pones?», le dijo González al cantaor. «Yo pongo el niño», le contestó Rancapino.

Ambos se conocieron durante una fiesta celebrada en la gaditana Venta de El Chato. El chiclanero estaba contratado para convocar a los duendes flamencos durante la velada y, de repente, vio la ocasión de encontrar también un padrino de postín para su niño. Entre cantes y anécdotas, González aprovechó un momento para llamar por teléfono a Carmen Romero, que se mostró dispuesta a participar en la ceremonia, y la cosa quedó clara.

Unos meses después, tras el ritual del agua bendita, se celebró el convite en un estero de Chiclana, donde no se escatimó ni el pescaíto ni el fino Arroyuelo. Al final de la fiesta, cuando todo el mundo estaba bien comido y regado, González, antes de marcharse, hizo un aparte con Rancapino: «No te preocupes, que yo vendré por aquí, de vez en cuando, para ver al niño. Su porvenir está garantizado», le dijo cariñosamente. «¿Y el mío, qué?», le contestó el cantaor.

Con motivo del bautizo del crío, que pasó por la pila con cuatro años largos, sus padres se vieron obligados a casarse: «Juana y yo llevábamos toda la vida juntos y habíamos tenido seis hijos antes —explica Rancapino—. Pero el cura que bautizó a cuatro de ellos me dijo que ya no echaba el agua a ninguno más hasta que pusiéramos orden a nuestra situación. Me casé después de veintiún años, y con la misma. La gente le preguntaba a mis chiquillos: "¿Quién se casa?". Y ellos contestaban: "Mi padre y mi madre"».

El primer candidato al puesto de compadre de Rancapino había sido Curro Romero, pero el diestro, esquivo, no acababa de mostrarse dispuesto. Después, le llegó su turno al pintor Miquel Barceló. En este caso, eran los numerosos compromisos del artista balear los que no le dejaban hueco, y la criatura iba creciendo... Barceló se había acercado al mundo del flamenco interesado por la figura de Camarón, pero el genio de La Isla no era un hombre que se dejara cautivar por personajes de relumbrón, prefería estar con su gente y escuchando al cantaor más modesto del mundo, por si podía pillar algo de él. Pero, al final, Barceló fue el autor de la portada de *Potro de rabia y miel*, el disco póstumo de Camarón, y Rancapino tomó nota del asunto. Consiguió que, poco después, el pintor se encargara de diseñar también la portada de su segundo disco, una de las mejores grabaciones flamencas de finales del siglo pasado, en la que el chiclanero volvió a estar acompañado por el guitarrista Paco Cepero, que ya le había respaldado en estudio veinte años antes.

Cuando Juana, la mujer del cantaor, vio el peculiar retrato del artista que aparecía en la portada del nuevo disco, le dijo: «Ay, Alonso, ¿ése eres tú?». Pero Rancapino sabía que el original de aquello tenía su valor, aunque Barceló no se lo regaló. Posteriormente, el chiclanero visitó la casa del pintor, en Menorca, para cantar en una fiesta privada, acompañado por Moraíto. Y después del festejo, al parecer, pasaba el tiempo y nadie se estiraba allí, lo que hacía revolotear el fantasma de las antiguas reuniones de señoritos, en las que, a veces, los artistas no cobraban, después de haber estado trabajando toda la noche. Cuando por fin se arregló el asunto, Rancapino le dijo a su anfitrión: «Barceló, ya sé por qué haces los cuadros tan grandes, para que no te los roben».

UN COCIDO EN LA BOLA

En 1995, a raíz de la publicación de su segundo disco, el editor, Turner, le incluyó en una larga gira musical por tierras mexicanas, junto a Chavela Vargas, Joaquín Sabina, Lucrecia y Víctor Manuel. De todos los artistas que participaron en ella, el único que no estaba inscrito en la SGAE era él, por lo que muchos amigos le insistieron en que tenía que registrarse, porque estaba perdiendo un dinero que era suyo. Por fin, con la ayuda de José Manuel Gamboa, desde dentro de la entidad, y la decisiva participación de Alberto Martínez, propietario de la tienda El Flamenco Vive, se consiguió fraguar la operación.

«Después de muchos intentos de llevarlo a la SGAE para que se inscribiera, por fin lo convencí —relata Alberto—. Aprovechando que había venido a Madrid para trabajar, fui a buscarlo a las nueve de la mañana al hotel Regente. No se me olvidará nunca ese día. Nada más salir a la calle, se empeñó en regalarme lotería. Como el despacho estaba cerrado todavía, se metió por debajo del cierre a medio echar a pedir los dos billetes. "Toma —me dijo—, como Pepe Marchena, que siempre llevaba algún décimo para regalar". Cuando llegamos a la SGAE, ya le estaban esperando y nos dieron el formulario donde había que escribir las letras que él cantaba en el disco. Unas suyas y otras adaptadas. Entonces me dice: "Para acordarme, las tengo que cantar". Así que se tiró toda la mañana cantando el disco entero y yo, apuntando las letras. Al parecer, existe una fórmula que permite acumular los derechos de un autor con carácter retroactivo, aunque todavía no esté inscrito, y como la gira por México había sido muy potente, tenían ya preparado un dinero. Cuando bajamos a cobrar, el que pagaba iba haciendo la valoración de los derechos cante por cante: "Esto por la soleá, esto por los fandangos...". Y Rancapino le dijo: "¿Todo eso sólo por los fandangos? Y tú, ¿dónde veraneas?... Pues, a partir de ahora, te vas a venir todos los años a Chiclana". Cuando llegamos a El Flamenco Vive, abrió la puerta y dijo: "Todos los que están aquí, a comer cocido". Invitó a todos, empleados y clientes, a ir a La Bola».

El disco que metió a Rancapino en el mundo de los derechos de autor se abría con unos tanguillos escritos por él en los que hacía toda una declaración de principios flamencos, reivindicando a sus cantaores de cabecera:

A mi Camarón, mi Perla
nunca los podré olvidar,
ni a Caracol, ni a Mairena,
a Talega o a Tomás.
Por eso cuando yo canto
me tengo que recordar
los cantes de Terremoto,
de Aurelio y de la Calzá.

Artísticamente, añora los tiempos de Caracol y Talega, los dos patriarcas del cante que más le han marcado. Se lamenta de que casi todo lo que se hace ahora sea tan mecánico y lo achaca, en parte, a que los jóvenes no viven de verdad el flamenco en sus casas, como lo mamó él. Él está ahora peleando contra el tiempo, con una garganta que se apaga. Las voces gitanas tan flamencas y con tanto «pellizco» como la suya o la de Fernanda de Utrera tienen menos recorrido que las que hacen gorgoritos. Además, Rancapino no sabe falsear el cante y se rompe intentando echarlo fuera. «Ahora hay muchas trampas —señala—. Con esas máquinas tan buenas que han salido, a uno que tiene una voz que no es flamenca ni nada, se la ponen ronca».

«Cada vez hay más mentira en el arte, y lo que importa es comunicar —sentencia—. Esto tampoco es una cosa de muchas facultades. Caracol, por ejemplo, sacaba fuerzas de donde no las tenía. El cante duele cuando estás en el límite. En términos taurinos, ¿para qué quiero ver cuarenta naturales de un torero que no me llega, que no me va a pellizcar ni a decir nada? Prefiero uno solo de Curro, o de Paula, que me va a pegar bocados. Un ¡ay! por soleá de Fernanda de Utrera vale más que lo que hacen otros en toda su vida. Lo más difícil que hay es cantar despacio. Como tocar la guitarra, torear y hacer el amor. Despacito. Las cosas ligeras no valen un duro».

2

LAS ALEGRÍAS DE CÁDIZ
Y LA TRAICIÓN DEL BORBÓN

José Antonio Díaz Fernández, Chaquetón, uno de los intérpretes que mejor ha recogido el sabor flamenco de Cádiz, comenzaba sus actuaciones recordando a Enrique el Mellizo, gaditano genial que aportó a un estilo de cante como la malagueña una sonoridad muy peculiar, agitanándolo y entristeciéndolo. Inmediatamente después, Chaquetón se metía en el complejo mundo de las cantiñas, para dar rienda suelta a su desbordante sentido rítmico. «De la pena a la alegría», solía decir, antes de iniciar ese tránsito flamenco por los aires de Cádiz

La alegría y la pena están presentes también, de forma muy significativa, en los cantes gaditanos que reflejan las dos agresiones militares de los franceses contra la Isla de León, en el primer tercio del siglo XIX. A la primera, el frustrado cerco de las tropas napoleónicas durante la Guerra de la Independencia, se le canta festivamente, por cantiñas y alegrías, porque los invasores fracasaron en su empeño de doblegar a la ciudad de los liberales:

> Napoleón Bonaparte,
> con sus escoltas,
> no llegaron al barrio
> de la Victoria.

En cambio, a la segunda invasión francesa, la de los Cien Mil Hijos de San Luis, una especie de OTAN de la época, comandada por el duque de Angulema, se le canta por seguiriyas, el palo más trágico de la amplia baraja estilística flamenca. El propio monarca Fernando VII de Borbón reclamó, en

1823, la intervención de este ejército «aliado», para aplastar a los liberales españoles que defendían la Constitución de 1812. Esta vez, Cádiz cayó, y algunas letras, que sólo diez años antes habían servido para celebrar los fracasos del enemigo, se adaptaron a la métrica y la temática de la seguiriya:

> Baluarte invencible,
> Isla de León,
> que como ganaron los franceses, mare,
> fue por una traición.

El 2 de mayo de 1808 había señalado el comienzo de la resistencia armada contra la dominación francesa. Frente a la pasividad de la mayor parte de la nobleza y a la sumisión de las instituciones (Corona, Cortes, Consejo de Castilla), esta resistencia adquiere carácter popular. Al lado del evidente deseo de mantener la independencia del país, el reformismo político y social se convierte en uno de los objetivos principales de la lucha. En enero de 1810, el Ejército francés invade Andalucía y llega sin dificultad hasta Carmona. En ese punto, los mandos dudan entre dirigirse a Sevilla o seguir hacia Cádiz, donde está anclada la Escuadra inglesa. La elección de la primera posibilidad beneficia a Cádiz.

Ramón Solís, en su libro *El Cádiz de Las Cortes*,[1] escribe: «En España se luchaba al grito de ¡Viva Fernando VII!; en Cádiz, al de ¡Viva España! Y esto no eran influencias de la Revolución francesa, sino un sentido moderno y claro de las ideas, que hubo de surgir, necesariamente, en una ciudad de cultura avanzada y desligada por completo de la aristocracia de sangre, la milicia y la Iglesia». Y prosigue Solís: «La falta de resistencia de la mayor parte de las ciudades españolas, que sólo reaccionan contra el francés cuando se ven ya ocupadas y vencidas, es una consecuencia de la imprevisión, de la escasez de fortificaciones y de la poca capacidad del mando. Pues bien, en Cádiz no podía ocurrir nada de esto: era una ciudad amurallada que, desde mucho tiempo antes, vivía en primera línea de fuego».

Reunidos los jefes militares de Cádiz, estudian el programa de defensa de la ciudad y llegan a la conclusión de que la línea debe establecerse en la margen del caño de Santi Petri. El caño de agua, pues, deberá ser la línea de cobertura, que, por otra parte, sería absurdo mantener más al exterior. Las arenas fangosas de las salinas, las chumberas y pitas con que se cierran los escasos y estrechos caminos que bordean el trazado harán lo demás. Cuando el mariscal Víctor, al frente de las tropas francesas, se presenta a la orilla de Santi Petri, no puede atravesar el caño ni maniobrar en los terrenos de las salinas, por lo que se ve obligado a retroceder y establecer sus baterías en la costa frontera de la bahía desde Puerto Real a Rota.

Los primeros contactos entre ambas fuerzas dan confianza a la población gaditana, que comprueba la seguridad de sus defensas. Las tropas de Napoleón, por su parte, se dan cuenta de que el cerco va a ser largo y difícil. A pesar de que los franceses son dueños de la otra orilla de la bahía, la ciudad conserva abierta la puerta más importante para su abastecimiento, la del mar. Los barcos ingleses, antes sitiadores, se han convertido en aliados:

> Tiran bombitas
> de La Cabaña,
> si será el rey
> de la Gran Bretaña.

COMERCIO CON EL ENEMIGO

Los gaditanos se encuentran mejor abastecidos que sus nuevos sitiadores franceses. Esto da lugar a una anécdota muy gaditana y muy flamenca, relatada por Ramón Solís: «La paradoja de que los sitiados estén abastecidos y que los sitiadores pasen hambre se acentúa de tal manera que la Regencia ha de dar disposiciones muy severas para que no se vendan víveres a los enemigos».

Y continúan proliferando las coplas:

> Las murallitas de Cái
> son de piedra y no se notan,
> pa que todos los franceses
> se rompan la cabezota.

> Yace aquí el gran Dupont,
> grande cuando Dios quería,
> que murió de un bofetón
> que le dio Andalucía.

> Que vengan pronto
> los francesitos,
> pa que los desengañen
> los gitanitos.
> Que venga pronto
> Napoleón,
> pa que le den en Cádiz
> la extremaunción.

Algunas de ellas se siguen interpretando ahora por alegrías y otras han ido cayendo en desuso.

Según Solís, los bombardeos sobre la ciudad, que se suceden desde diciembre de 1810 hasta el 24 de agosto de 1812, «tendrán una importancia muy relativa, ya que las escasas granadas que caen en la ciudad apenas producen víctimas ni desperfectos».

El primer bombardeo sorprende a la ciudad, que se creía lejos de la línea de fuego del Trocadero. Pero los gaditanos recobran la calma pronto y reaccionan con tranquilidad al com-

probar que las granadas no hacen explosión. «Una de las granadas de estos primeros días se abre impotente, y una maja
toma un pedazo de plomo de su carga y lo utiliza a modo de
bigudí», escribe Ramón Solís.

Con las bombas que tiran
los fanfarrones
se hacen las gaditanas
tirabuzones.

Una vez clarificada la situación, las coplas de los gaditanos
adquieren, cada vez más, un tono jocoso, festivo y satírico. Los
habitantes de la ciudad sitiada exaltan su capacidad de resistencia frente al invasor:

Con las bombas que tira
el mariscal Soult
hacen las gaditanas
mantillas de tul.

Disen que el señor Murat
es aficionado al fuego,
digo si tendrá costumbre
quien ha sido cocinero.[2]

De las veinte granadas
que Soult envía
se quedan diecinueve
en la bahía.
Y la que llega,
rompe vidrios y espanta
perras y viejas.

Pero entre tanto jolgorio, aparecen también algunas letras que
tratan el tema con más seriedad:

> Váyanse los franceses,
> en hora mala,
> que Cái no se rinde
> ni sus murallas.

Las únicas bombas que consiguen caer en la ciudad son las que se disparan desde el fuerte de la Cabezuela (el punto más próximo a Cádiz en la opuesta costa de la bahía), diseñadas por el ingeniero francés Villantrois y construidas poco antes en Sevilla. Así que, según Solís, la zona de peligro se reduce al barrio de Santa María o sus proximidades: Santo Domingo, la Mercedes, plaza de San Juan de Dios...

> Qué desgraciaíto fuiste
> barrio de Santa María,
> qué desgraciaíto fuiste,
> un barrio con tanta gracia,
> ¡qué de bombas recibiste!

EL «VALOR» DE LOS SEÑORITOS

A medida que la confianza en su futuro inmediato se hace cada vez mayor entre los sitiados, hasta los más reacios a dar la cara empiezan a aparecer poco a poco por las calles, como los integrantes de los «Voluntarios». «Los cuatro Batallones de Voluntarios Distinguidos de Línea —casi 2.000 hombres— estaban formados por las clases más pudientes de la ciudad —escribe Ramón Solís—. Su uniforme era muy lucido: casaca roja con vueltas de solapa y cuello verde, pantalón ajustado seguido a la forma de la pierna, zapatos negros y botonadura y correajes blancos. Tal conjunto de colores vivos dio lugar a que los gaditanos, siempre dispuestos a la broma, les encajaran el mote o apodo, que ya había de distinguirlos para siempre, de "guacamayos". Completaba el uniforme un sombrero apuntado con cabos de plata y plumero, un corbatín negro y el sable, que colgaba a su costado».

El «valor» de estos señoritos, incorporados a la «lucha» a última hora, cuando ya no hay peligro, también es objeto de mofa. Algunas de las letras que hacen alusión a sus actuaciones se han seguido cantando a lo largo de los años, como ésta, que fue inmortalizada por la voz de Manuel Vallejo:

Fueron a coger coquinas,
los Voluntarios de Cái,
fueron a coger coquinas,
y a la primera descarga
soltaron la carabina.

En algunos casos, se llega a extremos delirantes de fanfarronería cómica, que se desata, de forma aún más incontrolada, cuando los franceses levantan definitivamente el cerco sobre la ciudad y se repliegan hacia el norte.

Napoleón Bonaparte,
con su escolta,
no pasó del balneario
de la Victoria.

Murieron tres mil franceses
en la batalla del Cerro,
pero han lograo un desquite,
que una bomba mate a un perro.

El gran Pepe Botella,
puesto en un árbol,
ha bailado esta noche
un buen fandango.

Al marcharse los franceses,
una bala me encontré,
llorando estaba la pobre
porque no mató a un francés.

Pero para exageración, esta letra que Pericón solía hacer por cantiñas y que dejó espléndidamente grabada:

> Baluarte invencible,
> Isla de León,
> donde se rindió el coloso
> Napoleón Bonaparte.
> Y allí perdió su victoria
> y en Waterloo.

Las alegrías flamencas y las jotas, que parten de un tronco folclórico común, también hermanaron sus textos para cantar a la resistencia contra las tropas del emperador. Fernando Quiñones, en su libro *De Cádiz y sus cantes*,[3] sostiene que el cadáver de Agustina de Aragón estuvo expuesto varios días en la plaza gaditana de San Juan de Dios, aunque no existe ninguna prueba documental de ello y parece bastante improbable. Lo cierto es que la gesta de aquella mujer aparece reflejada en algunas letras que se cantan por alegrías y cantiñas.

> Una mujer, un cañón
> y un puñado de valientes
> hicieron, en Zaragoza,
> retroceder a los franceses.

> Si quieren saber, señores,
> lo que Zaragoza vale,
> que le pregunten a Francia,
> que los franceses lo saben.

Incluso se hace convivir juntos en los cantes, ya mucho más recientemente, claro, a personajes históricos con otros de ficción, como la gaditana Lola:

En Aragón Agustina
y en Cái la Lola
demostraron al mundo
ser españolas.

Mártir de la patria era,
murió al despuntar el día,
muerte dieron los franceses
a Lola la Piconera.

Chano Lobato, uno de los mayores especialistas en los cantes por cantiñas de la historia flamenca, se refería a una letra que se sigue haciendo mucho hoy para explicar las conexiones entre la jota y los aires gaditanos: «Lo de "navarrico, navarrico" es lo que nosotros llamamos el cambio de jota dentro de la alegría. Empieza por jota y, en la caída, se mete dentro de la alegría». La copla, escrita también con posterioridad al sitio napoleónico de Cádiz, hace alusión al regimiento Navarra, que llegó a la ciudad bastantes años después.

Navarrico, navarrico,
qué bien te pega la gorra.
¿De qué regimiento eres?
De Navarra soy, señora.

Posteriormente, muchas coplas flamencas han tomado como referencia la resistencia de Cádiz frente al invasor francés para hacer alusión poética a problemas personales:

Los doscientos cañonazos
que aguantaron las murallas
no tienen comparación
con lo que mi cuerpo aguanta.

Y la herencia flamenca de la resistencia gaditana contra los franceses se ha seguido enriqueciendo con textos nuevos, algunos muy recientes:

Como estas cantiñas que grabó Camarón, en su disco *Arte y majestad*:

> Mira qué bonitos son
> estos cantes de cantiñas,
> que se cantan en los Puertos
> y en La Isla de León,
> porque del puente Zuazo
> no pasó Napoleón.

El propio Chaquetón cantaba alguna letra sobre este tema de su propia cosecha:

> Cuna de cantaores,
> Cái de mi corazón,
> no temieron tus valientes
> al bravo Napoleón.

Y José Mercé, en su disco *Caminos reales del cante*, hacía esta letra de Francisco Vallecillo por alegrías:

> Tierra de los liberales,
> Cái, anclaíta en el mar,
> tierra de los liberales,
> al cante supiste dar
> arte y jondura a raudales.

Con mayor intencionalidad política y actualizando la historia, Paco Moyano habla de otros invasores más recientes, a los que se les abrió las puertas en 1953, gracias a unos Acuerdos que permitieron al dictador Francisco Franco declarar: «Al fin he ganado la guerra». En su disco *De sur a sur* y al compás de cantiñas, dice el cantaor granadino:

Se ve desde la alta mar,
en Cái, caray, qué letrero,
se ve desde la alta mar,
escrito: «Fuera la muerte»
de Rota y de Gibraltar.

Algunos de los cantes que se popularizaron durante el asedio de las tropas napoleónicas en Cádiz se recuperaron, con pequeñas modificaciones, más de un siglo después, en el Madrid republicano, cercado y bombardeado por las tropas de Franco desde 1936 a 1939:

Con las bombas que tiran
los aviones
se hacen las madrileñas
tirabuzones.

Por la Casa de Campo
y el Manzanares,
quieren pasar los moros.
¡Ay!, no pasa nadie.

EL «OMINOSO» MONARCA

El 19 de marzo de 1812, las Cortes aprueban en Cádiz la primera Constitución española. Liberal y monárquica, acaba con los privilegios reales y nobiliarios, prohíbe la Inquisición y la censura y reconoce que el poder del rey procede del pueblo. En Cádiz se acuña la palabra «liberalismo», vigente hoy en castellano en todo el mundo.

Fernando VII, antepasado del actual monarca español, había traicionado también a su propio padre, Carlos IV, para arrebatarle la corona y, en uno de sus numerosos actos de cobardía, consintió más tarde ceder sus derechos dinásticos a Pepe Botella, hermano del emperador Bonaparte. Al final de la Guerra de la Independencia, se aprovecha del sacrificio de los patriotas para recuperar el trono que él había vendido, liquida la heroica labor legislativa de las Cortes de Cádiz, implanta de nuevo el absolutismo y encarcela, ejecuta o destierra a los liberales que han defendido España mientras él se postraba ante Napoleón.

Gracias al Tratado de Valençai (11 de diciembre de 1813), Fernando VII recobra la Corona y el 22 de marzo de 1814 regresa a España por la frontera de Cataluña, donde el general Copons le comunica, en nombre de la Regencia, que debe prestar juramento a la Constitución aprobada por las Cortes en Cádiz. Pero el 4 de mayo de ese año, el rey decreta en Valencia la abolición de la Constitución liberal, alentado por la caída de Napoleón y la restauración de los Borbones en Francia. A partir de ese momento se produce la deportación y el encarcelamiento masivo de políticos liberales. Se restaura la Inquisición y se suprime el Consejo de Estado y el Tribunal Supremo. Se cierran las universidades, los teatros y numerosos periódicos. Además, se autoriza el regreso de los jesuitas, que volverían a ser expulsados de España durante la Segunda República.

El héroe guerrillero Espoz y Mina tiene que huir a Francia después de intentar un levantamiento en Pamplona, ese mismo año de 1814; el general Porlier es ahorcado tras sublevar a la guarnición de La Coruña el 19 de septiembre de 1815; el general Lacy es fusilado en Cataluña, en 1817, y el coronel Vidal en Valencia, en 1819.

El 1 de enero de 1820, el coronel Quiroga se alza en la localidad gaditana de Alcalá de los Gazules y el comandante Rafael de Riego proclama en el pueblo sevillano de Las Cabezas de San Juan, al frente de las tropas destinadas a combatir en América, la Constitución de 1812. El clima liberal de la burguesía mercantil de Cádiz proporciona un buen caldo de cultivo para la insurrección. En Madrid, el Borbón tiene que ceder ante los motines populares y la presión del general liberal

Ballesteros. Durante el Trienio Liberal (1820-1823) regresan los exiliados, proliferan las «sociedades patrióticas» y continúan la intrigas anticonstitucionales de Fernando VII y los suyos.

El 15 de agosto de 1822, los absolutistas constituyen una Regencia en la Seu d'Urgell y solicitan ayuda a Metternich. La Santa Alianza, reunida en Verona, acuerda intervenir a favor del patriota Fernando VII con cien mil soldados. Y el 7 de abril de 1823, los Cien Mil Hijos de San Luis, bajo el mando del duque de Angulema, invaden España.

El mismo día, las Cortes trasladan al rey a Sevilla y, en junio, suspenden las funciones del monarca. Tras una sola batalla, la del Trocadero, ya junto a Cádiz, los ejércitos franceses comandados por Angulema consiguen la liberación de Fernando VII, el 30 de septiembre, a cambio de una promesa de amnistía. El Borbón es repuesto en el trono con todos sus derechos, pero no cumple la promesa hecha. Recobra el poder absoluto y declara nulos todos los actos gubernamentales anteriores. Comienza lo que la historia conoce como la «década ominosa» (Fernando VII también morirá en la cama, en 1833). Respaldado por el poder militar de la Santa Alianza, que mantiene sus tropas en España hasta 1828, se desata una terrible represión contra los liberales.

Mientras la mayoría de las letras que hacen alusión al primer cerco francés sobre Cádiz en el siglo XIX tienen como soporte rítmico las alegrías o cualquier otra variedad de la rica familia de las cantiñas, la invasión de los Cien Mil Hijos de San Luis, gracias a la traición de Fernando VII, se recuerda por seguiriyas. Ante la nueva invasión francesa, propiciada desde el trono, el general Rafael de Riego trata, en la medida de sus fuerzas, de organizar la defensa, pero es hecho prisionero el 15 de septiembre de 1823. Trasladado a Madrid y juzgado por haber votado en las Cortes la deposición temporal de Fernado VII, es ahorcado en la plaza de la Cebada el 7 de noviembre de 1823. No hay constancia de que se cum-

pliese la parte de la sentencia que ordenaba el descuartiza-
miento del reo.

Su asesinato se recuerda por seguiriyas:

> Er día que en capilla
> metieron a Riego,
> los suspiritos que daban sus tropas
> llegaban ar sielo.

> Aquel día tan grande
> que Riego murió,
> se le cayeron e ducas[4] las alas
> a mi corazón.

> Mataron a Riego,
> ya Riego murió,
> cómo se viste de negrito luto
> toa la nasión.

Antonio Mairena, en su disco dedicado a los cantes de Cádiz,
dejó espléndidamente grabada la siguiente letra, que todavía
se puede escuchar con frecuencia en directo en la voz de uno
de sus más aventajados discípulos, Canela de San Roque:

> Salgan los santitos
> de San Juan de Dios
> pedí limosna p'al entierro de Riego,
> que va de por Dios.

Tras el ajusticiamiento de Riego, continúan los intentos de los
liberales por acabar con el terror fernandino. Mientras que
una Junta Patriótica, en Bayona, inspirada por el ex jefe guerrillero Espoz y Mina, conspira en el sentido de ofrecer una
solución moderada al monarca, el general Torrijos impulsa la
creación de otra Junta, en Londres, con el ánimo de alimentar
una insurrección en la que colaboren elementos militares y las

masas urbanas, mucho más acorde con el espíritu del Trienio Liberal. En diciembre de 1831, cuando intenta desembarcar en Málaga, tras una travesía desde Gibraltar, Torrijos es sorprendido por las tropas realistas apostadas en las playas del Charcón de Fuengirola. El 11 de diciembre es fusilado, junto a 49 de sus compañeros, en las playas de El Bulto. Los flamencos también le recuerdan por seguiriyas:

> Doblaron las campanas
> de San Juan de Dios;
> cómo mataron a Torrijos er valiente
> ¡miren qué doló!

> El día que mataron
> a Torrijos er valiente,
> grandes guerrillas se armaron
> y hasta el cielo se nubló.

Y el mirabrás, otro estilo flamenco de origen gaditano, de la familia de las cantiñas, propagó a los cuatro vientos el rechazo a la monarquía borbónica:

> A mí qué me importa
> que un rey me culpe,
> si el pueblo es grande
> y me abona.
> ¡Voz del pueblo, voz del cielo!

> Que no hay más ley,
> que son las obras,
> y con el mirabrás,
> tiriti, tira y anda.

La tradición liberal y republicana se continuó manifestando, a través de alegrías y cantiñas, durante todo el siglo, con nuevas incorporaciones, como esta copla de lectura política confusa, pero que, en definitiva, deja clara su apuesta por la Primera República y su rechazo a la monarquía:

> ¡Viva Prim y el gran Topete
> y toítas sus legiones!
> ¡Viva Emilio Castelar!,
> que es contrario a los Borbones.

3

LA PREHISTORIA DEL CANTE:
HERMETISMO Y PERSECUCIÓN

El primer intérprete de flamenco de quien se tienen referencias, más míticas que documentadas, fue Tío Luis el de la Juliana, un aguador de Jerez, gitano, que según Antonio Machado y Álvarez (Demófilo) era «un cantador muy general y que así se cantaba por polos y cañas, como entonaba unas seguidillas gitanas o una liviana y una toná, de esas que no se encuentran hoy ya en el mundo quien las cante ni por un ojo de la cara». El padre de Antonio y Manuel Machado, prestigioso investigador del folclore, escribía esto en 1881, en su *Colección de cantes flamencos, recogidos y anotados*,[1] una obra pionera a la que es inevitable hacer referencia. Demófilo, sin albergar la más mínima duda, atribuye a los gitanos la paternidad de lo que hoy conocemos como cantes básicos, el corazón del flamenco. Más tarde, Antonio Mairena abundaría en ello con su diferenciación entre flamenco y cante gitano-andaluz. Machado y Álvarez, contundente en sus afirmaciones, añadía: «El pueblo, a excepción de los cantadores y aficionados, a los que llamaríamos *dilettanti* si se tratara de óperas, desconoce esas coplas; no sabe cantarlas, y muchas de ellas ni aún las ha escuchado. Los asuntos de estas coplas son casi siempre motivos o desgracias personales; muy pocas veces, casi nunca, se hace alusión en ellas a cosas o hechos de interés general o nacional».

Los estilos más primitivos (tonás, seguiriyas, romances, livianas...), cantados sin guitarra inicialmente, se desarrollaron, de forma hermética, entre las comunidades gitanas de la Baja Andalucía y no empezaron a aflorar fuera de ese cerrado entorno hasta el siglo xix. Machado y Álvarez, un gitanista ultraortodoxo, consideraba que eso era el principio del fin. Habría que haberle visto escuchando algunos productos a los que hoy les ponen la etiqueta de flamenco. Escribe el padre de los Machado: «Estos cantes, tabernarios en su origen y cuando, a nuestro juicio, estaban en su auge y apogeo, se han convertido hoy en motivo de espectáculos públicos. Los cafés, último baluarte de esta afición, hoy, a nuestro juicio, contra lo que se cree, en decadencia, acabarán por completo con los cantes gitanos, los que andaluzándose, si cabe esta palabra, o haciéndose *gachonales*, como dicen los cantadores de profesión, irán perdiendo poco a poco su primitivo carácter y originalidad y se convertirán en un género mixto, al que se seguirá dando el nombre de *flamenco*, como sinónimo de gitano, pero que será en el fondo una mezcla confusa de elementos muy heterogéneos».

De parecida opinión son los hermanos Carlos y Pedro Caba. En su libro *Andalucía. Su comunismo libertario y su cante jondo*,[2] publicado en 1933, afirman: «Para cantar en toda su intensidad el cante jondo hay que no oírlo en el café cantante o en la juerga preparada, sino sorprenderlo en el campesino solitario, en el recluso de la penitenciaría, en la mujer del prostíbulo o en el obrero de la mina. El profesional del cante, que le superpone ya sentido comercial, y el obrero de la ciudad cantando en la taberna o el taller, que tiene ya mucha civilización, muchas ideas sociales en la cabeza, desperfuman la expresión del cante, le borran su matiz de *naturaleza culta*».

Entre las letras recogidas por Demófilo son mayoría, desde luego, las que se refieren a conflictos y penas individuales, y el folclorista señala, como excepciones, precisamente las que hacen alusión a las ejecuciones de Riego y Torrijos, recordadas en el capítulo anterior. Gran parte de las coplas evidencian la persecución que sufrieron los calés desde su llegada a España. Y notable protagonismo tienen en esos asuntos la Inquisición y la Benemérita:

Los gitanitos del Puerto
fueron los más desgraciaos,
que a las minas del azogue
se los llevan sentenciaos.
Y al otro día siguiente
les pusieron una gorra,
con alpargatas de esparto,
que el sentimiento me ahoga.
Y al otro día siguiente
les pusieron un maestro,
que aquel que no andaba listo
a golpes le dejaban muerto.

Los jeres por las ventanas,
con faroles y velón.
Si acaso él no se entregara,
tiradle que era caló.

Paco Espínola, en su libro *Flamenco de ley*,[3] ha recogido centenares de letras tradicionales que denuncian la persecución sufrida por muchos flamencos desde la prehistoria del arte jondo. A través de estos textos se puede seguir, paso a paso, todo el proceso represivo: el prendimiento, el juicio, la cárcel... y la ejecución.

Ya lo sacan de la cárse
a cajitas estemplás.
Los calorrés van delante,
la calorrea va detrás,
y toos los jundamales
a bayoneta calá.[4]

Cuando suenan los cerrojos,
al alba del nuevo día,
a unos les dan tormentos dobles
y a otros les quitan la vía.

Sobre la persecución de los gitanos, desatada por el cardenal Cisneros y los Reyes Católicos, escriben los hermanos Caba: «No hay duda de que en el proceso de la última estratificación cultural de Andalucía interviene el gitano. Éste aparece en España, y más concretamente en Cataluña, en 1447. Y, sin embargo, no ancla en Barcelona, sino que resbala por Levante hasta injertarse en Andalucía, prestando a su acervo folclórico sus desgarrados tonos de pueblo a la deriva. La Pragmática de los Reyes Católicos (o mejor del cardenal Cisneros) dada en Medina del Campo en 1499 y que ordena que, dentro de los sesenta días siguientes a su promulgación, "los egipcianos y caldereros extranjeros [...] tomen asiento en los lugares y sirvan a Señor que le den lo que hubiera menester y no vaguen juntos por los reinos, o que salgan de España, so pena de cien azotes", no sirve sino para estimular la asimilación total de esa partícula aventada del Oriente que se adhiere, por un oscuro instinto de afinidad racial, al pueblo andaluz, que va acusando ya, frente al agrio catolicismo ascético de la meseta, sus finas líneas sensuales, sus aristas de pueblo artista, místico y rebelde. Una oscura simpatía atávica, efectivamente, debió de hallar el pueblo gitano en el andaluz, para incorporarse en urgente metabolismo a su espíritu, a pesar del odio que, desde la pragmática citada, ha venido informando los textos legales españoles [...].

»Y ese metabolismo gitano-andaluz (simbiosis si se quiere) es innegable. Porque no sólo se agitana el acervo musical andaluz y su habla (la del gitano también se andaluza), sino que también se rastrean sus huella y sus costumbres en el pueblo andaluz, amasado ya con levadura africana, hebrea, islámica y gitana de remota cronología... En resumen: en Andalucía confluyen la desesperación filosófica del islam, la desesperación religiosa del hebreo y la desesperación social del gitano».

Militares, guardias, fiscales, jueces y carceleros surgen de forma constante, como una permanente sombra negra, en las coplas flamencas, que inicialmente sólo expresan desolación y dolor individual, sin que se apunte en ellas, todavía, ninguna posibilidad de respuesta organizada frente a los represores. La expresión puramente política en el flamenco ha sido muy excepcional a lo largo de su historia. Sólo aparece, minoritariamente, durante la República, y de forma algo más generalizada a lo largo de los últimos años de la dictadura franquista y en la transición. No obstante, en el flamenco está presente la rebeldía del campo andaluz, en el que calaron profundamente las tesis bakuninistas de la Primera Internacional y donde se produjeron numerosos levantamientos populares a lo largo de los siglos xix y xx.

Los hermanos Caba analizan esta cuestión de manera certera: «El sentido anárquico del cante jondo tiene una derivación hacia la rebeldía social andaluza, cargada de fatalismo musulmán y de mesianismo hebreo, pero tejido también con la desesperación del gitano, alma en pena de la irredención y el individualismo [...] En Andalucía ha arraigado y crece exuberante el comunismo libertario. No divorciemos estas palabras de ese matrimonio imposible con que aparecen enlazados. Junto a ese comunismo libertario hay otro amplio sector político de comunistas sin adjetivo. Pero ello no contradice su radical individualismo, no sólo porque lo que haya de comunismo en el andaluz no añade gran cosa a lo que, doctrinalmente, quepa entenderse por comunismo, ni porque la asociación política en sí no afecte periféricamente a toda individualidad conclusa, sino porque el andaluz es radicalmente enemigo de la comunidad, no tiene instinto corporativo. Cuando siente angustias humanas busca su liberación en el cante, en que expresa sus penas, penas que colige en los demás por la solidaridad del dolor; pero ese dolor universal alcanza su máxima concertación cuando está individualizado y una sensibilidad se quema en él».

BANDOLEROS Y CONTRABANDISTAS

«La rebeldía andaluza, como un *ethos* consustantivo, ha sido (¡cómo no!) connotada de antiguo —continúan los hermanos Caba—. Toda la larga serie ininterrumpida de rebeliones andaluzas que va desde la sublevación de Caracota, en tiempos de Augusto, hasta la de Medina Sidonia y Casas Viejas, pasando por la del Arrabal de Córdoba en el siglo ix, la de Arcediano de Écija en el xiv, la de Fuenteovejuna en el xv, la de Pedro Machuca en el xvi, la de Córdoba en el xvii, en tiempos de Felipe IV, la de los comunistas de Arahal, la de Loja, la de la Mano Negra y el asalto de los jornaleros de Jerez en el siglo xix, todas estas gestas de la rebeldía andaluza han sido explicadas por móviles económicos. Y la verdad doctrinal de la interpretación económica de la Historia (de los pueblos) es certera, pero unilateral [...] La rebeldía andaluza no sólo transparece en el anarquismo andaluz, sino que también se ha canalizado en una mística resignación de tipo ascético, como en Abenmasarra, o estoico, como Séneca, o de pagana religiosidad con tendencia nihilista; o se ha manifestado esa rebeldía buscando la canonización lírica del héroe (bandoleros, contrabandistas) o ha usado el lenguaje de los símbolos, sublimándose en arte como en el cante jondo. ¿Es que el cante jondo es una secuela lírica del hambre?». A esa canonización del bandolero, héroe romántico por excelencia, contribuyen numerosas coplas en las que se mitifica, otorgándoles rasgos muy poco cercanos a los reales, a personajes tan turbios como José María El Tempranillo.

> José María vivió
> como viven tós los hombres grandes:
> con el corazón.

Pepe de la Matrona dejó grabada esta conocida letra, por serrana:

Por la Sierra Morena
va una partía,
al capitán le llaman
José María.

¡Que no va preso!,
mientras su jaca torda
tenga pescuezo.

La mitificación de la figura de El Tempranillo ha llegado hasta nuestros días. El director de cine Carlos Saura le hacía protagonista «bueno» de su película *Llanto por un bandido*, en la que Paco Rabal encarnaba al bandolero. En la cinta también aparecía el cantaor Rafael Romero El Gallina, interpretando a otro miembro de la partida, llamado, precisamente, El Gitano.

Pero la realidad es que El Tempranillo se acaba convirtiendo en agente del tirano Fernando VII al final del reinado de éste, sobre 1832. El Estado trataba de reforzarse captando a elementos de probada experiencia en el manejo de las armas y buenos conocedores de la sierra, a cambio de olvidar pasados «errores» de sus nuevos colaboradores. El régimen de terror del Borbón, carente de un verdadero sustento popular, y montado, en las zonas rurales, sobre la base del caciquismo, echa mano del bandolero como un elemento de control al servicio del poder y le concede impunidad a cambio de sus servicios políticos. José María El Tempranillo y varios de sus hombres forman la Partida de a caballo de Andalucía, a las órdenes del capitán general de la región, el marqués de las Amarillas, con la finalidad de perseguir a delincuentes y ponerlos a disposición de la justicia. Pero el «arrepentido» disfruta muy poco tiempo de su nueva misión: el 22 de septiembre de 1833 es herido mortalmente, durante un enfrentamiento con bandoleros que no se han vendido, en el cortijo de Buenavista, en las inmediaciones de la sierra de la Camorra, junto a la localidad malagueña de Alameda.

En su libro *Rebeldes primitivos*,[5] Eric J. Hobsbawm analiza con rigor científico el fenómeno del bandolerismo, tantas veces recreado románticamente: «El propio bandido trata de vivir conforme a su papel, aun cuando él mismo no sea un rebelde social consciente [...] No está dispuesto a cargar con las cruces tradicionales que corresponden al estado llano en una sociedad de clases: la pobreza y la sumisión. Puede librarse de ellas uniéndose a los opresores o sirviéndoles, tanto como alzándose en su contra. En todas las sociedades campesinas existen bandoleros de los señores tanto como bandoleros campesinos, por no aludir a los bandoleros del Estado, aunque nada más reciba los honores de coplas y anécdotas el bandido campesino».

En el universo flamenco, uno de los cantaores que mejor han conservado esas coplas que hacen alusión al bandolerismo ha sido Pepe de la Matrona. Por ejemplo en esta antigua liviana que dejó grabada para la historia:

> Camino Cazariche,
> Venta Brabaero,
> allí mataron a Bastián Bachoco
> cuatro bandoleros.

Por su parte, Antonio Mairena retrataba irónicamente, por tangos, la «integración» de los bandidos de la sierra:

> Al juez que a mí me sentencie,
> le tengo que regalar
> las balas de mi trabuco,
> si me da la libertá.

Similar torrente de simpatía despiertan en las coplas flamencas los fuera de la ley dedicados específicamente al contrabando. En la Andalucía del nuevo caciquismo, basado en el subsidio con dinero público, esta actividad continúa siendo una forma de subsistencia para algunos ciudadanos que no tienen la más mínima posibilidad de integrarse en el proceso productivo. Sobre todo en la provincia de Cádiz.

¿Dónde están los hombres buenos,
que los busco y no los hallo?
Unos están en presidio
y otros en el contrabando.

Yo soy la contrabandista
que meto tanto ruío,
yo me voy con mi marío
a la plaza de Gibraltar,
y si me tiran al resguardo
me meto en el zipizape,
tiro mi jaca al escape
y me voy por donde he venío.

Entre Portugal y España,
por la sierra caminando,
Juan de la Cruz va cantando:
«¡Viva mi jaca castaña,
la perla del contrabando».

¡Arriba, caballo mío!
Sácame de este arenal,
Que me viene persiguiendo
la partía e Villarreal.

Fue contrabandista
una sola vé.
Los carabineros, ¡qué desgrasiaíto!,
le dieron mulé.

«Andalucía se ha sentido siempre desasistida y como aislada en su desolación —escriben los hermanos Caba, en 1933—. Se le veía reír, cantar, vivir jocunda, cromática y locuaz y se creía que todo ello era alegría de vivir y frivolidad temperamental.

Y, sin embargo, a lo largo de las generaciones, aquella alegría era "risa entre lágrimas"; risa que se vertía hacia adentro y se remansaba en pena y se tempanizaba en odio, ya viendo que a su cultura se le sitiaba con europeísmo y se le desvalorizaba con un colorismo superficial y menospectivo, o ya viendo cómo la tierra empapada con sus dolores era alfombra de lujo para sensualidad de señoritos... Ese señorito andaluz, mujeriego, caballista y jaranero, que "a sus jacas ponía nombre de mujer y llamaba a las mujeres jacas", y que cruzaba sus paisajes de luz proyectando una imagen feudal sobre el labrantío y un perfil de sultán vicioso sobre el alma del labriego y sobre la belleza de su cortijera».

El flamenco se ha liberado en gran medida de la caprichosa voluntad de los señoritos, como veremos en los capítulos posteriores, pero esta letra, escrita por Francisco Moreno Galván e interpretada por José Menese a compás de tientos, continúa teniendo plena vigencia. Sólo han cambiado las caras de los amos:

> Señor que vas a caballo
> y no das los buenos días,
> si el caballo cojeara,
> otro gallo cantaría.

EL TRABAJO EN LA MINA

La rebeldía latente en algunas coplas de los cantes de origen «gitano-andaluz» —utilizando la expresión acuñada por Antonio Mairena— adquiere una dimensión diferente en los estilos denominados minerolevantinos, es decir, vinculados explícitamente al trabajo en el tajo y a la explotación. Estos cantes se desarrollan a lo largo del siglo xix, a medida que van apareciendo nuevas cuencas mineras en Jaén, Almería y Murcia.

«El cante minero funde, en una nueva estilística, el carácter de campesino y *payo*, sobre el que se levanta, con brotes urbanos y barrieros, y con la nueva socialización que le imprime el hecho de su desarrollo en un medio industrial y proletarizado —escribe Génesis García—.[6] Y en su carácter predominantemente descriptivo influye también su vinculación al coplero popular, al trovero, quien acompaña al cantaor como parte integrante de aquel mundo en ebullición. De ahí que el sentido social del cante minero lo sea no sólo por estar socializado, como el tradicional andaluz, sino por estar, además, ideologizado».

Desde 1820, en Almería; 1840, en Cartagena, y 1850, en Jaén-Linares, La Carolina y El Centenillo, se incrementan las explotaciones que hacen de estas tres comarcas (almeriense, cartagenera y jiennense), el triángulo minero que pone en relación a sus hombres, su industria, su vida y su cante. «Por los caminos de Almería y Murcia se desplazaba un enorme contingente de población que, en ruta hacia las minas, dio lugar al extraordinario aumento de población de las humildes aldeas de la sierra, entre los años cincuenta y sesenta del siglo xix —prosigue Génesis García—. Rudimentarias herramientas en las manos, técnicas elementales, pero certera intuición para los trabajos, coplas telúricas y ancestrales entre pecho y garganta, eran todo su bagaje».

> Yo soy un pobre minero
> que va en busca de trabajo.
> No quiero ser jornalero,
> tengo que encontrar un tajo,
> a ver si gano dinero.

> Con el tiempo variable,
> los vientos son desabríos,
> y dicen los contratables
> que tó aquel que esté aburrío
> vaya a trabajar al cable.

Los cantes mineros hablan con frecuencia del peligro que entraña el trabajo en las minas (malas condiciones de seguridad, accidentes, enfermedades, muerte), de los míseros jornales y de la represión frente a cualquier movimiento reivindicativo.

Minero, ¿por qué trabajas?,
si pa ti no es el producto;
para el rico es la ventaja
y pa tu familia el luto.

Las minas se han levantao
por cuestiones del jornal
y la tropa está cargando
a bayoneta calá.

Quieres, Martín, que yo cante
al clero y la monarquía;
¿no comprendes, ignorante,
que esa opinión no es la mía?
¡Que vaya el nuncio y les cante![7]

4

FANDANGOS POR LA REPÚBLICA
Y UN COMANDANTE GITANO EN EL FRENTE
DE MADRID

«A mi padre lo fusilaron los fascistas. Publica esto donde te parezca, y si alguien quiere, que venga a preguntarme. Farruco no se esconde de nadie». De esa forma tan rotunda, el bailaor nacido en la localidad madrileña de Pozuelo de Alarcón y criado en Sevilla, uno de los más grandes artistas flamencos de la historia, confirmó la veracidad de una sorprendente historia, en cuya pista me había puesto el fotógrafo José Lamarca años atrás.

Después de 1975, durante los años inmediatamente posteriores a la muerte del dictador, la efervescencia política y social que se vivía en la calle impregnó también, en parte, al mundo del flamenco. Y algunos artistas que nunca se habían significado políticamente empezaron a manifestar con timidez su orientación ideológica. No era el caso de Pepe Menese, que ya llevaba muchos años dando la cara, proclamándose comunista de forma abierta y cantando las inequívocas letras de Francisco Moreno Galván.

Pepe Menese sentía auténtica pasión por el baile de Farruco y le tenía un cariño enorme. En esa época, los festivales flamencos veraniegos se encontraban en todo su apogeo y era habitual que algunos artistas hicieran incluso doblete, si dos pueblos relativamente cercanos tenían su velada de cante, toque y baile el mismo día. En uno actuaban al principio y en otro, al final. En cierta ocasión que Menese y Farruco hacían doblete, Pepe aprovechó para invitar al bailaor a desplazarse de un pueblo al otro en su coche. En el vehículo iba también Lamarca. Durante el recorrido surgió una conversación relacionada con la situación política que se estaba viviendo y, en determinado momento, Farruco, que hasta entonces se había mantenido en silencio, afirmó, para sorpresa de sus acompañantes: «Pues a mi padre lo fusilaron los fascistas». Y ahí se quedó la cosa. Por más sutiles y respetuosas preguntas que le hizo Lamarca a lo largo de la noche, Farruco no volvió a hablar de ese asunto.

Años después, Pepe Lamarca me relató esta historia, y no paré hasta conseguir aclararla. La ocasión se presentó en la primavera de 1996. Con motivo de la presentación del documental *Bodas de gloria*, protagonizado por un jovencísimo Farruquito y en el que también participaban su abuelo Farruco y toda su familia, viajé a Sevilla, invitado por CANAL +, la cadena que iba a emitir el trabajo. Los demás periodistas que participaban en la expedición eran redactores de temas televisivos, no había ningún aficionado al flamenco. Así que me resultó muy fácil sentarme al lado de Farruco durante la cena, que se celebró en un restaurante de la trianera calle Betis.

Farruco llevaba apartado del baile activo desde hacía varios años, como consecuencia de las dolencias cardíacas que le aquejaban. Pero, tras sufrir una operación de corazón, sus hábitos no habían cambiado mucho: durante la cena no probó bocado, estuvo fumando porros y bebiendo chupitos de whisky de forma ininterrumpida. Sin dejarme amilanar del todo por su inquietante y rotunda presencia, para romper el hielo, comencé a preguntarle su opinión sobre cantaores que, sin ninguna duda, eran de su cuerda: Manuel Torre, Tomás Pavón, Chocolate... Cuando llevábamos un rato hablando, Farruco le hizo un gesto a Ricardo Pachón para que se acercase. Pachón había coordinado la producción del documental. Entonces, Farruco le preguntó, sin dejar de liar un nuevo porro y sin mirarme: «¿Y este payo quién es?». Ricardo le contestó: «Es periodista y buen aficionado, le gusta lo mismo que a nosotros, Antonio». Y Farruco siguió relatándome sus vivencias flamencas.

En determinado momento, me atreví a hacer el comentario clave: «Tengo entendido que su padre murió durante la guerra». Y me empezó a contar la historia. Tímidamente, enseñé una pequeña grabadora que tenía preparada para la ocasión, y él no hizo el más mínimo gesto al respecto. Así que la conecté y toda la conversación quedó grabada a partir de ese momento. «Mi padre fue comandante de un batallón de la 30 Brigada Mixta. Le fusilaron en Madrid con treinta y cuatro años», señaló Farruco.

Manuel Montoya Carrasco, gitano de pura cepa, había sido recogido, en su infancia, por un aristócrata liberal que le dio estudios universitarios. Republicano convencido, se formó militarmente en Alicante durante los primeros meses de la contienda y mandó un batallón de gitanos y payos, durante la defensa de Madrid. Fue fusilado por los fascistas y sus restos descansan, después de muchos avatares, en el cementerio madrileño de Vicálvaro. Siguiendo las indicaciones de Farruco, Lamarca y yo localizamos la tumba de su padre, Pepe la fotografió y, en una visita posterior, meses antes de que el bailaor falleciera, le mostré la foto y él me confirmó que, efectivamente, ése era el lugar donde estaba enterrado su progenitor.

«Mi abuelo tuvo un problema con la ley, cometió una muerte, y pagó prisión —me relató Farruco—. Había tenido un percance, le dieron un tiro en Peñarroya y su padre y su madre le tuvieron oculto, cuidándole en una cueva. Mi tío y mi padre quedaron huérfanos y los acogió el marqués de Aracena, que les dio estudios. Mi padre se hizo ingeniero de puertos y canales. El marqués de Aracena fue mi padrino».

La madre de Farruco, también gitana canastera, que vivió hasta casi los cien años y con la que él mantuvo una relación distante durante las últimas décadas de su vida, cavó trincheras, durante los duros momentos de asedio a Madrid, con el pelo corto y enfundada en el mono azul de miliciana. Al terminar la guerra pasó más de cuatro años en prisión. «Mi madre se llama

Rosario Flores Campos —me dijo Farruco en aquel encuentro de 1996—. Nació en Ceuta, estaba bautizada con un nombre árabe y por eso se salvó del fusilamiento. Vive y tiene noventa y cinco años».

Tan sorprendente y desconocida historia es una página más de la singular vida de este bailaor de leyenda. Bravo y peleón durante toda su vida, mujeriego y de carácter explosivo, Farruco es un personaje ya mítico. La herencia de su sangre está repartida por medio mundo. Se casó por primera vez a los catorce años, a los quince ya era padre, y a los dieciséis, viudo. «Yo he tenido cinco hijas y las he casado por las leyes nuestras, de los gitanos, que son en las que más creo en cosas de casamientos. Después, me adapto a la vida como es», afirmaba.

EPOPEYA VITAL

El baile flamenco añejo, puro y con solera tenía un nombre indiscutible: Antonio Montoya Flores, Farruco. El movimiento solemne de sus brazos no denotaba influencias de otras danzas, era producto del aprendizaje en familia y se pulió a lo largo de innumerables noches de fiesta. Sólo Carmen Amaya ha sido comparable, en fuerza y pureza racial, a Farruco. Su herencia artística es gloriosa y su vida fue una verdadera epopeya.

Durante varias décadas, paseó su arte por todas partes, enriqueció, con esa planta impresionante que le caracterizaba, los principales escenarios de numerosos países y provocó el delirio de sus compañeros de profesión. «Yo no sé leer ni escribir y he dado varias veces la vuelta al mundo», decía. Antonio Gades, que sentía pasión por él y que trabajó junto a Farruco en multitud de ocasiones, siempre recordaba una noche con él en Budapest: el telón del teatro subiendo y bajando decenas de veces, incapaz de poner punto y final a la velada de baile en la que Farruco había acabado con el cuadro y los espectadores, enloquecidos, aplaudiéndole durante un tiempo infinito. El público húngaro, entre el que había numerosos calés, no podía abandonar la sala sin volver a ver a aquel gitano especial, una y otra vez, volcando su arte a borbotones.

Horas después, en la misma ciudad, Farruco, pendenciero incorregible, empleó sus prodigiosos pies para mantener a raya, desde lo alto de una mesa de madera maciza, a toda la clientela de un bar, integrada, mayoritariamente, por miembros de su etnia, que previamente habían muerto con su arte.

Gitano canastero y «andarríos», se definía como un completo autodidacta y aseguraba que fue dibujando su personal baile al compás que marcaban los caballos que le trasladaron, de niño y de adolescente, en sus permanentes peregrinaciones buscando el amparo de puentes y chamizos. Temperamental e imprevisible, Antonio podía haber servido de incomparable inspiración para el mejor de los romances lorquianos: «Yo no he pasado por estudio de ninguna clase —aseguraba—. A mí me han enseñado a bailar los caballos, soy el bailaor más autodidacta que hay, he creado mis propios bailes, y me siento orgulloso de eso. Lo que bailan los muchachos que están saliendo ahora está más cerca del clásico español, no tiene casi nada que ver con el flamenco-flamenco. Yo, a lo mejor, no soy capaz de dar seis piruetas, porque no lo he ensayado ni me lo han enseñado, pero uno de éstos no podrá dar la vuelta flamenca en la vida. Se puede caer de espaldas y partirse siete costillas. Equivocan al público. Ensayan hasta la sonrisa. Hay muchachos que, con la tercera parte de la fuerza que emplean, podrían hacer barbaridades. Parece que se están peleando con las tablas».

Durante sus últimos años, las apariciones de Farruco en escena se reducían a fugaces desplantes que se degustaban como la mejor de las escenas. Extremadamente crítico e intransigente, desdeñaba a todos los jóvenes bailaores que han llegado últimamente al éxito aupados por una crítica papanatas y públicos no flamencos. «Ya casi nadie sabe bailar macho —solía decir Antonio—. El Güito y pocos más».

En 1997, después de su última actuación en Madrid (falleció en diciembre de ese año), una breve intervención en un espectáculo protagonizado por Farruquito en el Centro Cultural de la Villa de Madrid, recibió en el camerino la visita de Joaquín Cortés. Antes de que éste abriera la boca, Farruco, sentado en una silla, con su sombrero, calzoncillos largos, las botas de bailar puestas y fumando un porro, le dijo al recién llegado: «Niño, lo que tú haces no vale ná. ¿Dónde se ha visto a un hombre bailar con faldas?». Y Cortés, aturullado, le contestó: «Qué cosas tiene usted, maestro». Varios años más tarde, Joaquín Cortés declaró que él no había tenido ningún maestro en el mundo del flamenco, que su principal referencia era Nureyev.[1]

«A mí el flamenco pop no se me mete en la cabeza, como no se me mete que yo esté bailando por soleá y haya un violín, una flauta o una caja. Si la caja soy yo, soy el tambor con mis pies. ¿Y para qué necesito una flauta?, si no soy ilusionista de cobras —afirmaba Farruco—. El flamenco siempre ha sido un cantaor, una guitarra y una bailaora o un bailaor».

Dedicado a la dirección coreográfica y a la enseñanza, se resistía a dar clases de baile a sus alumnos en plan gregario. Prefería dedicarse de forma individualizada a cada aprendiz que llegaba. «Soy el maestro más caro —se jactaba—, pero los chicos aprenden conmigo más que con nadie». O, por lo menos, cosas que ningún otro profesor de baile del mundo podía enseñarles. Desde luego, todos los que tuvieron la suerte de ser dirigidos por Farruco se lo podrán contar una y otra vez a sus nietos.

En 1974, la muerte —a los dieciocho años— de su hijo Juan Antonio, un bailaor que apuntaba muy alto y por quien él perdía el sentido, le sumió en un profunda depresión durante una larga temporada. El joven se estrelló en una moto cuando se dirigía a actuar en una festival veraniego de los pueblos de Andalucía. Farruco, que viajaba delante de él en un coche, tuvo que desandar el camino, ante su tardanza, y lo encontró muerto junto a un

74

árbol. Durante el final de su vida, sus jovencísimos nietos: Farruquito, que heredó el nombre artístico de su malogrado tío, y Antonio se convirtieron en la principal ilusión de Farruco.

EL CANTE DEL 14 DE ABRIL

> Un grito de libertá
> dio Galán y García Hernández.
> Tembló el trono y la Corona,
> y con doló hizo triunfá
> a la República española.
>
> En Jaca murió er való,
> y aquellos dos hombres buenos
> los vimos e padecé
> por curpa e los asesinos
> der Gobierno Berengué.

En el mes de diciembre de 1930, se considera inminente el levantamiento republicano contra la monarquía borbónica. Por fin, después de varias demoras, el Comité Revolucionario acuerda para ello la fecha clave del 15 de ese mes. La dirección de la sublevación en la plaza oscense de Jaca le corresponde a Fermín Galán, capitán del regimiento de Infantería Galicia número 19, que también cuenta con la colaboración de los capitanes Ángel García Hernández, al mando de la compañía de ametralladoras del mismo regimiento al que pertenece Galán, Salvador Sediles y Miguel Gallo, del Batallón de Cazadores de Montaña La Palma número 8, además de diversos oficiales y un cierto número de civiles.

Los continuos aplazamientos para fijar la fecha de la sublevación hacen que las relaciones entre Galán y el Comité Revolucionario empiecen a deteriorarse. Galán se impacienta, y temeroso, además, de que las nieves invernales cierren los puertos imposibilitando el movimiento de tropas, decide sublevar la guarnición el viernes día 12. El levantamiento de Jaca constituye un fracaso y Galán y sus compañeros son arrestados y sometidos a un consejo de guerra sumarísimo, que se resuelve en apenas 40 minutos. Fermín Galán asume ante el consejo de guerra toda la responsabilidad de lo sucedido, por lo que solicita que sean absueltos de los cargos todos los oficiales que le han secundado. Pero a pesar de los intentos de Galán por salvar a sus compañeros, el consejo dicta sentencia condenándole a muerte a él y también al capitán García Hernández, y condenando a cadena perpetua al resto de sus compañeros. Ese mismo día, a las 14 horas, a pesar de ser domingo y de que es tradición no ejecutar penas de muerte en ese día de la semana, los condenados son fusilados en el polvorín de Fornillos, en Huesca; Galán, que ha declinado el ofrecimiento del auxilio espiritual de un sacerdote para administrarle confesión —ofrecimiento que sí acepta el capitán García Hernández—, da la orden de fuego al pelotón de ejecución y se desploma con un grito de ¡Viva la República!

Los flamencos cantarán profusamente, por fandangos, la heroica gesta de estos militares republicanos. Entre ellos, Manuel Vallejo:

> Por la libertá de España
> murió Hernández, y Galán.
> Un minuto de silencio
> por los que ya en gloria están,
> suplico en estos momentos.

El gran cantaor sevillano dejó constancia de su republicanismo, además, en este fandango:

> Al grito de ¡Viva España!,
> después de escuchar el himno,
> al grito de ¡Viva España!,
> canto un fandango gitano,
> y en él llevo puesta mi alma,
> como buen republicano.

Y Corruco de Algeciras, que posteriormente fallecería durante la Guerra Civil, también se sumó al recuerdo de los mártires de Jaca:

>Lleva una franja morá,
>triunfante nuestra bandera,
>lleva una franja morá,
>la conquistó España entera:
>por Hernández y Galán
>rompió España sus cadenas.

Otro cantaor que se significó abiertamente en defensa de la República fue el Niño de la Huerta, posiblemente el flamenco que más fandangos alusivos a este tema grabó:

>Son Hernández y Galán
>héroes republicanos.
>España con su bondad
>llora hoy por sus hermanos
>que en su corazón están.
>
>Dos capitanes un día,
>por salvar a nuestra España,
>en Jaca dieron su vida
>y el mundo supo su hazaña
>que a la patria revivía.
>
>En abril se proclamó
>la República española.
>La bandera que enarbola,
>por la que el pueblo luchó,
>tres colores acrisola.

La proclamación de la Segunda República, el 14 de abril de 1931, y el exilio de Alfonso XIII también dieron origen a numerosos fandangos:

Este fandango que canto
quiere decir con pasión:
España republicana,
y lo es de corazón.
¡Abajo la ley tirana!

Fue el 14 de abril,
en España un día glorioso,
se batió la tiranía
y triunfó rotundamente
el pueblo con alegría.

España tiene bandera
de matices, tricolor:
amarillo, rojo y lila,
colores que son de amor,
juntarse a nuestras filas.

LA MUERTE DEL CHATO DE LAS VENTAS

En Madrid, se destacó como ferviente republicano El Chato de Las Ventas. Cantaor notable, era tornero de profesión y mantenía posiciones políticas cercanas al Partido Comunista. Se hizo popular en su barrio, durante los años veinte del pasado siglo, cantando todos los sábados por la noche en los colmados que había junto al arroyo Abroñigal, antes de pasar el puente de Ventas, al pie del Cerro de Vargas, que comenzó a ser explanado en aquella época para construir la plaza de toros. El Chato, que llegó a grabar una buena muestra de sus cantes, hacía de forma muy notable la malagueña y otros estilos, pero le gustaba entreverar también algún cante «de chufla», como se decía entonces. Es el caso de la siguiente colombiana:

Cataluña pide a gritos
que le den la autonomía.

78

> Los gallegos están fritos.
> También en Andalucía
> quieren quedarse solitos.
> Los vascos y los asturianos
> también libres quieren ser.
> Todo el mundo pide ufano,
> yo voy a pedir también,
> como buen republicano.

Sobre su muerte durante la guerra hay dos versiones. En una de ellas se dice que murió de un ataque al corazón cuando iba a ser fusilado. En otra, la que siempre circuló por el barrio de Ventas, se asegura que, efectivamente, fue fusilado por los fascistas tras haber caído prisionero en el frente de Extremadura.

También durante la guerra murió un grandísimo cantaor sevillano, El Carbonerillo (1906-1937), creador de un estilo de fandango muy valorado. En sus grabaciones se pueden encontrar letras propias de inequívoco contenido social:

> Maldito sea el dinero
> y el hombre que lo inventó,
> que aunque sea usté un caballero
> y le sobre la razón,
> lo que impera es el dinero.

Otro de los artistas que alimentó esa línea de cante social que afloró durante los años de la Segunda República fue José Cepero, quien cultivó un flamenco de calidad y muy popular. Conocido como El Poeta del Cante, escribía sus propias letras:

> A la mujer del minero
> se le puede llamar viuda,
> que se pasa el día entero
> cavando su sepultura.
> ¡Qué amargo gana el dinero!

Su significación política durante los años de la República y la guerra le costaría a Cepero más de un grave problema cuando llegó la «paz» franquista. Juanito Valderrama convivió bastante con él durante aquellos difíciles años: «En la guerra, él cayó en Madrid. Y cantaba en los teatros, que estaban entonces incautados por los sindicatos. Como Cepero era poeta de sus propias letras, hacía cantes políticos, cantes metiéndose con Franco y Queipo de Llano. Cuando se acabó la guerra y Cepero tuvo que seguir buscándose la vida en Villa Rosa y llegó la grandeza, que era la que nos daba de comer en las fiestas, llegaron el duque de Almazán, Medinaceli, Villabrágima, el marqués de Villacañas, Portugalete, todos esos títulos, que me llamaban a mí y llamaban a Ramón Montoya, pero a Cepero no lo llamaban:

—Ese rojo cabrón que no entre...

»Porque no se olvidaban de aquello, decían que Cepero era un rojo, y el pobre no tenía ni para comer. Montoya intentaba que lo llamaran, pero a Cepero no querían ni verlo, no se olvidaban de aquello. Lo que querían es que se les cantara letras de lo suyo, de los que no se olvidaban del rey Alfonso XIII a pesar de Franco, fandangos que había:

> Al salí el barco a la mar,
> dijo el rey Alfonso XIII:
> España, no te veo más,
> Dios te bendiga mil veces,
> aunque no vuelva a reinar».[2]

Mucho más conocido es el caso de Miguel de Molina, que finalmente tuvo que exiliarse en Argentina para esquivar la persecución. Juanito Valderrama también relata de primera mano cuál fue el detonante de que el mítico cantante de copla malagueño tuviera que cruzar definitivamente el Atlántico: «Miguel salía con un clavel puesto en la oreja, peinado con rizos, salía con una blusa de lunares, que eso entonces no se lo ponía nadie, salía con unos anillos muy escandalosos y con unas pulseras, o a lo mejor con un traje de flamenco completamente blanco todo y con un sombrero de ala ancha blanco, y se hizo la figura más importante que había en la España de la República durante la guerra, por encima de todo el mundo, porque a la Piquer le había cogido la guerra en Sevilla y no se acordaba la gente de ella en aquella zona».[3]

»Tanto es así que Miguel de Molina llegó a Madrid cuando se acabó la guerra y dio unas pocas de funciones en los teatros de la Gran Vía, en el Avenida, en el Palacio de la Música, en los sitios de más categoría. Y luego hizo una temporada en el mejor teatro de variedades, que era el teatro Cómico viejo, el de los empresarios Loreto, Prado y Chicote. Y ahí, actuando en el teatro Cómico, fue donde un grupo de muchachos de los de José Antonio Primo de Rivera, de la Falange, y algunos militares, lo cogieron una noche, le dieron una paliza, lo pelaron al cero y le dieron aceite de ricino. Una infamia.

»Miguel entonces fue deportado a Cáceres por ese escándalo. Allí estuvo cerca de un año, sin poder trabajar ni cantar en ninguna parte. Y allí, Reforzo, el marido de Lola Membrives, llamó desde Argentina para contratarlo y presentarlo en Buenos Aires. Antes de irse a trabajar a la Argentina, se le dio una cena de homenaje en Riesco, un café que había en Madrid esquina a la calle Peligros, con restaurante abajo, y fuimos todos los artistas de Madrid a despedir a Miguel de Molina, a acompañarlo, porque por mucho miedo que hubiera en España, lo que habían hecho con él era una injusticia, una infamia».

El cantaor, cantante y actor de cine madrileño Angelillo fue otro de los que se exiliaron en Argentina, éste durante la guerra, y no volvió a España hasta 1954. También se mostraron abiertamente republicanos Guerrita y Paco El Americano. No casualmente, los tres eran payos, como Vallejo, Cepero, El Chato de Las Ventas o Corruco. Más adelante, en la lucha contra el franquismo, ya habrá flamencos gitanos de renombre que se comprometerán claramente con su cante.

Francisco Valls Toribio, Paco El Americano, había nacido en Buenos Aires, le trajeron de niño a España y se crió en el barrio del Puente de Toledo, en Madrid. Por cartageneras, cantaba:

> Bajar y subir la cuesta
> y ganar poco jornal,
> eso no me trae a mí cuenta.
> ¡A la mina no voy más!
>
> El capataz de la mina
> ha construido una romana,
> para pesar el dinero
> que roban a la semana
> a los pobrecitos mineros.[4]

Las letras flamencas explícitamente republicanas no se han recuperado hasta después de la transición, y muchas coplas de contenido social no se pudieron cantar durante varias décadas. Resulta especialmente significativo el caso de una letra por tangos de Triana que se siguió haciendo pero con una elocuente modificación. El original, que Carmen Linares grabaría en 1996, dentro de su monumental *Antología*, decía así:

> ¡Qué bonito está Triana!,
> cuando le ponen al puente
> banderas republicanas.

Obviamente, las «banderas republicanas» tenían que desaparecer de escena, y fueron sustituidas por las «banderitas gitanas», inexistentes y mucho más asépticas. Hay cantaores que siguen haciendo hoy la versión censurada, posiblemente sin saber de dónde viene la historia.

CANTE BAJO LAS BOMBAS

El 18 de julio de 1936, cuando se sublevan los militares fascistas, la mayor parte de los flamencos queda en zona republicana, donde se siguen realizando numerosos espectáculos artísticos de apoyo al régimen legítimo. Por ejemplo, Pastora Pavón, La Niña de los Peines, y su marido Pepe Pinto están de gira por Jaén cuando se inicia la guerra, y deciden viajar hacia Madrid. En la capital, bajo los bombardeos de la Legión Cóndor y de la artillería rebelde se podía escuchar cante. José Blas Vega, en su libro «*El flamenco en Madrid*»,[5] escribe: «Durante la contienda, el flamenco siguió funcionando con bastante regularidad en los habituales "fin de fiesta" que se daban tanto en cines como en teatros. En éstos solían actuar grupos de variedades, con diversidad de géneros. Otros flamencos intervenían en las llamadas "comedias flamencas", que seguían teniendo gran aceptación, además de la conocida *La copla andaluza*, *El Niño de Oro*, *Aquella jaca tan brava*, *Martinete* o *La evasión de los flamencos*. En esta especialidad destacó Paco El Americano, para el que parecía que estaban escritas algunas: *Mi Carmen*, *Una noche en la Alambra*, *El ruiseñor de Triana...*

»Los artistas que más trabajaron en esos años fueron Pastora Imperio y su guitarrista Niño Pérez, seguida de La Niña de los Peines y su marido Pepe Pinto, que pasaron en Madrid todo el tiempo de la guerra. Después del Cojo Madrid, sería el Niño Caracol, residente desde 1935, el que aparece en todos los eventos. A veces formó parte, igual que su padre, de una estampa titulada *Canasteros de Triana*, que durante meses se representó en el Teatro de La Zarzuela a lo largo de 1938. En ese grupo trabajaba también una joven Rosita Durán, y su madre, la cantaora Isabelita de Jerez. En los primeros meses de guerra, y por poco tiempo, se vieron actuaciones de Angelillo, Sabicas, Niño Utrera, Argentinita y Pilar López, que enseguida marcharon para el exilio».

Mientras tanto, en la Sevilla de Queipo de Llano, con los

sublevados entregados a la represión más feroz, el flamenco tuvo mucha menos posibilidad de expresión que en Madrid. Según señala Antony Beevor:[6] «En Andalucía, las fuerzas de Queipo de Llano no habían conseguido hacerse con mucho más que el centro de Sevilla y el aeródromo, desde el que partieron aviones privados en tareas de reconocimiento y también para lanzar bombas de mano. Pero el valor principal de la toma del aeródromo fue que permitió el aterrizaje de los aviones con los primeros regulares y legionarios procedentes de Marruecos, entre ellos, la Quinta Bandera mandada por el comandante Castejón. Esos efectivos se lanzaron de inmediato a aplastar a los defensores de la República que se habían hecho fuertes en Triana, donde resistieron hasta el día 21, y en la Macarena, San Julián, San Bernardo o El Pumarejo, que resistieron la embestida de los legionarios de Castejón hasta el día 25».

Alfonso G. de la Higuera y Luis Molina, historiadores afines al régimen del Caudillo, relatan, con elocuencia, cómo fue la toma de Triana por los fascistas: «Al día siguiente, 21, prosiguió la incursión de las fuerzas de Castejón, siendo por fin liberada Triana de las garras rojas a través de una acometida enérgica, tajante y dura de los asaltantes nacionales, bajo el signo de la cruz trazada sobre el cuerpo de cada víctima yacente en la vía pública con el cadáver de un asesino rojo».[7]

Antonio Bahamonde, editor sevillano, católico, que fue jefe de prensa y propaganda del general Queipo de Llano, y que en 1938 consiguió huir de los nacionales, nos ha dejado un testimonio tremendo de la represión en Sevilla y de los modos del general: «Sólo en la ciudad de Sevilla, e independientemente de toda acción guerrera, han asesinado a más de nueve mil obreros y campesinos. En los barrios obreros, los soldados de regulares moros y del Tercio recorrían sus calles de modestísimas casas de una planta y por las ventanas arrojaban bombas de mano, destruyéndolas y matando a las mujeres y los niños. Las hordas moras se entregaron libremente al saqueo y la violación. El general Queipo de Llano, en sus charlas a través del micrófono, que son exponente de la grosera y baja mentalidad de los sublevados, incita a estas fuerzas a que violen a las mujeres, y cuenta con rudo sarcasmo brutales escenas de este género.

»Tan pronto como las fuerzas de Queipo de Llano tuvieron dominada Sevilla, los rebeldes se adentraron en los pueblos vecinos creando un auténtico clima de terror. Algunos falangistas, hijos de terratenientes, organizaron cacerías de campesinos a caballo, a las que se referían jocosamente como "la reforma agraria" en la que los braceros iban a conseguir por fin un pedazo de tierra para cada uno».[8]

Las matanzas en pueblos como El Arahal o Morón fueron espantosas. «El tristemente famoso comandante Castejón fue el que comandaría la toma de Morón —escribe Ángel Sody de Rivas, biógrafo del guitarrista Diego del Gastor—.[9] En la mañana del 24 de julio llega a Morón una avanzadilla de los sublevados. Días antes —tras algunas escaramuzas—, habían tomado el vecino pueblo de El Arahal. Castejón, que desde primeras horas de la mañana había instalado su puesto de mando en las afueras del pueblo, no tuvo éxito en su primer intento, al ser rechazado por la firme resistencia de un grupo de moronenses apostados en las azoteas, torres y otros lugares estratégicos. Con el apoyo de la aviación y refuerzos llegados desde Sevilla, sobre el mediodía del 25 de julio, Morón cae bajo el poder de las hordas moras. Y si duro fue el combate, más dura sería la represión que le siguió. Los saqueos, las violaciones, las ejecuciones arbitrarias e indiscriminadas fueron el pan nuestro de cada día hasta el final de la contienda. Los muertos se contaban por cientos y el terror cubrió Morón».

En La Puebla de Cazalla, localidad natal de José Menese, a los republicanos se les asesinaba en el camino que llevaba a Morón. En 1968, el cantaor hizo un homenaje a todas las víctimas de aquella barbarie con su «Romance de Juan García», cantado por tonás. Había que ser muy valiente para cantarlo en esa fecha, cuando quedaba todavía bicho para rato. Cuarenta años después, sigue abierta la batalla por la recuperación de la memoria histórica y aún hay miles de cadáveres de republicanos sin identificar enterrados en las cunetas y en fosas comunes. Juan García era el nombre genérico de todos los fusilados. «Francisco se inventó a Juan García como Machado a Juan de Mairena, pero en el camino a Morón, efectivamente, es donde los fascistas mataban a la gente», explica Menese.

Fue sentenciao Juan García
a golpes de mosquetón,
primera noche de agosto,
sin jueces ni defensor.

No era por miedo su llanto,
porque llorando salió,
lloraba porque dejaba
lo que en su casa dejó.

Lo sacaron amarrao
y amarraíto quedó,
a dos pasos del camino,
en el camino a Morón.

Así murió Juan García,
testamento no escribió,
pero lo que Juan dejaba
el pueblo lo recogió.

Aquellas matanzas contaron con la bendición de la Santa Madre Iglesia, que todavía hoy, además de disfrutar de la escolta del Ejército de la actual monarquía borbónica en sus procesiones, continúa manteniendo indisolubles vínculos con algunos de los militares genocidas que se sublevaron contra la República con Franco. En la entrada de la sevillana basílica de La Macarena, donde cada Jueves Santo se agolpa una multitud para ver la salida de la Virgen en la popular «madrugá», hay una inscripción, bien visible y en mayúsculas, recordando el día en que fue inaugurada, en 1964: «Realzó con su presencia tan solemne ceremonia su excelencia el jefe de Estado y Generalísimo de los Ejércitos don Francisco Franco Bahamonde». Y en el interior de la basílica están sepultados, además, los restos del general Gonzalo Queipo de Llano, responsable de las terribles matanzas que se produjeron en Sevilla durante la Guerra Civil. La Virgen de la Macarena lleva el fajín que perteneció a Queipo.[10]

Poco antes de la Semana Santa de 2008, el Foro Estatal por la Memoria inició una campaña de recogida de firmas por Internet para reclamar el de tan claro homenaje a semejante asesino. Gonzalo Queipo de Llano es perpetuo hermano mayor honorario de la hermandad, y la basílica se construyó en homenaje a él. La carta que el Foro Estatal por la Memoria colgó en la red, para que se enviara firmada al Arzobispado de Sevilla, decía: «Es inconcebible que las instituciones que ustedes representan consientan la ostentación pública de un atributo de autoridad del directo responsable del asesinato de al menos 8.000 sevillanos».

LA MEMORIA DE VALDERRAMA

Juanito Valderrama es, sin duda, el cantaor que ha permanecido más tiempo activo sobre los escenarios de toda la historia del flamenco. Con ochenta y siete años y después de haber sufrido una angina de pecho, aún tuvo fuerzas para cerrar el concierto que se celebró en su honor el 23 de febrero de 2004, en el Palacio de los Deportes. Poco después se acabarían sus fuerzas. Su excepcional memoria permite reconstruir interesantes páginas de la historia del flamenco durante la Guerra Civil y la dictadura. Los años de guerra los vivió primero en su tierra, cavando trincheras en un batallón de fortificaciones, después en el frente de Alcaudete y por fin, en una compañía artística que daba espectáculos para los combatientes republicanos, de la que también formaban parte Pepe Marchena, Canalejas de Puerto Real, el Niño de la Huerta y El Chaqueta. «Cuando llegué a mi batallón, algunos compañeros me reconocieron y tuve que cantar para ellos, hasta que llegó un capitán y me mandó a hacer zanjas. "De pico estás bien, vamos a ver cómo andas de pala", me dijo.[11]

»Me destinaron a la Cuarta Compañía, que estaba destacada en el cortijo de El Berrueco, en el término de Torredelcampo. La compañía estaba allí haciendo trincheras. Y cuando yo llegué, pues la novedad:

—Ahí hay un muchacho artista que ha llegado, que canta flamenco...

»Vinieron todos los jefes y oficiales de la compañía y del batallón con la novedad de que había llegado un artista a cavar aquellas trincheras para que no pasaran los fascistas, aquello que La Pasionaria había dicho por Radio Madrid del "No pasarán" y que había corrido como la pólvora por todos los sitios donde seguíamos leales a la República.

»A mí me gustó aquello de que todos se interesaran por mí como artista, porque yo del pico y la pala lo que quería era no verlos. Así que todos los jefes que llegaron me dijeron que cantara, y allí me puse a cantar, sin guitarra ni nada, mucho rato. Letras que yo sabía que, a la fuerza, les tenían que gustar a los de la CNT:

> Pasar,
> de un rico que a mí me humillaba,
> su entierro yo vi pasar.
> Uno, uno tan sólo rezaba,
> porque tenía que heredar,
> yo, en cambio, le perdonaba».[12]

La idea de componer «El emigrante», una de sus canciones más populares, contrariamente a lo que se cree, surge como consecuencia del exilio político, no de la emigración económica. Así se lo relata Valderrama a su biógrafo Antonio Burgos: «La idea de esa canción había nacido en Tánger, a finales de los años cuarenta. En Tánger se respiraba la libertad a cuarenta leguas. Allí se fueron muchos españoles después de la guerra, huyendo de Franco, de la cárcel o del fusilamiento, y allí se buscaron la vida y se establecieron. Y éstos eran los que iban a verme al teatro... Yo les vi llorar en la puerta del teatro, agarrados a mí... Y uno de los que se acercó fue precisamente el que me salvó de morir en la batalla de Brunete, como tantos muchachos de mi pueblo movilizados, cuando me dio el carné de la CNT y me metió de soldado en Fortificaciones: Carlos Zimmerman. Este anarquista, que había sido el jefe de la CNT en Jaén, el que tanto me protegió, había podido escapar de España después de la guerra, si no, lo fusilan. Se había orientado allí en Tánger y trabajaba como perito electricista, que era su profesión. Nos vimos, nos abrazamos y nos hartamos de llorar los dos, porque sabíamos que él no podía volver a España mientras viviera Franco».

La represión y la marginación se cebaron en los republicanos que permanecieron en España, y otro de los artistas vinculado al mundo de la copla y al flamenco que sufrió la negra noche franquista fue Ramón Perelló. Valderrama también se acuerda de él en sus memorias: «Era un poeta extraordinario. Escribió la canción que más sonaba cuando estalló el Movimiento: "Mi jaca". Aquella canción sonó en los dos bandos. Mientras Estrellita Castro, que fue la primera que la grabó, la cantaba por la radio de los nacionales, Angelillo la cantaba por las radios leales a la República. La letra era de Perelló y la música del maestro Juan Mostazo. Ramón Perelló estaba muy significado políticamente. Era lo que entonces se decía un rojo. Una persona que había permanecido fiel a la República y había hecho la guerra en el bando de los vencidos por Franco, y se había significado mucho allí, porque era muy de izquierdas. Y estaba sufriendo las consecuencias. Le conocí recién salido de la cárcel. Ramón Perelló había estado preso, preso político en El Puerto de Santa María, desde el final de la guerra, y entonces estaba por Madrid en libertad condicional. Lo de Perelló fue como un símbolo de toda aquella tragedia. Si "Mi jaca" había sido la canción de la guerra, Franco metió en la cárcel al que la había escrito. A Perelló lo protegía mucho un capitán de la Guardia Civil que era de Baena, Castro, que lo avaló y lo pudo sacar de la cárcel en libertad con la pena conmutada. Pero nadie quería rozarse con él, por rojo. Y mucho menos tener relaciones artísticas de encargarle canciones.

»Aunque Perelló había hecho muchas canciones que le daban muchos derechos en la Sociedad de Autores, estaba por Madrid canino cuando yo le conocí. Había colaborado mucho con Mostazo, pero no tenía ya relación con él, estaba suelto como autor, sin un músico fijo al lado. Había escrito en la cárcel muchas cosas muy bonitas. Pero en aquellos años, con todo el poder de Franco, recién terminada la guerra, con tanta influencia de la Falange en las cosas del espectáculo, con la censura tan férrea, no se atrevía nadie a estrenarle a Ramón Perelló por temor a represalias que pudiera haber por darle trabajo a un poeta de los rojos. Me reuní con Perelló, me leyó aquellas cosas tan bonitas que había escrito de preso político en la cárcel y me gustaron tanto que decidí estrenar el espectáculo. Se llamó "Romancero Primero" y se estrenó con gran éxito en el madrileño teatro Fuencarral. Hubo después un "Romancero Segundo"».

«YO NO ROBO TANTO»

En los terribles años de la posguerra que comienza, destaca la voz de un rebelde social espontáneo, el Bizco Amate, fandanguero sevillano que cantaba al plato y vivió en la más absoluta miseria, durmiendo debajo de los puentes. Escribe Antonio Ortega, en su biografía de este peculiar artista:[13] «En ocasiones, el Bizco era conducido a la Audiencia por causas en las que no había intervenido. En los calabozos del juzgado y en las celdas penitenciarias le salpicó un reguero de historias acaecidas a personas como él, pobres de solemnidad. Esas historias las traspasó a la métrica de su cante y al grito anárquico de su queja. De sus efímeras y frecuentes estancias en la cárcel de Sevilla nacieron algunos de sus fandangos más populares y contundentes».

> A mí me preguntó un juez
> que de qué me mantenía.
> Yo le dije que robando,
> como se mantiene usía.
> ¡Pero yo no robo tanto!

> Me lo cogen y me lo prenden
> al que roba pa sus niños,
> me lo cogen y me lo prenden.
> Y al que roba muchos miles
> no lo encuentran ni los duendes
> ni tampoco los civiles.

Y continúa Antonio Ortega: «Algunas de sus letras son el documento clasificado de secreto de sumario predominante en la época: la denuncia de la justicia entronada y la crítica osada hacia aquellos que administraban las acciones de los otros utilizando la imposición dictatorial. Los enemigos políticos del pueblo, los llamaba él. Todos tenían nombre propio, llámense Usía, Vuecencia o Excelencia».

> La mentira y la verdad
> se enfrentaron en la Audiencia.
> La verdad salió perdiendo
> y la mentira ganó.
> En el reino no hay gobierno.

Y remacha el biógrafo del Bizco Amate: «Su temática quizá no adquiere rango de pionera; no obstante, el caudal de la cepa contestataria en estilo directo bien pudo marcar las directrices que luego otros cantaores, en décadas posteriores, utilizaron contra el franquismo aplastante y reaccionario. El Bizco Amate simbolizó el ejemplo de un ser sin fuerza social que gritaba sin movilizar a las masas amedrentadas. Pero no sucumbió al silencio impuesto y lanzaba su protesta a voz de canto hollando en las mentes de sus coetáneos».

> Rico, quítate el sombrero,
> que un entierro va a pasá.
> Rico, quítate el sombrero.
> Es el hijo de un obrero,
> que ha muerto de trabajá
> pa ganarte a ti el dinero.

> Tú lo crías y él lo explota
> y se lleva las ganancias,
> tú lo crías y él lo explota.
> Vuelve a fallar la balanza
> del que come y del que roba,
> del que roba y del que calla.

5

CANTAR PARA DISTRAER EL HAMBRE

Antonio Mairena era republicano, gitano y cantaor. Mala carta de presentación para sobrevivir en el horror de la posguerra en Sevilla. El año 1940, las tapias del cementerio de San Fernando ya habían servido de telón de fondo para muchos fusilamientos, pero la matanza aún no había finalizado. Los artistas se tenían que buscar la vida en las fiestas, donde los señoritos hacían ostentación de sus camisas azules. Antonio era un flamenco más de los que luchaban por salir adelante en esa situación crítica.

Una noche, en una venta, le llaman para que cante a un grupo de señoritos, la mayor parte de ellos vestidos de falangistas. De madrugada ya, uno saca un pistolón, lo pone encima de la mesa y le dice a Mairena: «El "Cara al sol", por bulerías». «Yo estaba blanco, descompuesto, y lo canté —recordaba Antonio—. Nos encontrábamos en un lugar donde había una "montera" de cristales, el de la pistola se puso a disparar y aquello se vino abajo». En medio de semejante locura alcohólica, los pistoleros suben a un coche y se llevan también a Antonio. «Cuando pasábamos por delante de las tapias del cementerio de San Fernando, yo pensé: Saben que no soy de ellos y me van a matar. Paramos, me pusieron contra la pared y en ese momento, de miedo, me desmayé —relataba Mairena—. Cuando desperté, me toqué y vi que no me habían disparado, que no tenía ninguna herida. Me habían dejado allí tirado. Volví hasta Sevilla andando, mientras amanecía».[1]

GITANOS EN LOS CORTIJOS

La represión y el hambre iban de la mano en la España de posguerra. Unos flamencos intentaban buscarse la vida cantando en los cuartos, y otros trabajando en el campo en condiciones penosas. «La imagen del gitano descalzo y simple, feliz en su trabajo e ignorancia, que en la opinión de algunos fue aprovechada por el régimen franquista para disimular la aplastante miseria de la posguerra, tenía su pequeño grano de verdad en los cortijos. Pero algunos escritores han pintado un retrato excesivamente romántico del ambiente —escribe Estela Zatania—.[2] El levantarse a las cinco de la mañana para estar en los campos antes de las ocho, en la mayoría de los casos los siete días de la semana. El frío, el calor, el aislamiento y la soledad del campo, el cansancio, garbanzos cocidos "sin pringue ni ná" cada día, en almuerzo y cena, las misas tan obligatorias como el casarse con la novia preñada, el estar fuera de casa durante meses, la ausencia de las comodidades más básicas, clases rudimentarias sólo para los niños de aquellos padres que las podían costear y la atención médica igualmente ligada a la capacidad de cada uno de pagarla».

Manuel de Paula, gitano de Lebrija y miembro de una familia de trabajadores del campo, cantaba:

> Mare, llévame al colegio,
> a educarme la memoria,
> mira que no quiero soñar
> con el burro de la noria.

> Campesino del arao,
> buena semilla será
> la sangre que has derramao.

«Dentro de la gañanería había poca intimidad —continúa Zatania—. A veces se colgaba una manta entre familia y familia, a veces no, y sólo el manijero tenía un cuarto independiente.

Se dormía en el "jato", el saco de pertenencias que cada uno había preparado con sus objetos personales y ropas para pasar los meses en el campo, a menudo relleno de paja de garbanzo. Un carro, y posteriormente un tractor, recogería los "jatos" en el pueblo al comienzo de la temporada, y la gente seguía a pie hasta el cortijo».

Manuel Soto, Sordera, que trabajó en el campo antes de dedicarse profesionalmente al cante, recordaba su época de jornalero con letras de su paisano José Manuel Caballero Bonald:

> Qué pobre es la casa
> donde vivo yo,
> el suelo es de tierra y un montón de paja,
> y dormimos tós.

> Esta mañana ha llovío,
> los patronos en su casa, primo,
> y yo en el campo «arrecío».

> Tierra que no es mía
> la trabajo yo,
> y hasta la vía a mí me está quitando
> quien tiene de tó.

Los niños pequeños no trabajaban, pero con doce o catorce años ya estaban todos en el campo con los mayores, cobrando un sueldo bastante inferior. También las mujeres cobraban menos que los hombres, aunque realizaban trabajos igualmente imprescindibles, especialmente el de escardar.

Turronero recuerda la dureza de este trabajo:

> Siete horitas seguías
> llevo escardando,
> no me toque usté el cuerpo
> que está abrasando.

El cante era la vía de escape para sobrellevar las interminables jornadas de trabajo. Y en aquellas ceremonias colectivas de arte espontáneo, cada noche, se conservaba una tradición musical centenaria. Tía Anica La Piriñaca, que conoció a fondo la vida en los cortijos, recordaba: «Antes, los gitanos de Jerez trabajaban en el campo. Iban segando o cogiendo aceitunas y, a la vez, cantaban. Puros, sin ser profesionales. Tío José de Paula, que fue mi maestro, era un hombre que, cuando iba al campo, segaba por dos; sin embargo, cantaba por seguiriyas que levantaba las piedras».[3]

También Tío Borrico, uno de los cantaores jerezanos con mayor personalidad y carisma de la generación de posguerra, alternó el cante con el trabajo en el campo. Así se lo relataba a José Luis Ortiz Nuevo:[4] «Yo lo mismo estaba una temporá de artista que iba después al campo con mi pare cuando le salía una manijería. A trabajar de peón como otro cualquiera no iba, sino cuando mi pare gobernaba, que fueron tres cortijos los que gobernó: Casarejo, Gómez Alcaide y La Sierra. Y me recuerdo que estaban en el cortijo La Sierra, cogiendo semillas, mira qué gente: Rafael El Carabinero, La Piriñaca y yo. Y en eso cumplió mi hermano la guerra; y le pidió mi pare, por la venía de mi hermano, al aperaor, un borrego. Y a la luna le canté, a la luna le cantamos por saetas: El Carabinero, La Piriñaca y yo. A las seis de la madrugada, cantándole a la luna».

«El manijero era aquel que llegaba al barrio y escogía a las personas para ir al campo —cosa que entre la gente humilde se entendía como un privilegio—, para organizar las cuadrillas —escribe Zatania—. Ya en el campo, el manijero levantaba a la gente por la mañana —algunos lo hacían cantando—, pasaba lista y daba el aviso para el descanso o la comida de mediodía. No realizaba trabajos manuales y solía gozar de cierta confianza con el señorito, que a veces le encargaba llevar a los mejores cantaores y bailaores a su casa para alguna fiesta. Ningún entrevistado recordaba que hubiera remuneración alguna para dichas fiestas; se comía más rico ese día y se libraba del campo mientras duraba la fiesta».

> Desgrasiaíto de aquel
> que come pan en mano ajena,
> siempre mirando a la cara
> si la ponen mala o güena.

«GRAJOS VERDES» EN LA LOMA

Los privilegios de los propietarios de la tierra estaban completamente garantizados por una justicia a su servicio y por la inefable presencia de la pareja de tricornios, cuyo papel queda reflejado en numerosas letras tradicionales:

> Tó lo tienen preparao
> los civiles en los cortijos;
> por eso matan a obreros
> para agradar a los ricos.

> Al ver llorar a mi mare
> me soltaron los civiles...
> me soltaron un guantazo
> en medio de las narices.

> En una escalera
> va p'al hospitá,
> que lo han matao los guardias,
> sin habé hecho ná.

> Se lo pedí a los civiles,
> por el santito del día,
> que aflojaran los cordeles,
> que los brazos me dolían.

La actuación de los miembros de la Benemérita también aparece retratada con claridad en coplas escritas más recientemente. Manuel Gerena le dedica la siguiente letra a El Chato el Esparraguero, víctima de los civiles por «rebuscar» comida en campos que tenían amo.

> Verde, pero no del prao,
> el verde que vieron sus ojos,
> cuando cayó apaleao.

Como Gerena, El Cabrero recurre a una clara metáfora cuando advierte de los peligros que puede entrañar un mal encuentro en cualquier vereda. Obviamente, en esta soleá no se está refiriendo a las ortigas.

> Como yo soy campesino,
> conozco las malas hierbas
> que crecen por los caminos.

Francisco Moreno Galván y José Menese, cómo no, se acuerdan en bastantes ocasiones de los peligros del campo:

> Punta, charol,
> capa y bota,
> a poquito a poco asoman
> igual que dos grajos verdes
> recortaos en la loma.

Y también hacen alusión a los soplones, imprescindibles en la labor represiva. Aquí se refieren a un delator de La Puebla de Cazalla, a quien alguien ha visto salir subrepticiamente de la casa cuartel.

> No te acuso ni defiendo,
> ni me pongo por testigo,
> pero hay gentes que te vieron
> de salí por el postigo.

EL PITO DE LA OLLA EXPRÉS

Si la vida en el campo era dura, tampoco resultaba nada fácil sobrevivir en la Sevilla de aquellos años. Y los flamencos, muy dados a relatar las tragedias en clave de humor, han generado infinidad de anécdotas sobre las penurias económicas pasadas. Por ejemplo, a la hora de buscarse la vida en una juerga de señoritos, era importante ir comiendo sobre la marcha todo lo que se pudiera, por si acaso, al final, uno tenía que irse a casa con las manos en los bolsillos. Y ahí siempre existía una pugna entre guitarrista y cantaor. Uno quería estilos «libres» y otro, los rítmicos. Si se interpretan cantes de compás, el tocaor tiene las manos ocupadas en todo momento, no puede dejar de rasguear las cuerdas y meter mano al plato que le pille más cerca, mientras que el cantaor aprovecha las falsetas, entre un tercio y otro, para alimentarse. En cambio, en los cantes llamados «libres», es el guitarrista el que se encuentra más suelto: puede rebañar lo que esté a tiro cuando su compañero se dedica a construir los melismas de la malagueña, por ejemplo.

En su libro *Historias de flamencos*,[5] Luis Caballero relata una anécdota que denota el extraordinario talento del Bizco Amate para convivir con la miseria sin dejarse hundir en ella: «Año 1940. Por las esquinas, grupos de silencio, y la avitaminosis, sola, corazón arriba, soluciona el paro y la paz sin más conflicto reivindicativo que el de encontrar un lugar en el cielo. Pero se ordena el hambre: el día del "plato único" simboliza, una vez más, el patriótico sacrificio de los que, gracias a Dios, consumen más de seis en las tres comidas diarias, como está mandado entre la gente de orden.

»El Bizco Amate pide limosna por los viejos patios de los barrios viejos, a cambio de su fandango propio, joya cincelada con hondo sentimiento y originalidad. Desde abajo, descubre a Pepe Aznalcóllar allá en la ventana de un tercer piso.

—Aznalcóllar, échame una peseta, aunque esté rota (se refería a aquellas pesetas de papel).

—Pero hombre, Bizco, ¿no ves que se la va a llevar el viento?

—Pues échamela metía en un bollo».

Coetáneos del Bizco Amate, los veteranos integrantes del grupo Triana Pura, a toro pasado, se ríen ahora, por bulerías, del hambre que sufrieron en la posguerra:

> Mira si estamos contentos,
> que el pito de la olla exprés
> no se para ni un momento.

Luis Caballero, fallecido el pasado 24 de junio, a los noventa y un años de edad, fue otra víctima de la represión franquista. Su padre, Vidal Caballero, sindicalista y republicano, murió fusilado en 1937. El propio Luis, que sólo tenía diecisiete años cuando se sublevó el Ejército de África, fue encarcelado en su pueblo natal, la localidad sevillana de Aznalcóllar. A principios de los años setenta, mientras se rodaba «Rito y Geografía del Cante», le confesó a José María Velázquez, director y guionista de la serie, que cuando estaban presos, desde una ventana enrejada, él y su hermano vieron un día pasar a su madre por la calle, de riguroso luto, completamente derrumbada y ayudada por una vecina. «Ya han fusilado a nuestro padre», dijo Luis. Era el domingo de Ramos de 1937. Este dramático episodio ha quedado reflejado en varias letras de seguiriyas y livianas escritas por el cantaor:

> Mataron a mi pare,
> una marugá
> de un día mu grande,
> señalao por la cristiandad.
>
> Ya suenan los cerrojos,
> A morir toca.
> Nombres de amigos ruean de boca en boca

Cuando amanece,
con el trigo y el alba,
la sangre crece.

En la Sevilla de aquellos años, las penurias alcanzaron también a los más grandes artistas del flamenco, como fue el caso del gran Tomás Pavón, hermano menor de La Niña de los Peines. Según recuerda su biógrafo Manuel Bohórquez:[6] «Nunca tuvo casa propia, murió en una humilde habitación de la plaza de la Mata, en plena Alameda de Hércules, que le habían dejado su hermano Arturo y su cuñada Eloísa Albéniz. Se resistió sistemáticamente a cantar en locales comerciales y sólo cedía para hacerlo en fiestas privadas y familiares».

Mientras tanto, en Cádiz, las cosas no marchaban mejor. Pericón, uno de los más grandes cronistas y fabuladores que ha dado la historia del flamenco, además de excelente cantaor, nos da una ilustrativa pincelada, con toda la gracia de su tierra: «Había en el barrio Santa María una gracia fenomenal: allí vendían una carne que le decían de bragueta, de la bragueta de los que estaban trabajando en el mataero, que cuando se despistaba el encargao, cogían, le cortaban un peaso a la res y se lo metían dentro de la bragueta pa' que le cayera p'abajo por los calzoncillos antiguos que se ataban a los tobillos. Y después, cuando llegaban a su casa, le daban la carne a su mujer y la vendían por las calles: ¡Carne de bragueta! Y no veas la carne de bragueta, carne de ternera de lo mejor, y claro, si en la plaza valía un kilo de carne tres o cuatro duros, pues ellos lo vendían a doce pesetas y era la misma carne».[7]

En la Triana de posguerra, alternó su trabajo de carpintero de ribera con el cante Antonio El Arenero, uno de los últimos grandes conocedores de los numerosos matices de las soleares originarias de ese barrio. «Allí cantábamos a todas horas, desde niños; nos juntábamos veinte amigos y cada uno cantaba a su aire, a su manera», nos explicaba en julio de 1982, mientras tomábamos unas copas de manzanilla en el bar Celestino, situado en la trianera plaza de Chapina, donde él paraba, un establecimiento ya desaparecido.[8] «Nadie copiaba del otro, por eso se crearon tantos estilos personales. Convivíamos los gitanos y los payos, sin ninguna diferencia nada más que en los cantes, porque ellos eran más festeros. Yo he conocido el Monte Pirolo cuando todavía estaban las fraguas de los gitanos. Además, mira, mi oficio es el de carpintero de ribera, y esos gitanos que cantaban me hacían los clavos en sus fraguas».

Según El Arenero, «cada zona del barrio cantaba de una manera: el Zurraque, el Altozano, la Cava de los Gitanos, la Cava de los Civiles, el Monte Pirolo, el Puerto Camaronero... En Triana hay decenas y decenas de estilos diferentes de soleá. Los aficionados de aquí nos reuníamos en las tabernas. No ha habido ni cafés cantantes ni nada parecido. Cantábamos en Casa Ballesteros, Casa Cascales, Casa David, Casa Niño Segundo... En un montón de sitios. Nos poníamos cuatro o cinco en la mesa del bar y nos llevábamos tres días cantando sin parar. Tú te cansabas y te echabas o te ibas a tu casa, volvías y te metías otra vez en la reunión. Uno, otro, y así tres días. Pero cantábamos para nosotros nada más, de esa manera vivíamos. Después nos llegaba un tío para llevarnos a un sitio y nada: No, ozú, yo no, yo no, no sé cantar».

Antonio también fue reacio siempre a cantar en las ventas o en cualquier reunión de señoritos, prefería vivir de su trabajo de carpintero y disfrutar el cante sólo con los suyos: «Hace años, el alcalde y el gobernador, que estaban en la piscina, querían oírme y mandaron a un tonto para que me avisara. Llega el gachó y dice que vaya, que me quieren escuchar. Yo le contesté: "Pues mira, vete y di al alcalde y al gobernador que si quieren escuchar cante, que se compren un grillo". Lo que a mí me hace falta para cantar bien es estar a gusto, en mi ambiente».

EL SABIO DIEGO DEL GASTOR

Otro personaje fascinante, enemistado por completo con el dinero, era el guitarrista Diego del Gastor. Nacido en el pueblecito malagueño de Arriate, en 1908, en el seno de una familia gitana de la serrranía de Ronda y Grazalema, Diego fue de niño a vivir a El Gastor (Cádiz), de donde tomaría nombre artístico, y posteriormente, con menos de veinte años, se afincó definitivamente en Morón, donde murió en 1973, con sólo sesenta y cinco años.

Gitano sabio, con la cultura en la sangre, como decía Lorca, fue un hombre enigmático con un elevado sentido de la libertad, que tuvo problemas durante la guerra y el franquismo por sus simpatías republicanas. El escritor y guitarrista norteamericano Donn Pohren, que tuvo una relación muy estrecha con él, escribió: «Contaban que Diego era el mejor y no tenía rival acompañando al cante. Tenía fama de excéntrico y poseía un rasgo que todos los gitanos admiraban: su absoluta indiferencia hacia el dinero y los bienes materiales, que a veces rayaba en el desprecio. Abundaban los comentarios sobre su rechazo a participar en algunas juergas que le habrían reportado grandes beneficios económicos, porque no soportaba las actitudes chulescas y los aires de superioridad de los señoritos».[9]

En su biografía de Diego, Ángel Sody de Rivas señala que, después de que las tropas del comandante Castejón tomaran Morón, el tocaor estuvo varios días detenido en La Corredera, donde estaba ubicado el cuartel de las Milicias Nacionales, junto a dos amigos del pueblo, uno de ellos ex militante de UGT, y finalmente fue puesto en libertad: «Diego, a pesar de no haber pertenecido nunca, orgánicamente, a ningún partido u organización sindical, simpatizaba con los movimientos más progresistas del momento y, por descontado, los suyos eran los desheredados de toda la vida».[10]

Pohren dibuja el perfil del guitarrista con apasionamiento y enorme cariño por este singular artista. En otro momento escribe: «Desde el punto de vista del viejo tradicionalismo español, religiosamente, Diego se podía considerar como un revolucionario. Consideraba que la religión se utilizaba para adormecer al pueblo, compartiendo así los mismos intereses que el poder político».

Desde el punto de vista estrictamente musical, Diego del Gastor es una referencia fundamental de la guitarra flamenca. Acuñó un estilo propio, una forma inconfundible de tocar y creó una escuela que lleva su sello. Es, sin discusión, el gran patriarca de lo que hoy se conoce como el «toque de Morón». Antonio Mairena dijo de él: «A diferencia de lo que ocurría con Ramón Montoya, Diego no se inclinaba en absoluto por los aires levantinos, sino por los otros, por los que estaban más cerca de Javier Molina, siendo incluso más exagerada su postura, pues el de El Gastor solía tocar solamente por soleá, seguiriya y bulería. Por cierto, de una forma muy personal y enigmática».

Acompañó innumerables veces a su compadre Joselero, un cantaor de eco milenario que dejó inmortalizada una soleá cuyo origen él fijaba en la sierra de Grazalema, y que, según Diego del Gastor, era la que hacía el padre del guitarrista. Aquella que dice:

> Me *juegan* consejo de guerra,
> si me ven hablar contigo,
> primita, en Puerta Tierra.

Joselero remata este cante, que aparece en el *Archivo del Cante Flamenco* de Caballero Bonald, con un tercio redondo:

> Yo te estoy queriendo a ti
> con la misma violencia
> que lleva el ferrocarril.

«ARCHIVO DEL CANTE FLAMENCO»

José Manuel Caballero Bonald es el escritor actual más completo de este país y una figura muy importante en la tarea de recuperación del flamenco auténtico durante los duros años de la noche franquista. El autor jerezano dirigió la grabación de una obra fundamental, el *Archivo del Cante Flamenco*, que apareció en 1968. En aquel monumental trabajo se consiguió grabar a 34 cantaores: las conmovedoras voces de grandes glorias del arte gitano, como Juan Talega, Manolito el de María, Tía Anica La Piriñaca, Joselero, Rafael Romero, Tomás Torre... Todos cantaron en sus propios ámbitos naturales. «Aquélla fue una labor intrincada, complicada, en busca de las fuentes, de rastreo de cantaores anónimos. Fue un puente entre el flamenco del siglo xix y la posguerra española», recuerda Caballero Bonald.

El trabajo que realizaron él y su equipo para dejar constancia de ese cante y esa forma de vida que estaba a punto de extinguirse fue ímprobo. Por ejemplo, después de intentar localizar a Manolito el de María por las barrancas del barrio del Águila, de Alcalá de Guadaira, no pueden dar con él: está esquilando ovejas en un cortijo de El Arahal. Finalmente lo encuentran una noche en su casa. «Era ya tarde, Manolito el de María estaba acostado, pero se vistió apresuradamente y se vino con nosotros, intentando vencer su somnolencia con un afable y esforzado acopio de vitalidad. Humanamente castigado, no existía el menor síntoma de amargura en el comportamiento de este hombre que ya llegaba a la vejez cuando lo conocimos y que se levantó de la ruin cama familiar para acompañarnos», escribe Caballero Bonald en el librito que acompaña a los seis discos del *Archivo*.

La fiesta se inicia, ya de madrugada, en Alcalá de Guadaira, en un cuarto de la azotea de la Venta Platilla, memorable escenario de muchos episodios flamencos. «Los recuerdos de Manolito el de María relativos al cante eran vagos y desordenados. Es lo que suele ocurrir. Rara vez un cantaor coincidirá con otro al hablarnos de sus experiencias en torno al flamenco —continúa su relato el escritor jerezano—. Manolito el de María apoyaba sus ideas sobre el cante en los recuerdos de su propia vida. Aludía siempre a sus menesterosas andanzas por estas ubérrimas tierras de campesinos pobres, donde trabajó como Dios le daba a entender en oficios humildes y eventuales. Fuera de la órbita geográfica en que se desenvolvió, su conocimiento del cante era muy incompleto. Nos hablaba de cantaores más que de cantes; sobre todo de su tío Joaquín el de la Paula, que vivió también en las cuevas del declive del castillo de Alcalá. El flamenco, para Manolito el de María, era como una manera de ser, como un mandato de su raza. No importa saber cantar "al pie de la letra". Hay que sentir un pellizco por dentro y ponerse a dar gritos llamándose a uno mismo. El cante de los "payos" es otra cosa; el "payo" canta de oídas. El gitano crea para los suyos, desentierra su experiencia personal, transmite de padres a hijos el secreto de una expresión que antes pertenecía a unas pocas familias y ahora es ya del dominio de todos. El flamenco fluía en unas concretas ceremonias privadas y hoy se ha convertido en espectáculo público».

En la estela del *Archivo del Cante Flamenco*, se realizó, entre 1971 y 1973, la serie de TVE «Rito y Geografía del Cante». Cien programas de media hora, con dirección de Mario Gómez y guión de Mario Gómez, Pedro Turbica y José María Velázquez, que también era el encargado de realizar las entrevistas. Un recorrido que les llevó desde Cataluña a Extremadura, desde el sur de Francia a Castilla y Portugal, con viajes exhaustivos por toda Andalucía y Levante. Grabaron a 186 cantaores.

José María Velázquez nació en Cádiz, pero pasó toda su infancia y adolescencia en Arcos de la Frontera, de donde es originaria su familia. Con menos de treinta años fue presentador y coguionista de la serie, el programa televisivo que mejor ha tratado el fenómeno flamenco. Ya no se puede hacer nada parecido. «Aquello me permitió entrar en la cueva de Manolito el de María, en casa de Juan Talega y La Piriñaca, emborracharme con Tío Borrico... —recuerda con nostalgia y emoción. Y continúa—: Lo mejor es que he podido disfrutar de fiestas familiares en el patio de Tío Parrilla, en Jerez, o en casa de María La Perrata, en Lebrija. Desde muy pequeño tuve esos sonidos como referencia. Intenté buscar su origen y por qué me interesaban tanto. Establecí contacto con los Parrilla, los Sordera, los Peña, Terremoto, Mairena... Y en todas las casas me acogieron. La Perrata y su marido, Tío Bernardo, me dieron cobijo. Tuve oportunidad de participar en las grandes fiestas, en auténticos rituales en los que yo era el único no gitano. Como la ceremonia del pañuelo y las cinco rosas, y el canto de la alboreá, mientras bailan con la novia en el centro, en el sentido contrario al de las manillas del reloj. Recuerdo una noche, en la boda de unos gitanillos de Utrera, con Mairena, Terremoto, Fernanda y Bernarda... Y en otra ocasión, los fandangos de María la Sabina, madre de Santiago Donday, en la fragua de la familia, en Cádiz, una noche muy oscura, con viento de Levante. Eloy Blanco tocaba la guitarra y, cuando María la Sabina empezó a cantar, todos los miembros del equipo de rodaje (cámaras, técnicos de sonido, electricistas...) empezamos a encontrarnos en un estado muy especial, con los ojos llenos de lágrimas...».

La última vez que cantó Juan Talega fue en su casa de Dos Hermanas, para «Rito y Geografía del Cante». Le acompañó Chico Melchor y estaban allí su hijo y sus nietos. Era 1970. A los pocos días murió. «Aquello fue impresionante —recuerda Velázquez—. Después, estuvimos rodando el entierro, al que acudieron Francisco Moreno Galván, Paco Lira, Fernanda y Bernarda, Menese, Diego Clavel... Talega nunca fue profesional ni lo quiso ser. Cantaba soleá, seguiriya, martinete y, rara vez, un romance, pero sólo su presencia y su voz dejaron una huella profunda en la cultura musical del flamenco y de este país. Aunque nadie le conozca fuera del mundo del cante, esto es así. Si La Niña de los Peines hubiera nacido en Francia, sería más importante que Edith Piaf y tendría una estatua en los Campos Elíseos».

Ya en Madrid, José María acompañó a Francisco Moreno Galván a una comisaría del centro para que pudiera pedir los permisos gubernamentales pertinentes, a fin de que pudiera celebrarse un magno festival que se preparaba en el Teatro de La Zarzuela en honor de Juan Talega, que se preveía para el 22 de mayo de 1970. «Francisco, nervioso como un flan, tuvo que beber tres copas de brandy antes de ponerse delante del guardia y rellenar los cuestionarios», relata Velázquez. Su hermano José María ya había pasado por la cárcel y la mayoría de sus amigos intelectuales y artistas estaban fichados por la policía de Franco. Al final, el homenaje a Juan Talega se celebraría con un cartel de lujo, en el que figuraban los tres hermanos Mairena, Juan Varea, Rafael Romero, Lebrijano, Menese, Morente, Camarón, Melchor de Marchena, Manolo Cano, Manolo Sanlúcar, Perico del Lunar y Merche Esmeralda, entre otros.

EL «GARDEL» DEL BARRIO DE SANTA MARÍA

Uno de los grandes embajadores del flamenco gaditano en esos años era Chano Lobato, maestro del cante para baile que no dio el salto «alante» hasta bastante después. Pertenecía a los que algunos flamencos llaman «la otra Generación del 27», la de los cantaores que nacieron el año que sirvió de referencia para bautizar a toda una hornada de grandes figuras. Ilustre representante de esa generación de artistas fue también Manuel Soto, Sordera.

Juan Ramírez Sarabia —verdadero nombre del cantaor— nació en la castiza calle de la Botica, en pleno barrio gaditano de Santa María. El apelativo artístico con el que se hizo popular lo heredó de su padre, Sebastián (Chano) Ramírez Lobato. Respiró el flamenco desde niño y muy pronto decidió ser artista. Empezó actuando «al plato», y aseguraba que así se doctoró en psicología. «Mi padre era de San Fernando, de La Isla, y mi madre y toda mi familia de Cádiz, del barrio de Santa María, un barrio donde vivían muchos gitanos. En Cádiz no se nota la diferencia entre flamencos y payos: siempre se han casado indistintamente. Yo tenía el cante en las tripas, pero fue la necesidad la que me obligó a hacerme profesional. Mi madre se quedó viuda cuando yo era un chiquillo. Era el mayor de los hermanos y tenía otros cuatro detrás, así que me tuve que tirar al ruedo».

Empezó a trabajar cuando era poco más que un niño, sufriendo las hambres de la época y la «guasa» de los señoritos, en los colmados de la ciudad y en la Venta La Palma, donde también se buscaban la vida personajes flamencos como Aurelio Sellés o Antonio El Herrero. «Había que ver el hambre que pasábamos —aseguraba—. Los artistas siempre muy arreglaos, mucha brillantina en el pelo, la corbata muy tiesa, la camisa bien "planchá"... y "esmayaítos". El día que no salía juerga, no se comía».

En cuanto pudo, se trasladó a Madrid, donde trabajó en los tablaos El Duende y el Arco de Cuchilleros, antes de empezar a recorrer el mundo con la compañía de Manuela Vargas y, después, cantándole a Antonio. El éxito popular le llegó cuando tenía ya casi sesenta años. «Comparado con las fatigas que he pasado, ahora tengo más dinero que Gardel», bromeaba. Antes de triunfar entre el gran público había pasado toda una vida cantando para baile, faceta en la que estaba reconocido como el número uno. «Es muy difícil cantar atrás —decía—. Lo que ocurre es que no está valorado ni le dan el mérito que tiene, pero es muy importante y, además, te sirve para placerte. Antiguamente, antes de hacerse matadores, los toreros empezaban de banderilleros. Me lancé tarde "alante", pero he conseguido satisfacciones que no me puede quitar nadie».

Gracias a este entrañable cantaor gaditano, numerosos jóvenes se engancharon al flamenco durante los años noventa, una década en la que el arte jondo consiguió conectar con nuevos públicos. Y Chano fue uno de los grandes abanderados de ese movimiento, sin perder un ápice de su autenticidad, fiel a su herencia gaditana, mairenera y caracolera. «El flamenco ha cambiado mucho, es muy bonito ver la categoría y el sitio que tiene ahora —afirmaba—. Me emociona ver cómo escucha y atiende la gente joven. Y qué manera de aplaudir. Ellos son los encargados de que esto no se pierda. Ahora también hay artistas jóvenes que están muy preparados y tienen todas las facilidades para escuchar el cante de los antiguos. Pueden encontrar cualquier cosa en los discos. Antes, había que emborracharse muchas veces para aprender, escuchando a uno y otro».

Estuvo numerosas veces en Japón, donde era un ídolo. «Hay que ver la afición que tiene esa gente —relataba, con su gracia desbordante—. Al terminar una función, en Tokio, salí de los camerinos para firmar autógrafos, como de costumbre, y entonces me llamó un muchacho japonés, que era bailaor y hablaba español, y me dijo: "Maestro, le voy a presentar a usted a un gran cantaor japonés, se llama Chano Lobato". Resulta que aquel hombre se había aprendido un disco mío de memoria y se había puesto mi nombre. Allí eso es normal. También hay un Rancapino de Japón».

Hasta un año antes de su muerte, Chano había continuado actuando, con una frecuencia inusitada para su edad. El escenario y el contacto con el público lo mantenían joven: «Sigo más fresco que una lechuga y cantando mejor que en toda mi vida. Desde hace veinte años me he venido arriba como nunca lo habría esperado». Sus chascarrillos sobre las tablas eran complemento inevitable del cante de este gaditano de pura cepa. «Tengo más azúcar que una confitería», decía con guasa, refiriéndose a la diabetes que padecía. Durante la última década, antes de cada actuación tenía que inyectarse insulina, después se comía una manzana en el camerino, sin parar de relatar viejas historias de los flamencos de su tierra, y enseguida subía al escenario, donde se crecía de forma sorprendente. La talla artística de Chano sólo se podía comparar con su enorme dimensión humana. Era uno de los últimos representantes de una forma de vivir el flamenco que ya ha desaparecido.

Maestro del ritmo por excelencia, era capaz de meter cuplés, boleros y hasta los tangos de su admirado Carlos Gardel a compás de bulerías. Asegura que muchos flamencos aprendieron a subirse a un escenario fijándose en el genio argentino. Desde luego, Chano, muy coqueto, iba siempre hecho un pincel. «Ya tengo la cabeza como un polvorón, pero mi mujer, Rosario, me mete un tinte que me arregla. Unas veces estoy rubio y otras medio colorao», decía. Aseguraba que ahora los profesionales del flamenco están mucho mejor considerados que antes, aunque reclamaba más ayudas públicas para este arte: «Hoy nos encontramos menos desamparados, pero hay muchos compañeros que no han tenido suerte y llegan al final completamente tiesos».

Antonio Mairena impulsó la creación de la Institución de la Tercera Edad de los Artistas Flamencos, pero el proyecto no acabó de cuajar. Siempre guasón, a Chano le gustaba contar historias de jubilados: «En Sevilla, los "puretas" tenemos un billete para viajar gratis en los autobuses. Y como tienen aire acondicionado y están muy fresquitos, en verano se llenan de jubilados. Cuando metemos nuestros billetes en la máquina, hacen "fisss", casi no se oyen, y los de pago suenan mucho. Resulta que llega uno con el billete que hace ruido y ya no tiene sitio. No veas los frenazos que empieza a dar el conductor, para ver si se matan tres o cuatro viejos».

LA INFANCIA DE PACO DE LUCÍA

Veinte años más joven que Chano Lobato, Paco de Lucía tampoco se libró de pasar penurias en su infancia y recuerda el hambre y la mala vida que sufrió su padre en las ventas, esperando la gracia del señorito de turno: «Mi padre era tocaor en Algeciras. De su guitarra vivíamos todos, su mujer y sus cinco hijos. Eso de tocar la guitarra lo tengo metido desde antes de nacer. ¿Qué podía hacer, si mi padre y mis hermanos se pasaban el día con la guitarra? Además, había que comer. Había que ser algo, y sin estudios y con el miedo de acabar muriéndote de hambre, la única salida era la guitarra. Claro que había la posibilidad de convertirte en un buen albañil o un buen mecánico y quedarte allí, en el pueblo, toda la vida. Pero yo no lo habría aguantado... Habría acabado siendo contrabandista».[11]

Paco cosechó su primer gran éxito hace más de treinta y cinco años, con la rumba «Entre dos aguas», que le hizo popular fuera del ámbito del flamenco y supuso el comienzo de su reconocimiento internacional, pero no se olvida de su infancia ni de sus comienzos artísticos: «Hambre, hambre, no he pasado. Siempre teníamos en casa un poco de café y pan con manteca. Mi padre luchó para esto y al menos esto lo tuvimos. "Ya que no os puedo dar escuela...", decía. Yo empecé a tocar ante la gente a los nueve años. Hice con mi hermano Pepe un dúo que se llamó "Los Chiquitos de Algeciras". Entonces nos grabaron tres discos pequeños. Ni firmábamos contratos, no cobrábamos royalties, nada. Mi padre era el tocaor en las fiestas del señorito. Tocaba en el cabaret, y cuando el señorito se sentía a gusto con las putillas, se llevaba a mi padre a tocar en el cortijo. Con este dinero vivíamos. Yo, por suerte, no he tocado para ningún señorito. Mi padre lo ha evitado. Ha procurado siempre que no tuviéramos que pasar por donde él pasó. Como también estaba obsesionado con que fuéramos guitarristas y no cantaores, porque creía que era un desprestigio. Verás, los cantaores solían ser gitanos y los gitanos estaban mal considerados. Hace diez años que el flamenco ya no pasa hambre, que haciendo flamenco la gente come —decía Paco en 1974—. No sé exactamente por qué, pero eso sucede desde hace diez años. Sin embargo, hay artistas que son populares y ganan dinero y siguen aceptando el juego del señorito. Le aceptan su dinero igual que antes. Esto a mí me provoca náuseas».

PERRERÍAS CON EL DINERO

A pesar de las fatigas que han pasado, o precisamente por ello, muchos flamencos se han caracterizado por «quemar» el dinero en cuanto lo han tenido entre las manos. Un caso fuera de serie en este aspecto ha sido el del cantaor Luis de la Pica.[12] Artista de artistas, los que querían vivir momentos de duende se acercaban al jerezano barrio de Santiago en su busca. Dado que él estaba muy poco dispuesto a salir de su reducto natural, como muchos cantaores míticos de la gran historia flamenca, había que intentar disfrutar de las genialidades de Luis en ese ámbito casi familiar. Ahí es donde él lo daba todo, cuando estaba a gusto e inspirado. El dinero nunca le interesó. «Camarón venía a buscar a mi hijo para escucharle cantar —señala María, su madre—. Y Curro Romero también aparecía por Santiago para preguntar por él y llevárselo por ahí. Le ponía un kilo de billetes en la mano. Luego Luis se lo daba a todo el mundo.

»Iba a las fiestas, se llevaba por ahí dos días y se gastaba lo que había ganado —continúa María—. La gente que había trabajado con él volvía con los dineros a su casa, pero él lo quemaba todo. Luego aparecía y me llamaba por la ventana: "Mami, mami...". "Chiquillo, pero ¿qué horas son éstas?". "Que está ahí el taxi y no tengo dinero para pagarlo". A algunos les dejaba pagado el café para una semana, a las mujeres les compraba pescado... Hacía con el dinero perrerías. Él ha disfrutado mucho, se ha llevado todo lo que ha podido llevarse. Ha ganado bastantes dineros, pero se ha gastado todo eso y más con la gente».

Ángel Morán, presidente de la Peña Tío José de Paula, recuerda una anécdota que tuvo lugar en San Fernando, muy poco antes de la muerte de Luis: «Fue a cantar, le pagaron y después se gastó enseguida lo que había ganado. Cuando quiso venirse a Jerez, tuvo que pedir dinero para el tren. Él era de esa forma». Las anécdotas relacionadas con la proverbial capacidad del Pica para fundir el dinero instantáneamente son numerosas. Uno de los amigos de Luis que más apuros tuvieron que pasar por ese motivo es Lorenzo Romero Gálvez. Conocido en Santiago como El Chino, Lorenzo es sobrino de los cantaores Ripol y Fernando Gálvez. Continúa viviendo en el patio de vecinos de la calle de Taxdirt donde nació y vivió la mayor parte de su vida Luis de la Pica. «Era una persona a la que tenías que conocer. Hablar de él es muy poco, de verdad —asegura—. Le contrataban para una fiesta y, cuando le pagaban, se gastaba el dinero con el que le había llevado allí. Una vez, se fueron a Madrid Periquín (Niño Jero), El Morao, El Capullo... Todos artistas de Jerez. Cobraron al mismo tiempo, pero él, en lugar de venirse para Santiago, se quedó allí y fundió lo suyo. Tuvo que volverse a Jerez en autobús, porque no le había quedado para más. Hacía cosas de locura, y en el escenario, de muy buen artista. Cuando no tenía dinero, a mí me decía: "Chino mío, dame algo". "¿Qué quieres que te dé, Luis?". "Dame mil pesetitas". Y luego te quería devolver dos mil.

»Iba siempre en taxi. Pedía uno desde aquí para tal sitio y decía: "Soy Luis de la Pica" —continúa Lorenzo—. Entonces se oía por la radio: "Yo voy". "No, yo voy...". "Bueno, que vaya quien esté más cerca, a quien le toque". Y todos sabían lo que podía ocurrir. He conocido a taxistas que, después de estar con él toda la noche, han tenido que poner dinero. "Venga, vamos a tal sitio", decía él. "Luis, si no tienes dinero". Y él: "Venga, ya te lo pagaré, joé". Otras veces les pagaba de más. Es que lo conocía todo Jerez. A donde iba, todo el mundo decía: ahí está El Pica. En cualquier rinconcito. Siempre con sus buchitos de fino La Ina.[13]

6

ANTONIO MAIRENA Y LA TRANSICIÓN
DEL FLAMENCO DESDE LAS VENTAS
A LOS FESTIVALES

«Antes no vivía nadie del cante. Algunos cantaores se mantenían de hacer cuatro cosas en los ventorrillos situados en las afueras de las poblaciones, y de los residuos de la época del bandidaje —señalaba Antonio Mairena—.[1] También había algunos bien situados económicamente, como Señó Manuel Molina, que tenía una tabla de carne en el mercado de Jerez, o Frijones, que tenía otra carnicería en Jerez. Juan Junquera puso un café cantante en Jerez, lo mismo que hizo Silvero aquí en Sevilla, y los Mellizo eran matarifes del mercado de Cádiz. En Carmona, había un gitano al que llamaban Tío Maero, que protegía a muchos gitanos. Tenía una línea de coches entre Sevilla y Carmona, y una posada. Era una especie de mecenas». De esa forma dibujaba el maestro el panorama flamenco antes de que comenzase la profesionalización de los artistas.

Nacido en 1909 en la localidad sevillana de Mairena del Alcor, en el seno de una familia gitana y fragüera, Antonio Cruz García mantuvo durante toda su vida una honestidad artística intachable y fue fiel a la meta que se había marcado: preservar del olvido los mejores cantes y dignificar a los cantaores. «Mis principios artísticos fueron de una sencillez extrema, al igual que mis primeros pasos como ser humano —explicaba—. Me crié en un ambiente puramente familiar, en el seno de una de esas familias gitanas que se han hecho y se hacen en la Baja Andalucía, con su peculiar forma de ser. Lo único que absorbí estaba en ese ambiente».

Sentado junto a la mesa camilla de su estudio, en la casita baja situada en el número 10 de la calle de Padre Pedro Ayala, similar a otras muchas de aquella tranquila zona sevillana cercana a la Cruz del Campo, y con su perro Camborio tumbado junto a él, Antonio Mairena nos hablaba, en el verano de 1982, del ambiente en el que germinó su arte: «El cante gitano andaluz es lo que yo bebía. Las fiestas, los bautizos, las bodas y manifestaciones rituales. No fui lo que generalmente se conoce como artista hasta muy mayor. Pero mi formación musical no era la adecuada para ganar dinero. No tenía acceso al mundo del gran espectáculo y tuve que sufrir un enorme choque. En aquella época no había posibilidad de cantar por derecho en un escenario, no había oyentes para ello. Era inconcebible pensar en la posibilidad de levantar del asiento a tres mil personas cantando un martinete o una seguiriya, como hace ahora José Menese, por ejemplo. En aquel tiempo yo no me atrevía a ponerme en lo alto de un escenario en algunos sitios, pero no ya cantando por seguiriya o soleá, sino siquiera por bulerías. La preparación cultural del público era bajísima, ya te puedes imaginar».

Narraba sus vivencias casi de corrido, con absoluta precisión y un lenguaje muy rico, rodeado de infinidad de medallas, placas conmemorativas y todo tipo de trofeos. Destacaba, en una de las paredes de la sala, un viejo cartel fechado el 29 de julio de 1930 en Mairena del Alcor. En él se anunciaba como figura estelar de la velada flamenca que se iba a celebrar ese día a Manuel Torre, «Genial creador de "Los Campanilleros" gitanos», una de las figuras de referencia de Mairena: «Los grandes cantaores a los que yo admiraba vivían de forma indecorosa, en la última miseria. Joaquín el de la Paula fue enterrado por el Ayuntamiento de Alcalá de Guadaira; su familia no tenía ni para comer ese día. En el caso de Manuel Torre, yo mismo lo presencié: sus hijos tuvieron que salir a pedir para enterrarle. Y Pepe Marchena se ofreció a costear todos los gastos. Pero se hizo tan mal que no sabemos dónde descansa, para acudir a recordarlo».

Antonio no perdía ocasión de criticar los tiempos «duros» de la «Ópera Flamenca», en los que las voces gitanas tenían poco espacio en los grandes recintos teatrales, donde se jaleaban las gargantas melodiosas: «Pepe Marchena fue uno de los que se aprovecharon de esa corriente. Se encontró con una voz y unas facultades apropiadas para hacer aquel tipo de cantes, que llegaron a ser muy populares. Desde luego, todos estaban basados en los popular andaluz. La "Ópera Flamenca" se acabó imponiendo en 1922 y tuvo gran resonancia. Tanta, que duró cincuenta años y todavía hoy se nota su influencia».

Profundo estudioso del arte jondo y del folclore andaluz, Mairena tenía perfectamente sintetizada su teoría sobre el origen del flamenco y del cante gitano-andaluz, dos variedades musicales hermanas entre las que hacía claras diferencias, que, según él, empezaron a caminar por la misma senda a raíz de la creación de los cafés cantantes, durante el último tercio del siglo XIX, como el de Silverio, en Sevilla: «Silverio había aprendido de El Fillo la soleá, la seguiriya, las tonás, el polo y la caña, seguramente. Los cantes formados durante la época hermética. Se quedó con el café de El Burrero, para cantar en público lo que sabía, pero la gente no le entendía y no tuvo más remedio que introducir elementos que comercializasen de alguna manera aquella música. Lo que hoy se conoce por malagueñas o cantes de Levante; en aquella época, fandangos bastante más sencillos en su forma que hoy en día. Provenían del folclore andaluz. Juan Breva, por ejemplo, hacía cantos auténticamente populares, en los textos y en la música. Conectaba con el pueblo. En cambio, los cantes de Silverio eran minoritarios. Su local era un café de candil, se daban bailes picarescos, se cantaban cosas del folclore de entonces. Era un espectáculo de variedades. El flamenco no había hecho su aparición ni de nombre. En ese preciso momento histórico es cuando se hace el paquete entre el cante gitano-andaluz y el folclore andaluz. Ambos se influencian mutuamente y surge el flamenco como denominación genérica».

Insistía en la importancia fundamental que, según él, tuvieron los calés en la configuración de lo que hoy conocemos como flamenco: «Los gitanos, al llegar a España, fueron en un principio trovadores. Si observamos el romancero, nos damos cuenta de que es castellano y fronterizo, en la época de la Reconquista. Los gitanos se encontraron con esa riqueza literaria y le pusieron una música. ¿Cuál era esa música? Una muy parecida a la suya ritual. Con el correr del tiempo, la interpretación de esos romances adquirió una forma musical similar a la soleá ligera, lo que era en principio la soleá bailable. La seguiriya, al parecer, es un cante que se desgaja de las tonás cantadas por ellos, cantes motivados por la persecución. Es cierto que los gitanos se beneficiaron mucho del medio ambiente andaluz, pero como yo digo, no vendrían ladrando como los perros, traerían un idioma para entenderse entre ellos, unas músicas, una forma de comunicación. Todo eso lo aportaron al cante gitano-andaluz y al flamenco».

El maestro planificó de modo muy cerebral tanto las grabaciones que realizó como toda su trayectoria profesional. Durante dos décadas, tras finalizar la Guerra Civil, se buscó la vida cantando para baile en las compañías de Juanita Reina, Pilar López, Luisillo y Antonio, con quien permaneció diez años, o actuando en distintos tablaos de Sevilla y Madrid. El genial bailarín y bailaor sevillano Antonio Ruiz Soler había regresado a España, por primera vez después de la guerra, en 1949, consagrado ya como figura internacional de la danza, para intentar conseguir la libertad de su hermano Salvador, militante comunista encarcelado en la prisión de Burgos. Sus gestiones en ese sentido no fructificaron.

«Cuando terminó la guerra, en Sevilla había aún menos posibilidades para artistas como yo, así que me tuve que desplazar a Madrid —relataba Mairena—. Allí intenté vivir del mismo modo, cantando en ventas y colmados. Los años que estuve con Antonio fueron muy importantes para mí, porque pude hacer todo lo que era mi cante acompañándole a él al baile. Además, conseguí una estabilidad económica que me permitió independizarme, hacerme solista y darle al cante la grandeza que realmente tiene».

«LLAVE DE ORO» DEL CANTE

Después de conseguir un mínimo de estabilidad económica, inició su gran revolución: dignificar el cante, sacarlo de las ventas y las fiestas de señoritos y conseguir que fuera reconocido en todo su valor. En 1962, durante la tercera edición del Concurso Nacional de Arte Flamenco de Córdoba, obtuvo la Llave de Oro del Cante, la tercera de la historia, un galardón que no se concedía desde 1926. «Contribuí a la creación de los primeros tablaos, una vez pasada la época de las ventas: El Corral de la Morería, Zambra, El Duende... Los tablaos permitieron a los artistas liberarse de esas malas noches, de las juergas de los señores, que pagaban o no pagaban, de la vida tan terrible que llevábamos todos —señalaba Antonio—. Después de los tablaos, vinieron los festivales. Yo siempre he dicho que me encontré el flamenco en el trono de la miseria y hoy, afortunadamente, ahí lo tenemos. Se empezó con un festival, el Potaje de Utrera, en 1956, y hoy hay más de doscientos festivales, más de quinientas peñas...».

El flamenco llegó a la universidad de mano de Mairena, quien continuó siendo, además, uno de los principales impulsores de los festivales veraniegos, que han constituido durante mucho tiempo la principal tribuna de expresión flamenca y la fuente de ingresos más importante para muchos profesionales del cante, el toque y el baile. Estos artistas dejaron de actuar «al plato» o esperando la generosidad de los señoritos y comenzaron a percibir una cantidad digna por su trabajo.

La impronta de Antonio Mairena también fue fundamental en el nacimiento de una nueva afición flamenca en Madrid a partir de 1960. Uno de los principales puntos de apoyo del maestro en la capital fue el guitarrista vallecano Juan Antonio Muñoz, quien, años después, fundaría la Peña Antonio Mairena en Aranjuez. «Junto con mi amigo Tirso Montoya, le llamé un día diciéndole que éramos dos jóvenes aficionados y grandes admiradores de su arte y que nos gustaría poder tomar una copa con él para conocerle personalmente —relata Juan Antonio—. Nos contestó diciendo que a las nueve de la noche estaría en el bar Las Panderetas, en la calle Jardines. Desde ese primer momento, mi amigo y yo, además de un grupo de aficionados del barrio madrileño de Vallecas que lo teníamos como un ídolo, quedamos doblemente sobrecogidos de que un artista de esa categoría nos tratase tan sencilla y amigablemente, sin darse ninguna importancia: era algo que nos sorprendió. Desde entonces, en todas sus visitas a Madrid, Las Panderetas se convirtió en la gran Casa Mairena, en donde la familia se reunía. Con el tiempo, las reuniones se trasladaron a mi casa a Vallecas».

El domicilio de Juan Antonio Muñoz, militante de izquierda enraizado en el movimiento político y social de Vallecas, se convirtió en centro de peregrinación para artistas y aficionados, cuando corría la voz de que Mairena estaba en la capital. Más adelante, como consecuencia de la enfermedad coronaria que padecía, Mairena visitaba con frecuencia Madrid y se alojaba en casa de Juan Antonio, trabajador de la Seguridad Social, que se encargaba de coordinar su seguimiento clínico: «Después de la revisión en el hospital, se venía a casa —explica—. Mi mujer, Sagrario, le preparaba la cena, y después, Antonio me decía: "Saca la guitarra, que recordemos nuestras músicas y estas cositas que a nosotros nos gustan". Yo siempre grababa todos los cantes que él hacía».

En ese clima familiar se gestó la después polémica «Soleá de Charamusco». «En un momento dado, estaba yo tocando la guitarra con la cejilla al cuatro, en tono de la, por soleá, y Antonio empezó a cantar muy bajito, como recreándose, prácticamente hablando, susurrando, para después salir con un cante que nos sobrecogió a todos los presentes, que nunca habíamos escuchado y que nos puso, de verdad, el alma en vilo —recuerda Juan Antonio—. Después de terminar esos cantes, nos dijo que eso era una soleá que él había escuchado en Jerez. Un día había estado en una fiesta con el padre del Morao, y cuando se iba de madrugada para casa, en una taberna, se oía un cante, y allí estaba un gitano jornalero, que se iba hacia el campo y estaba tomándose unas copas. A Antonio le agradó aquella música y le dijo al padre del Morao: "Vamos a entrar en ese bar". Y ahí fue donde conoció a aquel gitano al que llamaban Charamusco. Antonio tenía esa música en su cabeza, pero la primera vez que la cantó fue en aquella reunión, con la fortuna de que estaba la cinta grabadora encendida. Las letras son distintas a las que luego sacó en el disco».[2]

La «Soleá de Charamusco» sería utilizada por los antimairenistas para criticar al maestro, acusándole de querer presentar como original algo que ya estaba grabado. Juan Antonio Muñoz deja claro el asunto: «Yo invité un día a casa a Enrique Morente a escuchar esa cinta, porque, como eran unas músicas tan bonitas y Enrique es tan buen aficionado y siempre está buscando nuevos caminos, me pareció oportuno que las escuchase. Se volvió loco y me pidió que se las grabase, a lo que yo, en principio, me resistí un poco, porque Antonio siempre me prohibía que yo le diese las cintas a nadie. Pero al final le grabé esa soleá. Antonio, en Sevilla, cuando escuchó el disco de Enrique Morente («Tú vienes vendiendo flores...»), me llamó y me dijo: "Juan Antonio, ya has dado la cinta a Enrique Morente, pero no me importa, yo cuando la grabe, pienso hacerla de una forma muy diferente, por lo tanto no me molesta que él la haya grabado».

Por fin, Mairena incluyó esa soleá en *El calor de mis recuerdos*, el disco que le costó la vida, por el esfuerzo que hizo para grabarlo, con el corazón ya muy maltrecho, y que apareció a principios de 1984, cuando él ya había fallecido. En su «Soleá de Charamusco», Mairena retrata, de forma magistral, una emocionante noche de cante:

Charamusco, Charamusco,
cambiamos nuestros sombreros:
tu sombrero estaba roto,
mi sombrero estaba nuevo.

Te tengo yo en mi memoria, primo,
tantos años recordar
a un gitano Charramusco
y su cante por soleá.
¡Qué locura y qué momento!,
yo no lo puedo olvidar.

Cuando yo a ti te conocí, primo,
era por la marugá,
yo me rompí mi camisa
escuchándote cantar,
en Jerez de la Frontera,
y era por la marugá.

Qué bendición de hora,
que yo no sabía ni dónde estaba,
me tomé cuatro carretes
y del sentío prevelicaba,
hasta que amaneció el día
y me fui borracho a la cama.

Antonio nunca tuvo la más mínima preocupación por amasar una considerable fortuna económica. Llevó siempre una vida austera y dedicó su tiempo a recorrer toda Andalucía, por los tabancos, peñas y fraguas de los últimos reductos flamencos, en busca de fuentes desconocidas, de una «cosita» inédita por soleá o una letra nunca oída por seguiriya. Haciendo gala de una inteligencia natural más que notable y de una pasión incomparable por el flamenco, dedicó toda su existencia a recopilar y rescatar del olvido numerosas variedades y estilos de cantes, con infinidad de formas y matices, para plasmarlos de modo perfectamente estructurado, sistemático y ejemplar. Docenas de seguiriyas, soleares y bulerías, un variadísimo muestrario de tientos-tangos, tonás, cantiñas y numerosos palos más dan cuerpo al legado mairenista. El conjunto de su obra constituye una enciclopedia de obligada consulta y referencia.

Le acompañaron en su travesía discográfica de más de cuarenta años doce guitarristas, entre ellos, casi todos los mejores de su tiempo, desde Melchor de Marchena y Niño Ricardo, hasta Enrique de Melchor y Paco de Lucía, quien secundó a Mairena en una singular grabación realizada en la meca del cante minerolevantino, La Unión.

Arropó y dio a conocer a gitanos viejos, como Juan Talega o La Piriñaca, y al final de sus días impulsó la Institución para la Tercera Edad de los Artistas Flamencos. Precisamente el último disco de su carrera, *El calor de mis recuerdos*, lo grabó con el fin de recaudar fondos para esa entidad. Lo acompañaron a la guitarra en ese glorioso testamento Pedro Peña y Enrique de Melchor.

No llegó a conocer el llamado «nuevo flamenco» ni el «flamenquito», pero se mostraba extremadamente crítico con los experimentos comerciales que no consideraba sinceros: «Ahora hay cantaores que se ocupan muy poco de buscar el flamenco puro; parten del flamenco, pero intentan crear o encontrar las condiciones para que ellos puedan estar en primera línea. Luego, lo que dure ha durado. Ya vendrá otra moda que les quite el puesto. En todo tipo de música, cualquier innovación que no aporte calidad es algo transitorio, una moda de cuatro días que desaparece igual que viene. Un caso diferente es el de Enrique Morente, que hace un cante futurista, intentando marcar la línea de lo que puede ser el flamenco del mañana. Puede ser o no ser así, pero al menos trabaja con honestidad».

No obstante, nos confesaba que, sin ninguna duda, «el cante no tiene más remedio que evolucionar. Pero puede haber dos grupos: el cante comercial que se adapta a las nuevas circunstancias, y el otro cante, que se conserva como las grandes músicas clásicas. El cante gitano-andaluz debe conservarse del mismo modo que la música de Beethoven, Wagner, Bach o Mozart. Yo, evidentemente, no voy a participar en ningún tipo de evolución, soy ya ave de paso y partidario de ese cante clásico. A mis setenta y tres años, no puedo romper con lo que ha sido toda mi educación y mi vida».

LAS «NIÑAS» DE UTRERA

Dos de las cantaoras que estuvieron más vinculadas a la figura de Antonio Mairena y que más fiestas interminables y festivales compartieron con él fueron Fernanda y Bernarda Jiménez Peña. Las carreras artísticas de las dos se desarrollaron en paralelo. Ambas permanecieron siempre juntas, casadas con el cante, y hasta la muerte de Fernanda, en agosto de 2006, no era posible imaginar a una sin la otra. Desde hace veinte años, una importante avenida de Utrera lleva el nombre de estas dos inolvidables flamencas. Justo reconocimiento al talento y el trabajo de unas grandes artistas que han paseado el topónimo de su ciudad natal por cientos de escenarios de todo el mundo y han contribuido, de forma decisiva, a que esa localidad sevillana sea considerada, con razón, uno de los reductos del más puro y genuino flamenco.

Cantaora con letras mayúsculas, Fernanda era un mito del arte jondo desde hacía ya muchos años. Cuando se habla de la soleá hay que referirse, obligatoriamente, a esta mujer irrepetible, porque nadie ha sido capaz de abordar este palo, la columna vertebral del cante, con tanta profundidad y personalidad como ella. Su voz «afillá», desgarrada, pertenecía al pasado, manaba de las fuentes de los «sonidos negros» y nos acercaba a la prehistoria flamenca. «Otros cantan, ella llora», se ha dicho de Fernanda. «No hay ninguna mujer que haya dolido como ella», afirma Rancapino. Sin pasión de hermana, Bernarda decía: «Por Mairena y Caracol cantan muchos. Al pobrecito Camarón lo imitan hasta los niños. Pero como mi hermana no ha cantado más que ella. Porque es la Fernanda de Utrera».

> No llores, hermana mía,
> que en la casa de los probes
> nunca reina la alegría.

Por su parte, la menor de las «niñas» de Utrera hizo, desde siempre, auténticas diabluras con músicas populares no flamencas, para dotarlas de una jondura que hacía perder la cabeza al payo más frío. Incluso el tema central de la banda sonora de *Johnny Guitar* se agitanó, de forma absolutamente sorprendente, en la garganta de Bernarda de Utrera. Las más desgarradas canciones de Manuel Alejandro, los boleros y los dulzones aires de ida y vuelta de las colombianas nunca encontrarán un eco con tanto duende como el de Bernarda para acomodarse al exigente y embriagador compás de las bulerías. Todo lo que ella fagocitaba se convertía en oro flamenco, y eso es mucha tela, sólo está reservado para figuras muy grandes de este arte, que vive ya una época completamente diferente de la que protagonizaron, junto a numerosas figuras que irradiaban una personalidad interpretativa absolutamente singular, las dos hermanas de Utrera, las únicas, Fernanda y Bernarda.

Nacieron en el seno de una familia gitana de rancia tradición flamenca, en el número 20 de la calle Nueva. La mayor, el 9 de febrero de 1923, y Bernarda, el 3 de marzo de 1927. Hijas de José El de Aurora y la Chacha Inés, desde niñas mamaron el arte jondo en su propia casa y, enseguida, su eco fue centro de atención especial de flamencos de todos los lugares. Eran, además, nietas de Pinini, un personaje fundamental en la genealogía del cante de principios del pasado siglo, vértice de importantes sagas flamencas de Utrera y Lebrija, y a quien se canta en numerosas letras populares: «La calle Nueva se ha *alborotao*, porque Pinini se ha *emborrachao*». Bernarda recreó de forma magistral un peculiar estilo de cantiñas que llevan el sello de su abuelo. Son parientes cercanos de Fernanda y Bernarda los Bacan, El Funi, los Perrate, Lebrijano, Pedro Peña y Dorantes, entre otros muchos artistas flamencos. «Yo lo único que hago es repetir a mi manera lo que he escuchado en reuniones familiares, porque en esas reuniones es donde he aprendido todo lo que sé —nos aseguraba Fernanda—. Nunca he ido de joven a ningún café cantante a escuchar a los gitanos profesionales. Sólo he conocido a los que han venido a mi casa».

Pronto corrió la voz de que aquellas criaturas eran algo fuera de serie y el hogar paterno se convirtió en un centro de peregrinación por el que pasaron muchas grandes figuras del momento. El visitante más habitual era nada menos que Antonio Mairena, íntimo amigo de su padre, José Jiménez. «Mi padre no quería que Bernarda y yo fuéramos artistas. Le gustaba que cantásemos en casa, pero no fuera», nos decía Fernanda. Y Bernarda añadía: «Mi padre nos trató como reinas. Era carnicero, no le sobraba el capital, pero teníamos lo justo para vivir bien. Fue una época muy mala y a nosotras nunca nos faltó comida ni de nada. Yo he cantado desde muy niña. Cuando había una fiesta en casa, Fernanda se sentaba con mi padre y yo me quería ir a jugar. Me decían que cantara, me daba vergüenza y me ponía a llorar. En mi familia ha habido mucho arte. Estaban mi abuelo Pinini y Perrate, que cantaba como nadie. Mi familia ha sido la mejor escuela que hemos podido tener. Hemos vivido con el arte de mi abuelo desde niñas. Además, mi primo Bastián ha cantado muy bien. Y mi tío Benito, hermano de mi madre. Y a casa han venido muy buenos artistas. Igualito que ahora, el Canales y el otro».

Pero, inevitablemente, la fama de las «niñas» se iba extendiendo, y cada vez resultaba más difícil rechazar las múltiples ofertas que recibían para dar el salto a la profesionalidad. En 1952 el cine llamó a su puerta y Edgar Neville consiguió que su padre les permitiera participar en la película *Duende y misterio del flamenco*. «Llegó acompañado de Conchita Montes, que entonces era su novia —recordaba Bernarda—. Consiguió convencer a mi padre de que nos dejara ir con él, porque lo nuestro se iba a rodar aquí cerca, en la finca Gómez Cardeña, de Juan Belmonte. Yo iba con calcetines».

En 1957, gracias a los buenos oficios de Antonio Mairena, Fernanda y Bernarda llegaron a Madrid, al legendario tablao Zambra y grabaron su primer disco, *Sevilla, cuna del cante flamenco*. Casares, el propietario de Zambra, se había interesado por ellas y, cuando por fin llegaron a la capital, las incorporó al cuadro grande de la casa, del que entonces formaba parte un granado plantel de artistas. «Entonces yo era igual que una cría. Hasta entonces no había salido de mi Utrera y estaba asustadita —confesaba Bernarda—. Al principio, me llevaba todo el día metida en una pensión de la calle de Carretas. Un día nos mandó llamar Carmen Amaya. Yo le dije a mi hermana: "Vete tú, que yo tengo mucho frío". Y ella me contestó que nos había mandado llamar a las dos. Cuando llegamos donde estaba ella, nos dijo: "A ver cómo cantáis ustedes", y salió bailando. Yo sé que era un fenómeno, pero nosotras estábamos acostumbradas a otros bailes, más paraditos. Nos dijo que había conseguido nuestro disco en unos almacenes de Nueva York y que se lo sabía de memoria».

Más tarde, las dos hermanas pasarían al Corral de la Morería, convertidas en incontestables figuras. «Cuando terminamos de trabajar en ese tablao, volvimos a Utrera —relataba Bernarda—. Le dijimos a mi padre lo que nos habían pagado y se quedó asustado. Le preocupaba que alguien pudiera pensar que vivía de sus hijas, fíjate». Después vendrían los contratos para trabajar en Torres Bermejas y Las Brujas. Era la edad dorada de los tablaos de la capital y casi todas las figuras de la época se daban cita en la noche madrileña. Aquí, las dos hermanas compartieron mil noches de arte con Los Habichuela, Camarón, Paco de Lucía, Rancapino, Bambino y todos los grandes. Cuando Fernanda se templaba para cantar por soleá, se acababa todo. Y después llegaba Bernarda con su embriagador compás por bulerías.

«En Torres Bermejas sólo trabajé yo, allí no contrataron a Fernanda porque a don Felipe García, el dueño, que era muy gracioso, no le gustaba su voz. Ya ves, decía que cantaba raro, que no le iba. Y más flamenca no se puede tener la garganta». Mucho más olfato y gusto artístico demostraron, en cambio, los propietarios de Las Brujas, que llamaron a Fernanda y Bernarda para que inauguraran ese local, en 1961.

En 1964, Fernanda y Bernarda actuaron en el Pabellón Español de la Feria Mundial de Nueva York. El padre de las cantaoras ya había fallecido y su madre fue mucho más fácil de convencer. «Ella se enteró de lo de la feria y debió de creer que era como la de Utrera o la de Sevilla —relataba Fernanda—. "He pensado que os podéis llevar un poquito de harina para haceros calentitos ('churros') —nos dijo—, y así estáis distraídas las dos". Como si allí hubiera aceite de oliva».

Las dos tenían verdadero pánico al avión, pero supieron mantener el tipo ante su madre. «Ella, como era muy antigua, nos preguntaba: "¿Vais a ir muy largo?". Y nosotras le decíamos que muy cerquita —explicaba Bernarda—. Pero mi madre no lo tenía muy claro e insistía: "En aeroplano no subir ¿eh?". Siete horas estuvimos volando. Luego ya fuimos en avión a Túnez, a Ginebra y a todas partes». Permanecieron en Nueva York durante seis meses que se les hicieron interminables. «Parábamos en Manhattan, en el hotel Sutton. ¡Anda que se me va a olvidar! Nos decían que no nos asomáramos a la ventana, porque podía pasarnos algo. Tere Maya y Jarrito estaban con nosotras —proseguía su narración Bernarda—. Pero nos asomábamos, veíamos aquellos edificios tan grandes alrededor y luces por todas partes, y Fernande decía: "¡Ay, madre!, ¿por dónde caerá mi Utrera?". Eso sí, el público nos co-

En 1970, Antonio Mairena baila durante el fin de fiesta del homenaje a Juan Talega celebrado en el madrileño Teatro de La Zarzuela. A su lado, Tomás Torre, El Funi, Paco Valdepeñas y Fernanda de Utrera. Detrás, José Menese, Lebrijano, Camarón, Curro Mairena, Enrique Morente y Manuel Mairena. Tocan la guitarra Manolo Sanlúcar y Samy Martín.

Camarón en Torres Bermejas (1970).

Los Maya y miembros de otras familias gitanas del Sacromonte granadino durante su actuación en la Cumbre Flamenca celebrada en 1985 en el Teatro Alcalá Palace de Madrid.

Sabicas en el tablao Ciro's de San Francisco.

José de la Tomasa y El Mami en la Peña Chaquetón.

Antonio Mairena le canta a Tía Juana la del Pipa. Junto a él, Chano Lobato.

Bartolomé Rizo, José Luis López del Río, Francisco Moreno Galván, José Menese y Manolo Sanlúcar durante la inauguración de La Carcelera, el 1 de mayo de 1974.

Rancapino con Pedro Bacán.

José Menese y Manolo Brenes en París, poco antes de su actuación en el Teatro Olympia.

El Capullo de Jerez.

Fernando Terremoto en Sanlúcar de Barrameda.

Rafael Romero, El Gallina.

Luis de la Pica.

Gitanitos en la boda de Camarón.

José Lamarca

Fernanda de Utrera.

Antonio de Benito

Farruco y Alfredo Grimaldos en el estudio del bailaor.

mía. Había quien nos gritaba —que sería español, claro—: "¡Vivan los mostachones de Utrera!"».

De vuelta a Madrid, nunca se acostumbraron a la vida en la gran ciudad ni al trajín de los viajes. Estar fuera de su Utrera natal era poco menos que una condena para ellas, así que, a partir de 1970, cuando se produjo la eclosión de los festivales flamencos veraniegos, decidieron volverse a su tierra. Y las peregrinaciones a su casa comenzaron de nuevo. Francisco Moreno Galván visitaba todos los días a Fernanda. Iba cada tarde, desde La Puebla de Cazalla, con sus dos caballos, para estar con ella. «Cuando vivía en Madrid, Fernanda iba algunas veces al estudio que Francisco tenía en Moncloa —recuerda José Menese—. Ella estaba fascinada por un juego de espejos que Francisco había montado en la entrada, donde te reflejabas infinitas veces. Siempre se paraba allí y decía: "Hay que ver lo que inventan los gachés"».

Durante más de tres décadas, los duendes de sus gargantas las convirtieron en cabezas de cartel y un reclamo infalible para los aficionados al cante más puro. La intervención de Fernanda en *Flamenco*, de Carlos Saura, es uno de los momentos más rotundos de la película. Los años anteriores a su muerte los vivió enferma y retirada de los escenarios. Poco antes, nos había dicho: «Yo no creo que los que aprenden a cantar escuchando discos puedan comunicar nada. Lo mío es el flamenco antiguo, me moriré cantando igual que lo he hecho toda la vida. No critico el cante moderno, pero a mí no me llega». La voz de Bernarda se apagaría en 2009.

En marzo de 2003, coincidiendo con las manifestaciones populares contra la invasión de Irak, se rindió un monumental homenaje a Fernanda en el Auditorio Nacional de Madrid, en el que participó un extraordinario plantel de artistas encabezado por su hermana Bernarda. La mayor parte de los artistas que intervinieron en el acto (José Menese, Carmen Linares, Enrique Morente...) llevaban adhesivos de «Flamencos contra la guerra». Mercé incluso subió a cantar al escenario luciendo la pegatina en su traje. El cantaor José Menese, rendido admirador de Fernanda, cantó para ella por soleá la copla que le escribió Francisco Moreno Galván:

> Ni la alondra malhería,
> que con su canto muriera,
> se quejó con más dolor
> que Fernanda la de Utrera.

LA CASA DE LOS PERRATE

El cante gitano-andaluz rancio y puro, heredado por vía familiar, perdió en febrero de 2005 a una de sus más veneradas y respetadas representantes, María La Perrata. Nunca fue una artista profesional, pero su queja profunda hizo llorar a muchos aficionados. La reunión familiar era su principal escenario, y en él transmitió a sus descendientes las viejas letras y los peculiares matices de los estilos flamencos básicos que tan bien conocía. La dinastía de los Perrate, que hoy goza de gloriosa madurez en la voz de Juan Peña, Lebrijano, y en el toque de Pedro Peña, los dos hijos varones de María, continúa proyectando su sello flamenco hacia el futuro con la guitarra de Pedro María Peña y el piano de Dorantes, nietos de la venerada cantaora. Tere Peña, hija de La Perrata, divulga a través de las ondas radiofónicas, desde hace muchos años, el flamenco de mayor enjundia.

Nacida en Utrera en 1922, María Fernández Granados debía su apelativo artístico, al parecer, a la afición de uno de sus abuelos por los perros. Destacó como cantaora desde niña, en las multitudinarias reuniones familiares que tenían lugar entre la gitanería de su pueblo y las localidades aledañas. El propio Antonio Mairena se fijó enseguida en el eco de María: «Yo me escondía, porque era mu rogá pa cantar, y como era muy niña, lo que me gustaba de verdad de verdad era jugar y no le daba importancia al cante —recordaba ella entre risas cómplices—. Pero los gitanitos de Utrera se volvían locos por escucharme. Se ponían de rodillas delante de mí y me decían: "Perratita, hija, cántanos, que queremos llorar"».

Hermana de otro cantaor de duende, El Perrate, tía de Gaspar de Utrera, de El Turronero y Pedro Bacán, prima de Fernanda y Bernarda de Utrera..., María vivía el cante con la sencillez de lo cotidiano. Su sabiduría fluía de forma natural. Tenía sólo catorce años cuando Bernardo Peña, que pronto se convertiría en su marido, la «robó», según el rito gitano, y se la llevó a Lebrija, donde ella vivió desde entonces: «Mi marido me robó. Fui a Lebrija a cantar con mi hermano y allí le conocí. Lo vi sólo una vez, porque a la segunda ya era su mujer. Él era mu gitano, con mucho paladar. Entonces tenían los flamencos la costumbre de robar a las novias; así que fue a Utrera, se puso en compló con mis primas y ellas, con engaños, me metieron en un taxi y me llevaron a Lebrija. ¡Ya ves lo que sería aquello para mí que iba llorando! Mi familia se disgustó porque yo era muy pequeña, y cuando mi madre llegó a verme, lo que yo quería era irme con ella a casa. Pero mi suegro, que estaba muy contento conmigo y que se volvía loco con mi cante, la convenció de que estaba en una casa muy decente y de que su hijo iba a casarse conmigo. Es bonito lo de robar a la novia, porque los gitanos que roban a las novias no las miran hasta que no se van a casar con ellas. Las respetan hasta ese día. Yo estuve durmiendo con mis cuñadas hasta que me casé, que fue muy pronto».

Allí en Lebrija continuó destilando su cante en la intimidad y, en algunas ocasiones, sonaron sus estremecedoras saetas durante las procesiones de Semana Santa. En la segunda edición de la Caracolá —el festival flamenco veraniego de Lebrija—, hace ya más de cuarenta años, se le tributó un homenaje y María cantó en público por primera vez, provocando una verdadera conmoción entre el público asistente. Tras el fallecimiento de su marido, también grabó dos discos para el sello Philips, que se convirtieron en preciados documentos sonoros.

En 1976, la Peña El Rincón del Cante, de Córdoba, le ofreció un memorable homenaje, en el que participaron sus hijos, además de Camarón, Juan Habichuela y Manuela Carrasco, entre otros. María mantuvo una insólita inquietud y curiosidad musical durante toda su vida. Estaba educada en el flamenco más primitivo y ortodoxo, pero siguió con enorme interés los trabajos de música andalusí de su hijo Juan y estuvo abierta a todo tipo de sonidos. Su nieto David Peña Dorantes, que se emociona al hablar de la abuela Perrata y le dedicó un extraordinario tema en su primer disco, *Orobroy*, nos decía: «La Perrata es un personaje, no sólo como artista; su forma de ser, siempre metida para adentro..., escuchando música. Hay que verla con el *walkman* puesto a todas horas. El otro día la encontré viendo un vídeo de Prince».

El hermano de María, José El Perrate, fue otro cantaor de leyenda para los aficionados al flamenco más pegado al hueso y una figura aclamada en los festivales. Pero la pobreza y la mala vida de miles de noches cantando para los señoritos le pasaron factura y estuvo delicado de salud desde muy pronto. Falleció en octubre de 1992, a los setenta y siete años. La Perrata recordaba con detalle las fiestas que se montaban en su casa cuando José era joven y ella una niña todavía: «Los gitanos de Utrera vivían mu malamente. Mis padres eran muy pobres. Mi madre, Teresa, cantaba, y mi padre, que era un trabajador del campo, hacía también sillas en casa. Se ponía a cantar por seguiriyas, ¡con un eco!, al estilo de Arturo Pavón. Le acompañaba mi hermano, que ya desde chico tenía una garganta privilegiada, ¡y eso era!.. Yo me embobaba escuchando a mi padre, y después salía mi hermano, y yo, que estaba con mis faenillas y mis trapitos, ¡las cosas de las chiquillas!, remataba los fandangos, y mi padre y mi hermano se miraban... ¡Qué cosa tan bonita! El flamenco que yo conocí era cuando mi hermano era joven y venían los señoritos a buscarlo para llevárselo a los reservados. Allí lo jartaban de cantar y lo tenían hasta por la mañana. Así estaba el pobrecito, malo de tanto beber y de tanta mala noche pasada. Y si le pagaban, le daban una peseta».[3]

«JOVEN ESTILISTA DEL CANTE JONDO»

Los primeros festivales al aire libre en Andalucía coincidieron con la celebración del primer Concurso Nacional de Arte Flamenco de Córdoba, un certamen que apostaba por la recuperación del mejor cante y en el que Fosforito arrasó con todos los primeros premios. Desde ese momento, el cantaor de Puente Genil se convirtió en una figura clave de los festivales veraniegos andaluces y en banderín de enganche para numerosos nuevos aficionados al flamenco de mayor fundamento. Como en el caso de muchos de sus compañeros, la infancia y la juventud de Antonio Fernández, Fosforito, estuvo llena de fatigas: «Cuando terminó la guerra, yo tenía siete años; con uno más, ya estaba cantando y poniendo la mano. Éramos ocho hermanos, vivíamos en una casa de vecinos con dos habitaciones y me tuve que poner a buscar dinero con el cante, igual que tantos otros chicos de aquella época».[4]

En 1946 se enroló en una compañía de variedades, con la que fue primero a la Feria de Sevilla y después a Cádiz, donde se quedó buscándose la vida a salto de mata hasta que le salió una actuación en Ronda, a principios del año siguiente. «Aquello fue muy importante para mí, tenía quince años y en el cartel me presentaban como "El joven estilista del cante jondo". Era la época en la que dominaban el marchenismo y esas cosas».

Fosforito es uno de los cantaores «del interior» de Andalucía que mejor dominan los cantes festeros. Gran parte de sus conocimientos sobre los aires de Cádiz provienen de la época de su servicio militar en la Tacita de Plata: «Cuando me enteré de que había sido llamado a filas, los de mi quinta eran casi veteranos. La carta de la citación llegó a un bar donde yo paraba cuando iba a mi pueblo, pero como estaba de gira, tardé varios meses en acercarme por allí. Antes de acabar mi servicio, empecé a trabajar de noche en el Pai-Pai, donde alternaba con Antonio el Herrero y todos los cantaores que había en Cádiz en aquella época».

Poco después de terminar la mili, tuvo serios problemas de salud y le operaron del estómago, pero como sus únicos ingresos provenían del flamenco, se puso a actuar enseguida. Un día, aún no curado del todo, empezó a cantar por seguiriya y la herida se le abrió: «Empecé a chorrear sangre y, sujetándome el estómago con unos algodones en las manos, me llevaron al hospital. Pero como yo no era ya militar, no me quisieron atender. A consecuencia de aquello, de la cantidad de sangre que perdí, me quedé sin voz. Aquel problema de estómago no lo tuve por la afición a beber que se le atribuye a los flamencos, sino porque no tenía otro remedio que destrozarme el cuerpo en las fiestas. Si el señorito bebía cognac, tú tenías que beberlo también; si el señorito quería vino, tú lo tenías que tomar».

Considera que la situación de los flamencos ha cambiado mucho desde entonces, que los artistas, a través del tiempo, han ganado en dignidad, pero afirma que el flamenco, todavía, sigue siendo «la cenicienta de las artes»: «Desde que se cimentaron los festivales, un artista ya podía ganar algo y no tenía que estar esperando lo que el señorito quisiera darle. Antes, el que tenía dinero se cogía unas cuantas chicas, les daba cuarenta duros a cada una, pedía dos cajas de vino y, al final, a ti te daba cinco o diez duros, cuando no te decía que se había quedado sin nada, que ya te vería otro día. Así una y otra vez, porque eran muy pocos los que pagaban a todo el mundo antes de emborracharse, incluso a los cantaores, y pedían algo de comer. Lo normal era que te tuvieran sin echarte un bocado al estómago, creo que de ahí viene eso de "yo soy flamenco, no como". Los flamencos hemos ganado en independencia y dignidad. Antes, viajábamos en trenes de tercera, en autobuses chiquititos o en carro; íbamos con lo puesto y una maletilla de madera atada con cuerdas. Con respecto a la gente, ahora tiene una noción de la importancia de nuestra música. Y nos respeta. De todos modos, incluso hoy, sólo puede vivir bien un grupito, los demás malviven».

«EL POTAJE» DE UTRERA

La flamenquísima localidad de Utrera tiene el orgullo de haber organizado el primer festival flamenco de la historia. De forma casual y en torno a una mesa bien servida, de ahí su nombre, surgió este certamen que después sirvió como modelo para otros eventos similares. Algunos de ellos también optaron por buscar una referencia gastronómica como seña de identidad. Es el caso de El Gazpacho de Morón, La Caracolá de Lebrija, otros dos de los más antiguos, El Arranque de Rota, La Parpuja de Chiclana o La Pipirrana Flamenca de Mancha Real. Entre los de mayor solera se encuentran también el festival de Mairena del Alcor y la Reunión de Cante Jondo de La Puebla de Cazalla.

Antonio Mairena, en sus *Confesiones*,[5] relata cómo se inició la historia de los festivales: «En 1955, la Hermandad de la Buena Muerte y Nuestra Señora de la Esperanza, de los gitanos de Utrera, me invitó al potaje que habían organizado, en el que se hizo una rifa con el fin de recaudar fondos para la hermandad. Allí me hicieron como una especie de homenaje. Yo subastaba las papeletas y rifaba cosas. Resultó un éxito, y los hermanos, agradecidos, me hicieron hermano honorario. Durante siete años consecutivos intervine gratuitamente en el Potaje. Al segundo año sus organizadores buscaron un lugar más amplio y montaron un tablao, con lo que la fiesta adquirió más envergadura. A partir de 1960 ya los festivales se extendían por gran parte de la geografía andaluza, y en 1963 surgió el de Mairena».

Antonio Mairena fue también el «padrino» de la primera Reunión de Cante Jondo de La Puebla de Cazalla, celebrada en 1967. Al final de aquella velada, un jovencísimo José Menese compartió escenario con dos figuras señeras del olimpo flamenco: Juan Talega y Mairena cantando por tonás. Fue el propio maestro de Los Alcores quien instauró la costumbre de cerrar las veladas flamencas de La Puebla de Cazalla con los aires primitivos de los cantes sin guitarra, como antes había hecho él mismo en el festival de su localidad natal. Desde hace años, el festival del pueblo de José Menese se celebra en la Fuenlonguilla, un antiguo cortijo donde el olor a romero lo impregna todo, situado en las afueras de La Puebla. Por derivación fonética, es conocido como la Foronguilla y ya fue recordado por Moreno Galván en una letra que José dejó grabada de forma excepcional:

> La Foronguilla, el Cañuelo
> y la Fuente de Piyaya,
> ¡las agüitas de mi pueblo!

En el patio principal del viejo cortijo, los artistas se suceden sobre el escenario, y en otro patio contiguo, una surtida barra acoge a los aficionados que no tienen especial predilección por el artista de turno. Observar qué cantaor llena y vacía el ambigú es un buen criterio para valorar si su caché está refrendado por el mercado. A pesar de que el festival ya no trastorna de forma tan directa la vida del pueblo como hace unos años, cada nuevo certamen continúa constituyendo un verdadero acontecimiento popular. «Ahora está todo mucho más profesionalizado —señala Pepe El Cachas, uno de los aficionados de la localidad más estrechamente vinculados a la Reunión, a Francisco Moreno Galván y a Pepe Menese—. Los artistas llegan poco antes de que empiece el festival y, después de actuar, salen corriendo. Antes, cuando terminaba la velada, los cantaores se repartían por los bares del pueblo y la fiesta continuaba. El flamenco seguía vivo durante un día entero. Recuerdo que en el bar de Pantaleón, Rafael Romero El Gallina se quitó la camisa y se la regaló a uno que le jaleaba».

El Cachas y unos cuantos aficionados más hacen posible que el festival de La Puebla de Cazalla continúe siendo el baluarte de la ortodoxia. Uno de ellos es Fernando Guerrero, propietario del mítico café Central, establecimiento donde hasta los ladrillos saben de cante y que fue, durante muchos años, la «oficina» de Francisco Moreno Galván. Posiblemente el mejor bar del mundo. Si no se pasa por el café Central, uno se va sin saber de verdad lo que es la Reunión de Cante Jondo.

7

MENESE Y MORENO GALVÁN: COMPROMISO Y RENOVACIÓN

Cuándo llegará el momento
que las agüitas vuelvan a sus cauces,
las esquinas con sus nombres,
ni reyes, ni roques, sin santos ni frailes.

Tú no pierdas, hermano, la esperanza,
que el mañana llegará,
que onde hubo candela rescoldito quea
y jumo saldrá.

(Mariana)

La relación de José Menese con su paisano Francisco Moreno Galván constituye un caso único en la historia del flamenco. Las letras renovadoras del renacentista pintor y poeta de La Puebla de Cazalla permitieron a José cantar a la libertad con pleno fundamento flamenco. En tiempos de silencio y represión. Hasta la muerte de Francisco, en junio de 1999, todo el grueso de la extensa y sólida obra discográfica de Menese está basado en textos suyos

En 1967, cuando toda España era una cárcel, Pepe Menese se atrevía a cantar, acompañado por la guitarra maestra de Melchor de Marchena, esta letra de seguiriya escrita por Francisco, metáfora de la situación que vivía el país:

Cuando llamaron a Audiencia,
me dio escalofrío
como de un golpe, llenita la sala
y el mundo vacío.

«Francisco y yo comenzamos a componer y cantar letras sobre problemas cercanos, sobre personas de nuestro pueblo —explica Menese—. En La Puebla había unos señoritos, los Benjumea Vázquez, que amartillaron, vapulearon y martirizaron a la gente durante la guerra y los terribles años posteriores. Eso dio pie a la letra del mirabrás, y a partir de ahí empezó el lío».[1]

> ¡Qué bien jumea
> de Diego Vázquez, la chimenea,
> de otro es la leña;
> que quien quema lo suyo
> a nadie empeña.
>
> (Mirabrás)

Además de señalar al señorito que «bien jumea», también se acordaron de otro personaje siniestro de La Puebla, el guardia municipal Barroso, pistolero de guerra y posguerra, implicado en la persecución de varios vecinos de la localidad. Como ocurrió en otros muchos puntos de España, los hijos de las víctimas tuvieron que seguir sufriendo la violencia y la chulería de los criminales durante años.

> Ése que tan ancho anda
> en barro se revolcó,
> de ahí le viene el apellido,
> pero por dentro es peor.
>
> Parece que el pueblo es suyo
> y al que se encuentre se coma,
> en cuanto en la calle asoma,
> andando abierto de patas,
> que no olvíe aquel que mata
> que donde las dan las toman.
>
> (Tangos del Piyayo)

Pocos artistas han conseguido ser profetas en su tierra de una forma tan rotunda como Francisco Moreno Galván en la sevillana y morisca Puebla de Cazalla. Una de las plazas del pueblo lleva su nombre y los bares más castizos y populares ostentan fotos en las que él aparece rodeado de figuras míticas del universo flamenco, como Antonio Mairena, Melchor de Marchena o Fernanda de Utrera. El talento enciclopédico de Francisco ha dejado imborrables huellas arquitectónicas en su ciudad natal y ha contribuido decisivamente a convertirla en una plaza fuerte del flamenco. Arropados por él, surgieron Diego Clavel, Miguel Vargas y José Menese. La voz de éste, de forma especial, está indisolublemente ligada a las coplas escritas por Moreno Galván. José le rendiría especial tributo en su disco *A Francisco*, aparecido en 2001, dos años después de la muerte del pintor y poeta.

En cariñosa controversia con su amigo Antonio Mairena, que apostaba decididamente por cantar sólo los versos tradicionales y con quien coincidía en la defensa a ultranza de la pureza cantaora, Francisco apostó por una revolución temática cargada de contenido social. Gran conocedor de todos los palos —cantaba por lo bajini con mucho fundamento—, comenzó a componer textos ajustados a la estructura de cada cante en los que convivían recreaciones líricas del campo andaluz, la toponimia local y otros temas, junto con una visión de la vida cotidiana que evidenciaba un claro compromiso político. El flamenco adquirió una nueva dimensión gracias a él.

Fue también el principal impulsor de la Reunión de Cante Jondo de La Puebla de Cazalla, uno de los festivales flamencos más prestigiosos, que comenzó a celebrarse en 1967. Todos los carteles que han anunciado el certamen han sido suyos, igual que infinidad de portadas de discos, libros y catálogos de exposiciones y congresos relacionados con el cante, el toque y el baile. Comunista desde sus años de estudiante de Bellas Artes en Sevilla, su honestidad artística y humana nunca ha tenido resquicios. Como él dejó escrito con aire de soleá:

Mira qué loquito era,
que quiso hacer una guerra
sin pólvora y sin bandera.

La profunda amistad y la simbiosis creadora entre Francisco y
José Menese han dejado infinidad de piezas imprescindibles
de la historia del flamenco. El cante de Pepe, secundado por
las guitarras de Melchor de Marchena, Juan Habichuela, Enrique de Melchor y Antonio Carrión, sobre todo, está recogido en una monumental obra discográfica.

La fidelidad de Menese a las normas del cante clásico, en
tiempos de enorme confusión, le sitúa como privilegiado referente para muchos aficionados. Además, su compromiso ético
y humano con la realidad social hace de él un personaje imprescindible en un tiempo poco dado a valorar la solidaridad.
Pero en el plano estrictamente artístico, Pepe es un ejemplo
de rigor, seriedad y coherencia. «Respeto a los maestros y respaldo a los jóvenes», ha sido siempre su lema. Llevó el flamenco, por primera vez, al teatro Olympia de París, en 1974, y su
poderoso eco también ha resonado en templos de la música
clásica como el Teatro Real o el Auditorio Nacional, en Madrid. En decenas de ocasiones ha actuado en los colegios mayores y en la universidad. Él ha sido uno de los principales
divulgadores de la pureza y autenticidad flamencas entre la juventud durante décadas.

APADRINADO POR MAIRENA

Tenía sólo diecisiete años cuando viajó, de paquete en la moto
de un amigo, desde La Puebla hasta la casa de Antonio Mairena, para pedir respaldo artístico a tan incuestionable maestro
del cante. La visita a don Antonio Mairena fue fundamental
para el joven artista. Desde el primer momento, José apostó
por el cante de verdad y en aquella ocasión, con la osadía y el

apasionamiento de su corta edad, iba buscando el mejor apadrinamiento posible para ser profesional del flamenco.

Antonio le dijo que, unos días después, tenía un «bolo» en el cine Carretería de Osuna y que le invitaba a compartir escenario con él. Nada menos. Cuando José, abrumado por la oferta del maestro, le preguntó qué cantes debería interpretar, Mairena, con toda naturalidad y en un gesto suyo muy característico, le respondió: «Tú haz lo que puedas, que yo sé lo que tengo que cantar». Y José, que ha sido un gallo de pelea toda su vida, se tiró al ruedo y triunfó. Esta anécdota constituye el punto de arranque de una carrera profesional de casi cincuenta años, que le ha convertido, indudablemente, en una de las figuras flamencas más importantes de esta época. Por muchos motivos.

Lo cierto es que los vehículos de dos ruedas, como él siempre recuerda, tuvieron gran importancia en los primeros pasos profesionales de Pepe: poco después de aquella visita a Mairena, también viaja a Madrid en moto, para grabar por primera vez. Llega en septiembre de 1962 y entra en el estudio en marzo del año siguiente. En la capital comenzaría su leyenda. «Grabé mi primer disco enseguida, eso fue lo que me dio fuerza, con diecinueve años cantar tan puro era algo importante, no me refiero a la forma de ejecutar los cantes, sino a la selección: mirabrás, soleá, seguiriyas. Era un momento crucial para el flamenco y para la sociedad española».

En los cuatro cortes de ese primer disco ya dejaba claras las cosas. Además del mirabrás del cacique Benjumea, canta por seguiriyas:

> Culpable, aquel que fue culpable,
> que la carita se verá conmigo
> más pronto o más tarde.

«En mi familia hemos mamado la injusticia —afirma—. A un hermano de mi madre se lo cargaron en la guerra. Una noche se lo llevaron y le dieron el paseo, sin más ni más. Mi padre estuvo a punto de sufrir la misma suerte, pero le salvó un torero, Antonio Fuentes, que tenía de barbero al abuelo. Estas cosas las supe desde muy pequeño, y luego asistí a las reuniones que mi padre hacía en la zapatería, para discutir de lo mal que estaban las cosas. Tengo metida entre ceja y ceja la redada que hizo la policía en La Puebla a mediados de los años cincuenta, con las tocineras ululando de acá pa allá. De ahí sale eso de "Tiros al aire, / tiros al aire, / que el toro, cuando está suelto, / no hay quien lo amarre". En la escuela, lo único que canté fue el "Cara al sol" y el himno nacional. Con mi padre, en la zapatería, empecé a darle a la lezna y al cante a la vez».[2]

Mi pare y mi hermano Diego,
zapateros como yo.
Y en casa de zapatero,
descalcitos andamos tós.

(Tientos)

Aceitito que le echaba
peacíto pan que tenía,
al candí se lo quitaba.

(Tientos)

«Yo nazco de la raíz de un pueblo donde he visto las calamidades más gordas del mundo —señala—. Como le dije hace muchos años a Alfonso Paso, si hubiera nacido en el barrio de Salamanca, posiblemente habría pensado de otra manera, pero soy de La Puebla de Cazalla, hijo de zapatero. No quiero entrar en demagogias, yo no he visto los asesinatos en los caminos y todas esas cosas, pero sí me los han contado mis padres. Y hambre he pasado a porrillo. Yo y todos mis hermanos hasta el penúltimo. Eso ha marcado decisivamente mi forma de hacer el cante. Yo no podría hacer otra cosa. Sinceramente, no me saldría».[3]

Yo creí que el sol salía
a to er mundo calentando,
y ahora veo que le va dando,
según la experiencia mía,
a algunos calor to er día
y a muchos de cuando en cuando.

(Tangos de El Piyayo)

Las lindes del olivá
son anchas pa los don Mucho
y estrechas pa los don Ná.

(Soleares)

EL DESPISTE DE LA CENSURA

De forma insólita, todas estas letras fueron colando sin que José tuviera roces demasiado graves con la censura: «En los primeros discos, no se daban ni cuenta, los problemas empezaron después, pero continuamos por el mismo camino. Hasta el disco *Andalucía 40 años*, que cierra un ciclo, son diecisiete años de lucha, durante los que, evidentemente, no estuvimos solos Francisco y yo. Fernando Quiñones, José Manuel Caballero Bonald y otros muchos amigos han estado en la misma onda y siempre nos han apoyado. En el flamenco siempre ha existido denuncia, pero en épocas anteriores lo hacían de otra forma, a su manera. Creo que nosotros no hemos caído en el panfleto y que las letras de Francisco que yo he cantado han tenido mucha calidad y han sido bastante inteligentes».

Golpecitos en la puerta,
ca vez que dan golpecitos en la puerta,
papelitos que m'entriegan;
si saben los jueces de toas mis fatigas,
doy por seguro que no m'empapelan.

(Tientos)

Se abrieron las puertas
y sonó una voz.
Ya principiaron la pública audiencia
que lo condenó.

Levanta la cara
y mira a mi hermano,
cómo lo llevan prendío los jéres
y amarrás las manos.

Ya habían dao las doce
cuando lo sacaron,
ya no son blancas las blancas paeres
donde lo mataron.

(Seguiriyas)

Su biógrafa Génesis García escribe:[4] «Cuando José Menese tenía veinticinco años, en el diccionario Larousse ya aparecía su nombre, su discografía y la explicación de su labor renovadora y dignificadora para el arte flamenco. Caso único entre los artistas del género y muestra de lo meteórico de su fama. Este hecho puede sintetizar la importancia de una carrera artística que va más allá de lo personal para dar explicación de un cambio sociológico y cultural de primer orden en la apreciación de este arte. Porque José Menese, junto a Francisco Moreno Galván, interesó por el flamenco a capas sociales nuevas, creadoras de opinión y de cultura».[5]

Una de las seguiriyas que Menese canta con más rabia es la que hace alusión al trágico fin, a manos de la Guardia Civil, de un vecino de La Puebla, El Chato de la Patricia, por rebuscar las aceitunas caídas antes de que terminara la recogida. La «rebusca», una actividad de pura subsistencia, estaba muy perseguida por los grandes propietarios, con los agentes de la Benemérita a su servicio, que pegaban palizas a los hambrientos cuando entraban en las fincas a recoger olivas caídas, caracoles, cardillos, alcaparras, tagarninas, espárragos o leña. Al Chato de la Patricia le pillaron los guardias rebuscando aceitunas, le obligaron a comerse las que había recogido, lo apalearon... y murió. Nadie pagó por el crimen.

> Me amarga la boca
> cuando los maldigo,
> como amargaba la aceituna verde
> del olivarito.

También en el mirabrás titulado «Con mil suores», grabado en 1965, se hace alusión a las fatigas y los «peligros» de la «rebusca»:

> Yo andaba pegando
> bocaos al aire:
> unas veces de rabia
> y otras de jambre.

> Que como busco y rebusco,
> busco la leña,
> y a trancas y barrancas
> vamos tirando.

> Que Dios te valga,
> si en la vereda
> sale la guardia.

La hipócrita beatería, el caciquismo y el oscurantismo de la España franquista se funden en una guajira incluida en el disco *La palabra* (1976). Francisco la titula irónicamente «La familia honorable» y en ella se vuelve, de nuevo, a los detestados Benjumea, que tuvieron sus homólogos en casi todos los pueblos de Andalucía.

> Esa familia honorable
> de mi pueblo, donde dicen
> que a mil ochocientos quince

147

se remonta su linaje.
Con un mediano pelaje,
pero llevaban prendío
un largo y sonao apellío,
dones, doñas y excelencias,
y que traían con paciencia
a su pueblo protegío.

Ellos no malgastarían,
en lujos ni en vanidad,
sus obras de caridad
que jamás olvidarían:
eran dar los «buenos días»
cuando pasaba algún pobre
y algunos consejos nobles
que por caridad le daban,
para que nunca olvidara
quién le hacía estos favores.

Llevaban tierras del campo
en leguas, de un lao pa otro,
y por si esto fuera poco,
regateaban a diario
el denigrante salario
que ganábamos, dejando,
detrás de la yunta, arando,
o con la joz en la siega,
sangre y sudor con la briega,
gotita a gota en el campo.

«Sabemos que algunos vais
los caminos desviando»,
nos decían medio rezando.
«Hijos, ¿por qué os apartáis?,
si otro camino no hay
que el único y verdadero,
ése que nos lleva al cielo,

rechazando tentaciones,
que las ideas y ambiciones
son peligroso veneno».

«En este pueblo han sembrao
que "cualquiera pué aprendé"
y deberíais saber
que el leer pué ser pecao;
con que andarse con cuidao
y elegir bien la compaña,
que con tanta idea extraña
van vuestros sesos minando.
¡El diablo os va guiando,
que anda suelto por España!».

Años de jambre venían,
si uno malo otro peor,
y no cuajaba una flor
por lluvias o por sequías,
y la familia dio un día
con el remedio, al rezarle,
de la mañana a la tarde,
y en la comunión diaria,
plegarias y más plegarias
por los que morían de jambre.

Y se fueron agotando
estas quebrantadas vidas,
que llevaban compartidas
de novena a balneario,
de la baraja al rosario,
hasta que fueron muriendo
y, poco a poco, iban yendo
al cielo que bien ganaron.
Y su casa la heredaron
las monjas de un beaterio.

PÁJARO TRIPÓN

Salvador Cabello, amigo y paisano de José Menese y Francisco Moreno Galván, le dice a Génesis García:[6] «Diego Vázquez Benjumea tenía un monte tremendo, tierra buena y fértil pero que no podía ararse sin desmontarla. Y llamó a los hombres de La Puebla y de Villanueva para que la desmontaran, a cambio del cisco y el carbón que hacían con la leña y que cambiaban por comida para la semana... Ellos mismos sembraban las tierras y se iban haciendo sus chocitas de rama, con sus gallinas, sus cochinitos y, poco a poco, iban saliendo del hambre las criaturitas, trabajando todos, acarreando la leña a las cisqueras... Y cuando ya desmontaron todo el monte, llegó el amo Benjumea y los echó de allí: les quemó las chozas y les envenenó los pozos, porque si no, no se habrían ido. Habrían seguido como los hurones, escondidos debajo de las piedras. Benjumea ganó el pleito porque le protegían las leyes, pero ya libres las tierras, nadie quiso ir a labrarlas y las sembró de olivos y luego metió toros bravos. Y ahí están ahora las tierras, infértiles. Y ésa fue la primera emigración masiva de colonos a Barcelona, con la maletita aquella de cartón o de madera, amarrá con una guita...».

> Esta tierra me crió,
> en estos aires naciera,
> por eso tengo derecho
> de respirarlos siquiera.
>
> Que tós nos estamos yendo,
> como pájaro en bandá,
> porque allí donde no hay pan,
> unos detrás de los otros,
> dejando tierra pa coto,
> hasta los perros se van.

> Por tierras desconocías
> pasa fatiga y suores,
> la tierra donde has nacío
> pa coto de cazadores.
>
> (Tangos de El Piyayo)

> Qué buena es la tierra
> si hubiera otro amo,
> como yo andaba a salto de mata,
> me fui pa otros pagos.
>
> (Seguiriya)

> Se crían muy disparejos
> los corderos de este aprisco,
> unos maman de dos tetas
> y otros no dan ni un mordisco.
>
> (Tangos)

Una noche, al volver de un festival, Pepe Menese, Francisco y otros amigos paran en una venta para tomar algo, y nada más entrar, se encuentran con un retrato de Franco. Vuelven a salir, en estampida, y Francisco refleja esta anécdota en una letra que Pepe grabaría por alegrías en el disco *La palabra* (1976).

> De una pieza me quedé,
> de golpe a la par que entraba,
> de una pieza me quedé:
> encontrarme, de repente,
> su retrato en la pared.

> Pintao en un cuadro estaba,
> a la calle me salí,
> con tal no verle la cara.

> Si el gobernante persigue
> sin descanso al gobernao,
> es igual que si la viña
> se la comiera el vallao.

Triquitraque, paticorto,
pájaro tripón,
sin plumas y con espolones
de peleón.
Te vi saltando en el coto
de la nación.
Que por las calles que pasas
te van poniendo
trapitos de colores
y sajumerio.

(Alegrías)

El payo paticorto de Ferrol vuelve a aparecer, y con él su presidente del Gobierno, en los tangos incluidos en el disco siguiente, *Andalucía 40 años*:[7]

Están cayendo uno a uno,
o podríos o volando,
pero no sueltan la garra,
ni de la tajá el hueso,
ni de la sartén el mango.

En 1978, José Menese —militante del PCE desde diez años antes— y Francisco cierran su ciclo de abierta resistencia antifranquista con un disco contundente, *Andalucía 40 años*, dedicado íntegramente a la denuncia de los crímenes de la dictadura y a la recuperación de la historia reciente. Es un trabajo contra la rendición de la memoria que ya se está aceptando sumisamente desde el propio PCE, por imposición de su propio secretario general, Santiago Carrillo. Pepe y Francisco no se muestran dispuestos a olvidar a los muertos por la libertad: ni a los de la posguerra, ni a las últimas víctimas del terror franquista en vida del Caudillo, los cinco fusilados el 27 de septiembre de 1975. Después comenzaría una transición muy poco modélica, que dejó muertos en la calle, a manos de la Policía, la Guardia Civil y la extrema derecha controlada desde el poder, a más de cien antifascistas que reclamaban la ruptura democrática, amnistía y auténtica libertad.[8]

> Y el ayer como el ahora:
> Miguel Hernández, Besteiro,
> Centeno y Julián Grimau,
> mil estudiantes y obreros
> muertos o martirizados.

(Bambera)

> No quieren soltar la prenda,
> porque España la ganaron,
> golpe a golpe y muerto a muerto,
> como trofeo de guerra.

> Con frío rigor se echaba,
> una vez más, el franquismo,
> cinco muertes a la espalda.

> Después murió el general
> —tormento de mala nube—,
> gori-gori, joyo a él.
> No hay mal que cien años dure:
> *Requiescant in pace*, amén.

(Bulería por soleá)

Génesis García escribe: «*Andalucía 40 años* chocaba de frente contra los criterios políticos de su partido, que en esa fecha ya lideraba la opinión de que había que silenciar el discurso de la guerra y sus consecuencias, porque era necesario construir el futuro olvidando el pasado. Al actuar con total independencia, de unos y de otros, José Menese mostró que seguía siendo el buen salvaje, sangre viva, arranque ciego, toro en las venas, como le dijera Alberti». Por cierto, el anciano poeta del Puerto de Santa María ya era diputado de la monarquía restaurada en el momento en que aparece ese disco.

Y Pepe Menese le dice a Génesis García sobre el disco: «Se grabó porque yo quise. Francisco también, pero yo más. Quise hacer dos cosas. De una parte, dejar memoria de lo que habíamos vivido en coplas de la guerra y de sus consecuencias. De otra, como recibía continuas críticas de mis compañeros y del mundo del flamenco por haberme comprometido con cantar a la libertad, pues quise demostrar que a José Menese no lo calla nadie, ni por dinero ni por nada, y por eso ahora he seguido hablando de lo que tenía que hablar sin cortarme por nada. Y conste que a mí no han sabido aprovecharme ni los míos».

Por no vivir de rodillas,
fueron poblando y poblando los montes
guerrilleros en partidas.

(Tientos)

En *Andalucía 40 años* también se incluye este recuerdo a los maquis, a los que Pepe ya había cantado, de forma más romántica, para esquivar a la censura, en su disco *A los que pisan la tierra*, grabado en 1974:

Guerrillero, guerrillero,
qué bien me suena tu nombre,
vas ligao a la leyenda
de libertá y de ilusiones.
Guerrillero, guerrillero.

(Bambera)

FIRME ME MANTENGO

Artista desde hace ya medio siglo, Menese piensa que para mantener el rumbo —como él lo ha hecho durante toda su carrera, artística y políticamente— hay que saber digerir el éxito, máxime cuando éste llega, como en su caso, a una edad muy temprana: «Cuando yo empecé, no podía creerme nadie especial, porque vivían Antonio Mairena, Juan Talega y muchos genios a mi alrededor. Yo sentía veneración por esos maestros y sabía que debía aprender todo de ellos. Hoy llega cualquier joven y te mira por encima del hombro, sin mostrar el más mínimo respeto a una experiencia de años. A mí se me puede tachar de inmovilista, de carroza, pero lo que vale es lo que permanece. Veremos qué queda de todo lo que se está haciendo ahora con la etiqueta falsa de nuevo flamenco».[9]

En estos tiempos, hegemonizados por el pensamiento débil y el culto a lo fungible, Menese se mantiene en su línea artística y de compromiso político: «Si yo estuviera hecho de otra materia, quizá tendría la posibilidad de cantar cuplés o alguna de esas cosas que se promocionan ahora, pero sólo sé cantar como lo hago. Y además, no quiero cantar otra cosa».

> Firme me mantengo,
> firme hasta la muerte,
> confirmo y afirmo
> que no he de cambiar,
> que como firme me he de sostener.
> Cuando muera dirán siempre:
> «Murió, pero firme fue».
>
> (Tientos)

> Me faltan las fuerzas,
> me mantengo firme.
> Partío me vea,
> pero no doblao,
> por más que me obliguen.
>
> (Seguiriyas)

> Ni gritos, ni voces,
> ni doló sentía.
> Era la pena, era la rabia de que m'amarraran
> lo que me dolía.
>
> (Seguiriyas)

Operado de corazón en 1996, al mes y medio de ser dado de alta volvió a la clínica donde le habían intervenido para cantar a los médicos y al resto del personal que le había atendido: «La Piriñaca dijo: "Cuando canto a gusto, la boca me sabe a sangre", y ahora entiendo mejor que nunca esa frase increíble, una de las que mejor han definido el flamenco. Hay un cuadro de Francisco Moreno Galván, *La fuente de lo jondo*, en el que se ve a un cantaor en pleno esfuerzo, crujiéndose, abierto en canal. Se ve todo el interior de su cuerpo. Efectivamente, para cantar de verdad, con garra, te tienes que abrir en canal, no se puede cantar flamenco con medias tintas».

Con visión retrospectiva, Pepe también matiza algunas de las letras que ha cantado, pero no por considerarlas excesivamente duras, sino demasiado optimistas. Como es el caso del siguiente romance:

> Ya hemos pasao, compañeros,
> la senda de la fatiga,
> estamos a las mismas puertas
> de la tierra prometida.

«La tierra prometida está ahí, pero, obviamente, la han conseguido sólo unos pocos, los que se han beneficiado de la lucha de otros —afirma—. No pensaba que esto iba a ser tan nefasto. Ahora hay que rescatar otra letra de Francisco muy significativa y vigente, que también es un romance:

> Cantarán los cantaores,
> aquellos que mejor cantan,
> para cantar las cuarenta,
> que es lo que está haciendo falta».

«Cuando empecé, creía que iba a cambiar el mundo. Y mira lo que ha cambiado. Todo es una confusión tremenda, los ideales se han perdido y sólo manda la peseta. Bueno, ya ni eso, ahora el euro. Ése ha sido el cambio».

> Que la Virgen nos ampare,
> que ahora cuidan el rebaño,
> con los mismitos, mismitos collares,
> los mismos perros de antaño.

(Tientos)

8

DINASTÍAS GITANAS

El flamenco es un arte de transmisión oral que, a lo largo de menos de dos siglos de existencia documentada, ha tenido una de sus principales canteras y fuentes de conservación en algunas familias gitanas de Andalucía. Los Habichuela integran una de esas inagotables dinastías. El bisabuelo del clan, Habichuela El Viejo, rasgueaba la guitarra para ganarse la vida por los bares y ventas de Granada, a finales del siglo xix. Los más jóvenes de la familia han formado parte de grupos «modernos», como Ketama o La Barbería del Sur, que han llenado grandes recintos y vendido miles de discos.

Habichuela El Viejo, punto de partida de este clan de artistas, cantaba y tocaba la guitarra por el Sacromonte y el Albaicín granadinos hace más de noventa años. Sus hijos, Marina y José, continuaron por la senda que él había trazado, y en ella siguieron también cuatro de los hijos de éste: Juan, Pepe, Luis y Carlos.

Tras la muerte de José Carmona, en Granada, en 1986, Juan Habichuela es la máxima autoridad artística y dinástica de la familia. Está considerado uno de los indiscutibles maestros de acompañamiento al cante de la historia del flamenco. «Yo empecé como bailaor, pero lo que más me gustaba era la guitarra —recuerda—. Fui el primero de todos los hermanos en cogerla. El que me retiró de bailar fue Farruco, en Barcelona. Después de ver cómo se movía aquel monstruo, decidí no volver a dar una patada en mi vida y me hice tocaor definitivamente. Con dieciséis años llegué a Madrid y actúe en la Feria del Campo —prosigue—. Después estuve con Mario

Maya, en El Duende, el tablao de Pastora Imperio y Gitanillo de Triana, alternando el baile con la guitarra. Más tarde trabajé en el tablao Torres Bermejas, y desde allí llamé a mi hermano Pepe, para que viniera conmigo. Él tenía entonces dieciséis años y tocaba en el Sacromonte».[1]

Cuando habla de aquella época, Juan resalta el contraste que existe entre las dificultades que los miembros de su generación sufrieron para subsistir como artistas y las relativas facilidades que han tenido sus hijos y sus sobrinos. «Los chavales se lo han encontrado casi todo hecho. Ellos han asimilado nuestro arte, pero nosotros somos los que hemos luchado y les hemos orientado, para que sepan lo que es el flamenco clásico. Después se han salido de él porque tienen otra mentalidad, seguramente más desarrollada. Es natural. Yo tocaba la guitarra en una venta por cinco duros, toda la noche sin dormir, para poder comer. Tenía sólo una camisa de nylon y mi madre me la daba limpia todas las mañanas. Imagínate lo que era trabajar con ella en pleno agosto. Ahora los jóvenes trabajan en otras condiciones. Nosotros dormíamos en posadas, muchas veces junto a las bestias, y ellos van ahora a hoteles de cinco estrellas. Pero ese fruto lo han recogido de lo que hemos luchado nosotros antes».[2]

Su hermano Pepe remacha las afirmaciones de Juan: «Yo, desde niño, tenía que ir a buscarme los cuartos con la guitarra, para poner los garbanzos en remojo. Y nuestros chicos lo han visto todo hecho. Antes no llevábamos pantalones de tres mil duros, como esta gente. Tenías uno y te lo ponías durante un mes. Además, unas veces comías y otras no. Esas fatigas influyen en tu manera de sentir la música. Ahora todo está más organizado, más profesionalizado. Antes íbamos a la deriva».

Después de más de medio siglo de carrera profesional y convertido ya en una referencia fundamental del toque flamenco, Juan recuerda con nostalgia las fatigas que ha pasado a lo largo de muchos años: «Éramos siete hermanos y enseguida teníamos que buscarnos la vida. De niño, yo nunca he jugado a las bolas, ni he tenido reyes ni nada de eso. Quería un tren eléctrico, y me lo compré aquí en Madrid, cuando empecé a ganar algo de dinero. Con doce o trece años, como había pasado ya tanta hambre, cuando llegaba a mi casa de bailar en las ventas del Sacromonte, a las tres o las cuatro de la mañana, cogía la guitarra y me ponía a estudiar, para intentar salir de la miseria. Seguía tocando la guitarra cuando venía mi madre a darme el desayuno.

»Con diez años, me metía en un cuartito, vestido con una camisa de lunares, y empezaba a taconear sobre una mesa —prosigue—. Como era un crío, a la gente le hacía mucha gracia aquello. Pero a mí me gustaba el baile de otros, no el mío, así que cogí la guitarra y empecé a buscarme la vida en los cuartos de la Venta Zoraida, en el Sacromonte. Tenías que estar esperando a que viniera uno a pagar una fiesta. Y al final, si te pagaban, bien, y si no, también. A lo mejor, había uno que tenía cuarenta duros, se los gastaba en vino y luego no le quedaba nada para pagarnos a los artistas. Algunas veces me tiraba la noche entera tocando la guitarra, y me marchaba a casa tieso. Había algunos buenos aficionados que venían de los pueblos a escuchar flamenco, pero la mayoría, lo único que quería era juerga».

Juan Carmona dio sus primeros pasos profesionales como bailaor y se ha consagrado como guitarrista, pero lo que más le gusta es el cante. Y tiene cada vez más miedo de que se vaya perdiendo: «Yo me he preocupado mucho del cante, y por eso me he dedicado a acompañar, no al toque solista. Ahora temo que se vaya olvidando y desaparezca la raíz pura del toque para cantar. Alguien tiene que conservarlo. Veo bien que en el flamenco todo el mundo quiera ganar dinero, pero que se respete este arte, que es una reliquia. A muchos guitarristas no les gusta el cante y acompañan mal, no porque no sepan, sino porque no esperan al final de un ¡ay! antes de empezar a hacer variaciones y a "picar" más que un pollo en un corral, venga a correr. Para exhibirse ya está la guitarra en concierto».

Insiste en que el toque flamenco no es una competición de velocidad y recomienda a los jóvenes mirar para atrás y escuchar a los viejos maestros. Ahora tienen todo a su disposición en disco y pueden estudiar cada detalle una y otra vez. Hace años, el aprendizaje era bastante más complicado: «Una persona que me sorprendió mucho fue Manolo de Huelva. Hacía un toque por bulerías que era demasiado. Cuando yo vine a Madrid, andaba detrás de él para ver si le podía coger algo. Una vez fui a escucharle y, tonto de mí, no me di cuenta de esconder las manos. Cuando me vio las uñas largas, se dio cuenta de que yo era guitarrista y no quiso hacer nada. Pero es que él era muy especial, ese tipo de cosas no eran habituales, en el flamenco había mucho compañerismo. Recuerdo que, hace cuarenta años, cuando yo estaba en Torres Bermejas, en Madrid, cada vez que venía un artista nuevo, de Sevilla, Cádiz, Jerez o cualquier otro sitio, nos reuníamos ocho o diez compañeros, poníamos veinte duros cada uno, íbamos a una venta y le escuchábamos. Le dábamos cabida, intentando ayudarle. Hoy eso se ha acabado».

Juan Habichuela reconoce que no le asusta ni ya le sorprende demasiado la obsesiva búsqueda de nuevas tonalidades por parte de algunos guitarristas jóvenes, pero entiende que a algunos aficionados eso les ponga «las orejas de punta». Y piensa algo parecido de la situación actual del baile. Se le llena la boca hablando de Farruco, Mario Maya, El Güito o Antonio Gades: «Ellos se paraban y hacían flamenco. Sin perder la figura. Ahora ha evolucionado todo tanto que yo no lo entiendo. Cómo corren, qué facilidad para saltar. Cualquier día saldrá uno a bailar flamenco en bañador».

EN CASA DE LOS SORDERA

Otro de los grandes patriarcas flamencos de los últimos tiempos ha sido Manuel Soto, Sordera (1927-2001), un artista fiel a sí mismo y al cante más puro. Encarnaba una forma de vivir y sentir lo jondo que ya se está perdiendo: era flamenco las 24 horas del día. Constituía un privilegiado eslabón de una dinastía que hunde sus raíces en el siglo xix y tiene como referente a Paco La Luz, creador de la base del cante jerezano por seguiriya. La Serrana, hija del histórico cantaor, era prima hermana del abuelo de Manuel, llamado El Sordo la Luz. De ahí el apelativo heredado por vía familiar, de generación en generación. «El tren pasaba por el barrio de Santiago, para cargar en las bodegas de Domecq y transportar el vino, cruzando las calles de la Merced y Huertas, y mi abuelo no lo oía», explicaba.[3]

El Sordera comenzó a frecuentar las reuniones de cante cuando era un niño. A pesar de que su padre fue uno de los máximos responsables de que a él le entrara el veneno del flamenco, no quería que el joven Manuel se hiciese artista. Así que tuvo que escaparse un buen día de casa para ir a cantar por los pueblos de la provincia de Cádiz. «En aquella época, todos los pueblos pequeños de alrededor de Jerez tenían mucha vida, y se manejaba gran cantidad de dinero. Como ejemplo, te diré que en cada uno de ellos había cinco o seis casas de mujeres. La primera vez que gané algo fue en el año 1942, me dieron dos duros por cantar en una fiesta.

»En ese tiempo, cantaban mucho Sernita y Rafael Carabinero, un gitano puro de Jerez que, en realidad, se llamaba Rafael Pantoja y era familiar del padre de Chiquetete —continuaba Manuel—. En las ventas se buscaban la vida El Borrico, El Trocho, El Gato, Gregorio Parrilla, El Morao, un sobrino de Manuel Torre, que se hacía llamar El Torres... Todos ellos, grandes cantaores y muchos, hoy desconocidos».

Manuel Soto mamó el cante escuchando a los gitanos viejos de Jerez, en las ventas y las tabernas, regando las reuniones con vino malo, cuando no había dinero para otra cosa, y con botellas de calidad si alguien había tenido suerte: «Había algunos, muchos, que tenían poca voz pero sabían cantar muy bien. En las fiestas cantaba y bailaba todo el mundo. El barrio de

Santiago era entonces un lugar muy cálido, muy flamenco. Había muchos "tabancos", que son como bodegas, y allí se bebía de forma diferente que en los bares. El vino valía baratito, y en cuanto nos tomábamos un par de botas, ya estábamos bailando. Recuerdo que había un sitio, un bodegón, que le decían El Sindicato, donde paraban el Tío Tati, el Tío Juanichi, padre del Borrico, el Tío Morao, mi padre... Cuando todos ellos se liaban, eran capaces de estar un día entero. Durante la época de invierno, fuera, en la puerta, vendían mosto, y cuando ya se habían bebido seis u ocho vasos, viejos con setenta años se ponían a cantar durante horas. Había uno, el Tío Charamusco, que siempre estaba *sembrao*, y bailaba con mucha gracia. Yo entonces era un chiquillo y estaba allí para escuchar; los viejos me mandaban a por tabaco. Ése es el ambiente flamenco que yo he conocido y vivido». El veterano cantaor afirmaba que, desde niño, siempre le había gustado escuchar cantar y hablar a los mayores: «De los viejos es de los que se aprende. Para saber de esto hay que pasar muchas noches sin dormir».

Recordaba que, después de cantar para los señoritos en un cuarto, donde se había hartado de vino bueno, San Patricio o La Ina, salía de la venta y se ponía a beber en un tabanco, con su gente: «Vino de peseta la botella, pero ése era el que te sabía a gloria. En aquella época no había demasiados cantaores profesionales, porque tampoco había sitios donde poder ganarse la vida. Para meterte en un cuarto tenías que saber muy bien lo que hacías, conocer a fondo el cante. Hasta que empezaron a abrirse los tablaos y comenzaron los festivales de verano, había muy pocas posibilidades de trabajar. Las vidas de los grandes cantaores antiguos fueron pobres y llenas de fatigas; como no sabían escribir, se expresaban cantando. Yo recuerdo a mi primo El Borrico, que tenía cuatro o cinco hijos y no podía ni comer. Se quitaba la camisa para que la lavara su mujer y así poder salir al día siguiente a la calle, porque no tenía nada más que una».

Tras cantar de niño y adolescente en ventas y tabancos de su tierra, la vida profesional de Sordera transcurrió, durante más de diez años, entre Jerez y Sevilla. En 1958 decidió trasladarse a Madrid, donde pronto destacó por su flamenquísimo eco y su extraordinaria calidad humana. De los siete hijos de Manuel, sólo la pequeña nació en la capital. Cuando comenzó a traer a su familia desde Jerez, el mayor tenía nueve años.

Manuel recuerda sus años en los tablaos madrileños, tras asentarse en la capital poco después de 1960, con especial cariño. Durante bastante tiempo estuvo contratado en los mejores tablaos de la capital. Y cada noche, después de trabajar, recorría las ventas de la periferia. Así sumaba unos duros más, cantando todos los días hasta el alba: «En aquella época se ganaba un dinerillo en los tablaos. Si eras un cantaor más o menos buenecito, cobrabas 500 o 600 pesetas. Eso a mí me parecía un dineral. Recuerdo que, cuando llegamos a Madrid, con cuarenta duros, mi mujer compraba la comida que no hay en los escritos. Y todos mis niños iban a colegios de pago. Eso sí, además de trabajar en el tablao, yo iba a las ventas, para coger las fiestas que salían».

La familia se alojó en un piso de la prolongación del barrio de la Concepción. Una zona que estuvo cuajada de flamencos: Terremoto, El Güito, Adela La Chaqueta, Lebrijano, Menese... La desaparecida freiduría Los Rafaeles, situada cerca de la avenida Donostiarra y propiedad de Enrique, un gitano del barrio de Santiago, fue escenario de infinidad de noches de duende. Los jerezanos, siempre con la nostalgia de su tierra, se encontraban allí como en casa.

El otro punto de encuentro era la propia vivienda de los Sordera, habitada por Lela y Manuel, sus siete hijos y un sobrino, José Mercé, que también vino a buscarse la vida a Madrid, con sólo trece años. «Dos de las habitaciones de la casa tenían cuatro literas cada una —recordaba Sordera—. Allí siempre había sitio para invitados, y a cada momento, se liaba una fiesta. Una nochebuena se encajaron en casa Paco de Lucía, Manolo Sanlúcar, El Beni de Cádiz, Camarón... Qué sé yo. Otra vez vinieron Farruco, Matilde Coral, Rafael El Negro, Martín Revuelo y el guitarrista Diego Amador. Aquello era algo especial. Mi mujer ponía una berza a cocer, y empezaba la fiesta».

Como le había ocurrido a su padre, Sordera no quiso que ninguno de sus hijos fuese cantaor profesional. Sin embargo, dos de ellos siguieron sus propios pasos: Enrique y Vicente. Otro, José Sorderita, uno de los fundadores de Ketama, canta y toca la guitarra. Y Manuel, El Bo, baila con mucha gracia y es un acreditado palmero. Las tres chicas también cantan, pero sólo en familia. «Yo quería que estudiaran —confesaba el patriarca gitano—, entonces ya podía pagárselo, pero no hubo manera. Enrique se fue con el ballet de Pepito Belmonte, luego se colocó en Las Brujas y ya siguió su camino. Vicente empezó como guitarrista y después decidió que quería ser cantaor. Y José también cogió desde chiquitito la guitarra».

SE CANTA LO QUE SE PIERDE

Al mismo edificio de la avenida Donostiarra donde estaba la acogedora casa de la familia Soto se trasladó a vivir el joven guitarrista jerezano José María Molero, para compensar la nostalgia de su tierra con la cercanía de los Sordera. Nada más llegar a Madrid, en la cafetería Tulsa, frente a Torres Bermejas, donde paraban todos los flamencos, había conocido a Vicente Soto, que enseguida lo presentó en su casa. «Manuel y su mujer, Lela, siempre me trataron como a un hijo más —recuerda José María—. Yo vivía en el piso de arriba, sabían que estaba solo y me invitaban a comer cada dos por tres y a todas las reuniones que había en la casa». El tocaor, que ahora acompaña frecuentemente a Vicente, se acuerda con enorme cariño del patriarca de los Sordera: «Aprendí a acompañar al cante con él. Manuel me decía: "Aquí me haces una falsetita, espera, entra ahora, remata... Toca flamenquito y corto, que si no uno no sabe lo que va a cantar". Yo me pasaba todo el día a su lado, junto a una estufa».

En aquella casa ensayaron El Sordera y José María los cantes de lo que luego sería el disco *Se canta lo que se pierde*, en el que Manuel interpretaba textos de contenido social escritos por José Manuel Caballero Bonald. Un trabajo excelente, que no ha perdido la más mínima vigencia, ni flamenca ni conceptual:

> Se canta lo que se pierde,
> dijo quien bien lo sabía.
> Yo canto a la libertad,
> porque nunca ha sido mía.
>
> (Tientos)
>
> Por yo decir la verdad,
> a eso de la medianoche
> me vinieron a buscar.
> (Bulería por soleá)
>
> Tierra que no es mía,
> la trabajo yo,
> y hasta la vía me está quitando
> quien tiene de tó.
>
> (Seguiriya)

Manuel recordaba el calvario que tuvo que pasar para cantar las letras de Caballero Bonald: «Eran nuevas y a mí me costaba mucho trabajo aprendérmelas, tenía que grabar con los papeles por delante. En aquella época yo veía muy bien todavía, pero cantar así es muy difícil para un flamenco. Antiguamente, se heredaban hasta las letras de los cantes. De hecho, casi todas las que yo hago son del barrio de Santiago y las he aprendido de mis antepasados. Esas mismas letras son las que cantan ahora mis hijos».

Las interminables jornadas de trabajo contribuirían, poco a poco, a mermar la salud de Sordera. La diabetes, que se le diagnosticó muy tarde, le afectó a la vista y lo fue consumiendo. De regreso a Jerez en 1985, poco a poco se fue retirando de los escenarios, pero mientras las piernas le respondieron, continuó bajando hasta el centro de su barrio de Santiago natal, dispuesto a participar en cualquier improvisada tertulia, junto a su hijo Bo y sus sobrinos los Zambo, que continúan viviendo allí. Hasta que se agravó su enfermedad, se le podía encontrar a media mañana sentado en la puerta del bar Arco de Santiago, hablando de cante. Y siempre prefería hacerlo en positivo, de las figuras que le gustaban. Falleció el 24 de junio de 2001.

Se sentía particularmente orgulloso de haber contribuido a conservar y transmitir la herencia de sus mayores. Sacó adelante a su numerosa familia sin verse obligado a hacer ninguna concesión artística, cantando siempre por derecho, lo que ha sentido más dentro de él. «Sin embargo —precisaba—, a lo largo de toda la historia del cante, siempre han sido más populares y han ganado más dinero los que más se han alejado del flamenco auténtico, los que más lo han desvirtuado. Todos los grandes cantaores han acabado en la miseria. Sin un duro y cargados de fatigas. Mi primo El Borrico murió el pobrecito cantando. ¿No es una pena eso? Ojalá yo hubiese podido grabar cosas que dieran mucho dinero, pero ¿cómo iba yo a hacer un disco con orquesta? De ninguna manera. Ni he podido, ni he querido».

HERENCIA EN LA SANGRE

Vicente Soto llegó a Madrid con diez años y se ha hecho artista en la capital, pero nunca ha perdido el soniquete de su tierra. Comenzó su andadura profesional a los quince años, en Los Canasteros, el tablao de Caracol. En aquella época, Vicente aún estaba dedicado, sobre todo, a la guitarra, pero tenía clara la idea de ser cantaor. De hecho, en la Fiesta de la Bulería de su tierra, a los doce años, ya había cantado en público, acompañado a la guitarra por Diego Carrasco.

Nada más llegar a la capital, en la casa familiar de la calle de Fuente del Berro, donde vivieron antes de trasladarse a la de la avenida Donostiarra, se encontró como vecino a Manolo Caracol. «Mi madre y la Tía Luisa, la mujer de Caracol, tenían mucha relación y yo aprovechaba los mandaos para entrar en casa de él siempre que podía. Aquel gitano tenía una personalidad impresionante», señala el cantaor.

Tuvo el privilegio de presenciar la grabación de *Canta Jerez*, uno de los discos más celebrados por la buena afición flamenca. Participaron en la sesión los miembros más destacados de lo que él llama «la otra Generación del 27» (fecha de nacimiento de su padre). «Terremoto, Sernita, mi padre y los demás comían y bebían alrededor de una larga mesa —recuerda—. Y cuando uno estaba a gusto, decía: "Ahora canto yo". Por eso hay tanto calor en el disco. Ya no se hacen cosas así. Ahora está de moda el marketing, no el flamenco».

Además de ser heredero de la solera centenaria de su familia, Vicente es un artista versátil y completo, capaz de sintetizar la mejor tradición con el presente. Piensa que el flamenco no puede desaparecer nunca, pero cada vez le asaltan más dudas: «Mi niña, que ha escuchado cantar a mi padre y me escucha a mí, pedía que le compráramos un disco de Bisbal. Con lo difícil que es el mundo del arte y las fatigas que hay que pasar...».

GRABAR CON CATORCE AÑOS

José Mercé vino a Madrid cuando era poco más que un niño, en marzo de 1969, y desde entonces reside en la capital. Nada más llegar comenzó a trabajar en uno de los mejores tablaos del momento, Torres Bermejas, donde coincidió nada menos que con Camarón, El Güito y La Perla, entre otros grandes artistas. «Mi tío Manuel fue quien firmó mi contrato con don Felipe, el dueño de Torres Bermejas, porque yo era menor de edad —recuerda—. En 1970 me pagaban 500 pesetas cada noche, que era un dinerito. Después, ya me fui a trabajar con Antonio Gades. Entonces, los tablaos eran la maravilla del mundo, todas las figuras estaban en ellos —asegura—. Desde luego, el mejor flamenco que había en España, lo tenía Madrid».

Vino a grabar un disco para el sello CBS, cuyo departamento de flamenco estaba entonces dirigido por su paisano Manuel Ríos Ruiz. «Hice aquella grabación, con Manolo e Isidro Sanlúcar, en un estudio que había cerca de la calle de Raimundo Fernández Villaverde, en sesiones de diez de la mañana a ocho de la tarde. A esa hora cortábamos, porque teníamos que ir al tablao. Entonces era todo muy distinto».

Lo que tampoco olvida el cantaor es su llegada a la capital, con sólo trece añitos, la primera vez que estaba tan lejos de Jerez: «Cuando entré en María de Molina, en el autobús que me traía del aeropuerto, me empezaron a caer lagrimones. Yo veía Madrid como una carbonería, muy oscuro, acostumbrado a los pueblos blancos de Andalucía, de donde no había salido hasta entonces».

Pero pronto se acostumbró a la vida en la gran ciudad, y ahora recuerda aquellos primeros años en Madrid con mucha nostalgia: «Me quedé a vivir en casa de mi tío, en el barrio de Ventas, que era muy alegre. Allí nos encontramos una baraja de chavales que estábamos siempre juntos: mis primos Vicente y Enrique, Manzanita, Lolita Flores... Jugábamos juntos, porque éramos niños, aunque trabajáramos ya. Por la noche, teníamos que ir al tablao, pero de día, estábamos en la avenida Donostiarra, para acá y para allá. En verano, nos gustaba ir todos juntos a la piscina. Al salir del tablao, nos íbamos desde Callao hasta Ventas con toda la tranquilidad del mundo. Estaban todos los bares abiertos. En aquella época, a las cuatro de la mañana, Madrid era una feria».

Entre sus recuerdos de aquella época, José guarda algunos muy especiales para Camarón: «Cuando yo empecé a trabajar en el Tablao Flamenco de Cádiz, en Puerta Tierra, un poco antes de venir a Madrid, Camarón estaba ya aquí, en Torres Bermejas, pero todavía en el cuadro, no como figura. Sus amigos de La Isla le dijeron que había un niño de Jerez que acababa de salir y, en la primera ocasión que tuvo, fue a verme a Cádiz. Estuvo toda la noche conmigo en el tablao. Era uno de los mejores aficionados que he conocido y los flamencos jóvenes deberían fijarse y aprender de esa faceta de José. Hay que ser banderillero antes que matador».

Al poco tiempo, ambos coincidieron ya en Torres Bermejas. Mercé tenía catorce años y Camarón dieciocho. «En aquella época, él ya ganaba mil pesetas diarias, pero sólo trabajaba un par de noches por semana. Luego nos íbamos por ahí en un Mini Morris que tenía José. Una de esas noches fuimos a la Venta El Palomar, por la carretera de la Playa, donde ahora está la Clínica López Ibor. La Titi, que era la dueña, nos veía tan jovencitos, sin un duro y queriendo aparentar... Nos pedíamos un pollo para disimular, porque nos daba vergüenza que nos vieran allí buscándonos la vida, esperando que nos llamaran para una fiesta».

En 1976, al comienzo de la transición y en plena eclosión de las reivindicaciones autonómicas, José grabó el disco *Bandera de Andalucía*, basado también en textos de su paisano José Manuel Caballero Bonald. Era su primer disco de larga duración y no había letras tradicionales, todo lo que cantaba estaba escrito en sintonía con el momento histórico que se estaba viviendo. Como el siguiente fandango de El Gloria, que es una metáfora de lo que, al final, fue la transición:

> Yo me salí a un caminito,
> en busca la libertad,
> y en llegando a la mitad,
> me llevaron conducío
> los de la Guardia Real.

Otro de los temas más significativos del disco era una malagueña de El Mellizo que José cantaba con fuerza y rabia:

> Porque ya no aguanto más,
> me llaman el Rebelao.
> ¿No me voy a rebelar?
> Si hasta la cama onde duermo
> me la dan por caridad.

Y no podían faltar las alusiones al trabajo en el campo, cómo no, por bulerías de Jerez:

> Con las claritas del día
> ya estaba llena la plaza,
> y a la mitad de la gente
> sin trabajo la dejaban.

«En aquella época se empezaban a celebrar los primeros mítines de los partidos de izquierda en Madrid, algunos de ellos en la plaza de Santa Ana, y entonces sonaba mucho *Bandera de Andalucía* —recuerda Mercé, sonriente—. Yo pasaba por allí camino del tablao todos los días. Era muy joven y me daba vergüenza escucharme por los altavoces y pensar que la gente me podía reconocer. Agachaba la cabeza y todo. ¡Qué tontería! ¿Quién iba a saber entonces que era yo el que cantaba eso?».

Bastantes años después, en noviembre de 2004, después de la invasión de Irak, coincidió la presentación de la nueva grabación de José Mercé, *Confí de fuá*, con la reelección de George Bush a la presidencia de EE.UU. Una de las principales curiosidades del disco era la adaptación que José había hecho de la conocida canción de Manu Chao «Clandestinos», que él mete a compás de bulerías. «Tenía muchas ganas de cantar ese tema. En estos tiempos es importante hacer letras de contenido social. Vivimos en el siglo xxi y hay que reflejar lo que está ocurriendo a nuestro alrededor», opinaba el cantaor entonces.

La victoria de Bush en las elecciones presidenciales norteamericanas era un tema de conversación inevitable. Precisamente pocos días antes, Joaquín Cortés había bailado en la Casa Blanca para el reelegido petrolero. Mercé, en cambio, dejó claro que no tenía la menor intención de coincidir con el gran vaquero tejano en ningún recinto: «Yo soy una persona que tengo mis propias creencias y a un ser de esa índole no le cantaría nunca».

El artista jerezano opina que «la política es para los políticos», pero se apresura a señalar que, de todos modos, él tiene muy claras sus ideas sobre este asunto: «Sé perfectamente dónde estoy y con quién, cuál es mi bando. A mí no me iba a ocurrir como a los gitanos a quienes la guerra les pilló en medio. Los franquistas mataron a mucha gente en Jerez, entre ellos a bastantes gitanos. Y eso no se puede olvidar».

9

EL MADRID DE LOS TABLAOS

Un día de junio de 1990, acompañados por el guitarrista Perico del Lunar, el fotógrafo Pepe Lamarca y yo fuimos en busca de Rafael Romero, El Gallina, que entonces vivía en un piso de la madrileña calle de Raimundo Fernández Villaverde, cerca de la glorieta de Cuatro Caminos. Cuando el veterano artista salió del portal, se nos cayó el alma a los pies: venía con barba de varios días, calzado con unas zapatillas de paño rotas, por las que le asomaban varios dedos, y vistiendo un abrigo raído.

Pepe quiso salir corriendo, se negaba a hacerle una foto en semejantes condiciones a un cantaor tan grande. Sólo unos años antes lo había retratado como un verdadero príncipe gitano, en su propio estudio de la calle de Espíritu Santo. Pero la realidad estaba allí y había que reflejarla. Las pocas veces que salía a la calle, a Rafael le gustaba acercarse a una hamburguesería cercana, de la cadena Wendy, situada en la calle de Bravo Murillo, y pidió que le lleváramos allí. En aquel establecimiento, el lugar menos flamenco del mundo, lo entrevistamos por última vez.

Una mezcla de pudor y desolación se había apoderado de Pepe, que no quería ni abrir la bolsa donde llevaba su equipo fotográfico. Sólo la consciencia de encontrarse ante un elocuente cuadro histórico y las patadas que yo le daba por debajo de la mesa le hicieron arrancar. Y consiguió atrapar en su negativo un impresionante retrato de Rafael Romero que hoy ya forma parte de la historia de la fotografía flamenca. Hasta el último instante, el cantaor de Andújar conservó suficiente intuición, empaque artístico y dignidad para enfrentarse a la cámara con el perfil de un faraón. No publicamos la foto por primera vez hasta después de la muerte de Rafael. Fue, posiblemente, el último retrato que se le hizo. Falleció seis meses después de aquel encuentro, el 5 de enero de 1991. Pobre, como su admirado Manuel Torre.

Rafael Romero, uno de los pilares fundamentales del mítico tablao Zambra durante muchos años, fue un artista de enorme personalidad, que desarrolló casi toda su carrera en Madrid. A lo largo de su dilatada vida artística, estuvo acompañado a la guitarra, sobre todo, por Perico del Lunar, un nombre desdoblado en dos personas, padre e hijo.

Perico del Lunar, hijo, heredó de su antecesor el apellido, la profesión y la amistad con el cantaor de Andújar, de quien le separaban treinta años. A punto de cumplir los ochenta y al final de su carrera, Rafael conservaba aún sus facultades musicales, pero comenzaba a tener graves problemas de memoria. Perico y otros amigos del viejo cantaor consideraban obligado hacerle un homenaje, absolutamente merecido por su singular aportación al flamenco, pero ese festival no llegó a tiempo y ya nunca se celebró. La última vez que Perico acompañó a Rafael fue en 1989, ocho meses antes de la entrevista del Wendy, en el madrileño Teatro Alfil, y la primera, casi cuarenta años antes, en Zambra. El tocaor tenía metido el eco de El Gallina muy dentro. En sus primeros recuerdos de infancia aparecía su padre tocándole la guitarra al cantaor gitano.

Perico del Lunar padre, desde Jerez, y Rafael Romero desde Andújar, llegaron a Madrid poco después de 1930. Antes, el cantaor se había ganado la vida, como tantos grandes flamencos, participando en las fiestas de señoritos que se organizaban alrededor de las principales ferias de ganado de Andalucía. Fue uno de esos señoritos quien le puso el apodo que le acompañaría como nombre artístico el resto de su vida, porque, al final de la juerga, Rafael solía cantar una conocida canción infantil, «La Gallina Papanatas», por bulerías.

Durante la guerra, Perico del Lunar padre participó en los espectáculos flamencos de apoyo a la República que se celebraban los fines de semana en el Teatro de La Latina y en el Calderón. Allí conoció a El Gallina, y años después, en el tablao Zambra, ambos estrecharon fuertemente su relación y compartieron cabeza de cartel con Pericón de Cádiz, Juan Varea y Pepe El Culata. En 1954, Rafael Romero participó en la *Antología del Cante Flamenco*, dirigida por Perico del Lunar padre, tres discos que marcaron un punto de inflexión importantísimo en el desarrollo y la recuperación posteriores del arte jondo. Tras la muerte del tocaor, en 1964, fue su hijo quien formó pareja artística habitual con Rafael.

El Gallina vivió sus últimos años en Cuatro Caminos, y era fácil localizarle en un bar de la calle de los Artistas, La Blanca Paloma, alternando el cante, acompañado con los nudillos en las mesas de mármol, con sus partiditas de dominó. Durante los últimos tiempos ya casi no salía de casa y se acostaba todos los días a las siete de la tarde. Ha sido especialista en cantes que hoy se hacen cada vez menos, como la caña, la petenera o la rondeña, y conservador de la soleá de su paisano José Illanda, un cantaor que huyó de Andújar y se refugió en Jerez para no enfrentarse con una boda heterosexual que no era de su gusto, experiencia que dejó plasmada en una soleá que Rafael grabó y solía hacer en directo casi siempre:

> Me tiro a un pozo,
> me tiro a un pozo,
> que me están adjudicando
> un casamiento forzoso.

Poco modesto, Rafael solía afirmar: «En Andújar ha nacido poquito, pero para la historia». Junto a Perico hijo, recorrió el mundo entero, con Antonio, Vicente Escudero, Rosa Durán y el espectáculo flamenco de Zambra. «Estuvimos actuando juntos incluso en la isla Reunión, junto a Madagascar», recuerda Perico. También en Japón y en Nueva York. «Allí participamos, con Sabicas, en la Feria Mundial de 1964. Venía a vernos por la noche al hotel y se tiraba tocando hasta las siete de la mañana. Éramos muy amigos, pero le teníamos que tratar de usted», relata el tocaor. Sabicas y Rafael Romero grabaron un disco juntos para RCA, un auténtico tesoro.

De los cantaores jóvenes, el que más le gustaba a El Gallina, un hombre de carácter complicado y bastante criticón, era, curiosamente, Camarón, a pesar de su heterodoxia: «Me vuelve loco. Hace con la voz lo que quiere, como Mojama». Enrique Morente se acuerda con cariño y humor de sus discusiones con Rafael, por cuestiones de ortodoxia, cuando ambos trabajaban juntos: «La mayoría de mis cosas las he empezado a sacar cantando por la calle. Recuerdo que, cuando trabajaba en Zambra, me iba todas las noches andando a mi casa, desde Neptuno hasta Carabanchel. Un día llegué al tablao y canté una seguiriya nueva, y Rafael Romero, que era tremendo para el rigor y los cánones del flamenco, me preguntó de quién era aquello. Para que no me regañara, le contesté: "Eso se lo escuché a un viejo de Granada que se ha ido ahora a vivir a la Alpujarra". No le dije que era mío, claro, para que no me regañara».

Mientras apuraba su refresco en un vaso de cartón del Wendy, Rafael nos habló de sus maestros: Juanito Mojama, Tomás Pavón y Manuel Torre. «Éste, El Majareta, fue el más genial de todos los tiempos —aseguraba—. También me volvía loco Curro de la Jeroma: lo mismo cantaba, que bailaba, que tocaba la guitarra». «Rafael ha sido siempre muy buen aficionado —intervino Perico— estudioso y preocupado por conocer todos los cantes». Y El Gallina le devolvió el piropo: «Para mí y para los que saben de arte, los que mejor tocáis la guitarra para cantar sois tú y Juan Habichuela».

ALMA DE «ZAMBRA»

Otro de los grandes puntales de Zambra fue Juan Varea (1908-1985). El tablao se abrió en 1954 y él comenzó a trabajar allí desde el mismo día de la inauguración. Hasta que se cerró, veinte años más tarde. Tuvimos ocasión de mantener con él una larga entrevista en enero de 1984, con motivo del homenaje que se le iba a rendir poco después, el día 6 de febrero, en el Teatro Monumental de Madrid, un cálido acto en el que participaron numerosas figuras del cante, el toque y el baile: José Menese, Juan Valderrama, Fosforito, Manuel Mairena, Carmen Linares, Chaquetón, Enrique de Melchor, Oscar Herrero, Blanca del Rey, Pepe Habichuela, María Vargas, Félix de Utrera...
   Nos encontramos con Varea cerca de su casa, en la plaza de Manuel Becerra. Allí le hizo unas fotos Paco Rodríguez, para la revista *Cabal* y después fuimos a un bar gallego de la calle de Marqués de Mondéjar, situado junto a la antigua prisión de mujeres de Ventas. Juan ya sufría lagunas de memoria, pero, ayudado por su hijo, fue reconstruyendo sus recuerdos. Era un hombre tranquilo y entrañable, que sólo hablaba bien de sus compañeros. Después de toda una vida de trabajo, su situación económica no era nada boyante. Se lamentaba de ello, pero sin ninguna amargura: «Los años no pasan en balde, me gustaría cantar más, pero cuando la garganta dice se acabó, se acabó. No he dejado de trabajar en ningún momento, aunque cada vez lo hago con mayores intervalos. La salud se me va, y lo noto. Nuestra vida ha sido muy dura, nos hemos cuidado poco y ahora tenemos que pagar la factura. El día del homenaje, me gustaría encontrarme con fuerzas para poder hacer algún cante bueno. Creo que ésa sería la mejor manera de agradecer a todos los aficionados lo que han hecho por mí». Lamentablemente, en el Teatro Monumental no se pudo escuchar su cante.
   Varea nació en Burriana, provincia de Castellón, en 1908. Aunque su pueblo natal no está precisamente en una zona don-

de se haya dado de modo especial gran afición flamenca, Juan sintió pasión por el cante desde temprana edad. A los ocho años se trasladó con toda su familia a Barcelona, por motivos económicos, y allí tomó contacto con el ambiente flamenco que se respiraba entre la población inmigrante murciana y andaluza. «En Barcelona, como aquí en Madrid y en todas las grandes capitales, siempre ha existido mucho movimiento en el mundo del espectáculo —explicaba—. Llamado por mi vocación, enseguida me metí en el flamenco y mi primera ocasión se presentó en un concurso de aficionados, al que, entre otros, se presentaba un chaval como yo: Manolo Caracol. Yo era un poco mayor que él, un año y medio aproximadamente. Caracol tendría dieciséis años y yo no había cumplido aún los dieciocho. Después conocí a Angelillo y estuve haciendo algunas cosas con él, hasta que me vine a Madrid por primera vez. Pero aquí permanecí poco tiempo, continué mi camino hasta Sevilla, donde estaba el centro del ambiente flamenco en aquel tiempo».

Sus recuerdos de aquellos primeros años en la capital hispalense, buscándose la vida en la Alameda de Hércules, afloraban con mayor nitidez: «Los grandes toreros de la época también paraban allí, y yo siempre he sido muy aficionado al toro. Mis ídolos han sido los diestros de la escuela sevillana, el principal, Juan Belmonte. Conocí a Tomás Pavón, a su hermana Pastora, Manuel Torre, Chacón... Con Antonio Chacón no tuve la oportunidad de trabajar, pero con Torre, sí, en algún espectáculo que otro y en varias fiestas. Entonces, cantábamos fundamentalmente en cafés cantantes y en fiestas particulares, contratados por señoritos. En aquellos años había más afición al vino que al whisky y las fiestas acababan con cualquiera, lo mismo podían durar dos horas que dos días».

Cuando el ambiente de la Alameda declinaba para él, se trasladó a Madrid. Aquí vivió la guerra y los difíciles años posteriores: «Después de la guerra, aunque los buenos aficionados siguieron cultivando el cante auténtico, los criterios del público cambiaron. Comenzó la época grande del folclore y tuvimos que amoldarnos a ello para poder ganarnos la vida. Con Manuel Vallejo recorrí toda Andalucía, después estuve con Pepe Marchena. Empezábamos las giras en Madrid o Sevilla, por ejemplo, e íbamos recorriendo toda España aprovechando las fiestas y las ferias. Así nos tirábamos ocho o nueve meses. Antes, para hacer un trayecto de cuarenta kilómetros, tardabas un día, y llegabas justo para hacer la función, sin preparar la voz ni nada, lleno de polvo y de la tierra levantada por el coche o el autobús. Una vez, en el año 1931 o 1932, salimos de Madrid con dirección a Marruecos, donde teníamos que actuar Manuel Vallejo, Angelillo y yo. Íbamos en el coche de Manuel. En Córdoba, paramos a tomar un vino y un bocadillo, con la intención de seguir rápidamente el camino hacia Algeciras, pues teníamos que estar allí al día siguiente sin falta, para poder coger el barco. Pero nos encontramos con un amigo y nos pusimos a beber. Yo no sé las horas que estuvimos rellenando los vasos, hasta que nos quedamos dormidos. Al despertar, nos enteramos de que el barco ya había salido de Algeciras, y nosotros nos encontrábamos todavía a cientos de kilómetros, así que perdimos el contrato».

A partir de 1950, con la apertura de los tablaos, comienza una nueva etapa para los flamencos. Zambra marcó un hito en la vida artística de Juan Varea: «Este tablao era una cosa especial para el aficionado, por eso críticos, flamencólogos y toda la gente que lo ha conocido guardan un recuerdo entrañable de él. Zambra fue algo fuera de lo normal. Allí, el primer cuadro, el que se hace en todos los sitios, el más alegre, servía como esparcimiento. Pero en el momento que salían los artistas a cantar por derecho, todo el mundo guardaba absoluto silencio. No podías hacer ruido porque te echaban, el que entraba allí era para escuchar con conocimiento. Durante los veinte años largos que estuve trabajando en él, conocí a muchos artistas. Por ejemplo, desde primera hora tuve como acompañante a un guitarrista muy antiguo, Niño Pérez, que ya murió hace años. También trabajé con Perico del Lunar padre; con Manolo El Caracolillo y Paco Laberinto, dos bailaores muy buenos; con Manuela Vargas, Mario Maya, Josele, El Culata, Pericón de Cádiz y Manolo Vargas. Después, ya más jóvenes, han cantado allí José Menese, Enrique Morente, Miguel Vargas y Chaquetón. Cuando cerró Zambra, estuve ocho meses en el café de Chinitas, pero no era siquiera parecido».

José Antonio Díaz Fernández, Chaquetón (1946-2003), fue uno de esos jóvenes flamencos que se forjaron en Zambra. Había nacido en el seno de una familia de artistas, creció con los compases de la soleá y, desde niño, mostró un precoz interés por todo lo relacionado con el flamenco. Comenzó a buscarse la vida como profesional cuando era poco más que un crío y se mantuvo en primera línea durante cuarenta años. Sobre las tablas fue todo un ejemplo de honestidad. Su talla humana y profesional contribuyó a que el flamenco goce del reconocimiento que tiene actualmente.

En su prodigiosa memoria conservaba todo tipo de estilos, variantes y matices de cantes, además de un sinfín de letras. Fuera del escenario, siempre estaba dispuesto a hablar de flamenco y podía hacerlo, con sorprendente rigor, durante horas. Enamorado del cante antiguo, se mostraba crítico con los derroteros que está tomando el flamenco, pero siempre en un tono respetuoso y equilibrado. Conversar con él durante horas constituía un privilegio para cualquier buen aficionado.

Por línea materna provenía de una dinastía gitana, los Fernández, cuya figura más destacada fue Antonio El Chaqueta, un genio singular cuyo inmenso talento se va reconociendo cada vez más. El Flecha de Cádiz, padre de José, no era gitano, pero sí una referencia en el universo de los cantes de la bahía. Con él, Chaquetón interiorizó las dulces cadencias de las alegrías, los tangos, la soleá y las bulerías con sabor a sal, en la línea de maestros como Aurelio y Pericón. En todos estos palos brillaba, igual que en la malagueña de El Mellizo, estilo que ya muy pocos interpretan con la fidelidad que él lo hacía.

Pero Chaquetón no era un cantaor exclusivamente gaditano. Conocía y hacía un amplio abanico de estilos. Siempre logró emocionarnos con los primitivos corridos que había aprendido de su madre. Ella falleció cuando José tenía poco más de diez años y aquella pérdida fue una de sus más dolorosas fuentes de inspiración durante toda la vida:

> Ay, se la llevó Dios,
> a la mare de mi alma.
> Si era que la quería,
> eso lo respeto yo,
> pero se ha llevaíto mi alegría.
>
> (Malagueña de El Mellizo)

Así la recordaba por malagueña, con una letra que él mismo había escrito. En la SGAE tiene registrados muchos textos. Curiosamente, algunos artistas los han plagiado o se los han apropiado sin saber siquiera que eran de él.

Chaquetón nació en Algeciras, donde su padre, el cantaor gaditano Antonio El Flecha, tenía un bar que era frecuentado por todos los grandes: Pastora, Pepe Pinto, Melchor de Marchena, Niño Ricardo... Su infancia se desarrolló en constante contacto con el mundo del flamenco. A los cinco años ya quería ser cantaor y a los ocho ganó un premio cantando soleá y fandangos. Escuchaba el cante y las conversaciones de los mayores con avidez. Un día, al ver que Pepe Pinto cantaba con una mano metida en el bolsillo, algo que no encajaba con su idea de lo que debe ser la entrega de un flamenco, le dijo luego a El Flecha: «Papá, si canta con la mano en el bolsillo es que no se emociona». Y el padre le contestó: «Lo que no sabes tú es cómo deja el bolsillo».

Después de fallecer su madre, Chaquetón vino a vivir a Madrid, con doce años: «Aquí estaba mi tío El Chaqueta, y me quedé con él. Poco tiempo después entré en la Venta Manzanilla, en el kilómetro 12 de la carretera de Barcelona, cerca de la colonia Fin de Semana, donde yo vivía. Hoy ya no existe. Allí empecé a cantar profesionalmente en las fiestas, con quince años, mientras trabajaba también de camarero. Por la venta pasó gente importante en el flamenco: Manolo de Huelva, mi padre, mi tío Chaqueta y muchos más. Con diecisiete años entré en Zambra. En aquella época estaban en Madrid todas las figuras: Mairena en El Duende, Caracol en Los Canasteros, Pericón en Zambra...».

Chaquetón ha sido el más directo heredero de algunas de las creaciones de El Chaqueta y un maestro a la hora de interpretar los difíciles trabalenguas que él hacía. Sobrado de compás, destacó muy pronto cantando para baile, faceta en la que llegó a ser uno de los mejores. Era de los pocos cantaores que interpretaba el corrido natural, una pieza arqueológica emparentada con los romances. «Mi madre —hermana de El Chaqueta— nos la cantaba a mi hermano y a mí para dormirnos», señalaba. Y sonreía recordando la expresión de Camarón cuando él le hizo ese cante por primera vez: «José era un excelente aficionado, muy respetuoso, que lo quería escuchar y memorizar todo. Me hizo repetir varias veces el corrido, acompañándome él mismo a la guitarra».

A lo largo de su carrera participó en centenares de festivales y en numerosas giras por el extranjero. En Madrid siempre colaboró generosamente con pequeños locales como La Carcelera o El Café de Silveiro para acercar el cante a los jóvenes. Su concierto en el Teatro Olimpia de Lavapiés, en 1980, le hizo popular entre la nueva hornada de aficionados que surgió durante esa época. A raíz de aquel recital, Pablo Tortosa, amigo suyo desde la niñez, creó la Peña Chaquetón, que fue un lugar destacado del circuito flamenco de la capital durante quince años. «A pesar de llevar tanto tiempo en Madrid, mi cante es genuinamente gaditano —solía decir—. Mi formación infantil, que es la base principal, la recibí allí, en Cádiz. Y además, los cantaores que más me han influido siempre han sido Aurelio, mi padre y mi Tío Chaqueta».[1]

EL CORRAL DE LA MORERÍA

En 1956 se funda, en la calle de Morería, junto a la castiza plaza de Las Vistillas, un nuevo tablao, El Corral de la Morería, que, desde el cierre de Zambra, es el decano de los establecimientos de este género en Madrid. Ava Gardner, Gary Cooper, Cantinflas, Frank Sinatra, Che Guevara, Nureyev, Marlene Dietrich, Picasso y Cassius Clay son algunos de los numerosos personajes que lo han visitado. Actores y directores de cine, estadistas y glorias del deporte han acabado dando unas pataditas flamencas, con desigual gracia, seducidos por Manuel del Rey, fundador del establecimiento. Don Manuel falleció en 2006.

Por el recogido escenario del Corral de la Morería, que se mantiene igual que siempre, han pasado desde la gran Carmen Amaya o Antonio Gades, hasta El Güito, Serranito y jóvenes figuras actuales como Marco Flores o Belén López. A través del recuerdo de sus miles de noches enduendadas se puede rastrear la evolución del cante, el toque y el baile durante las últimas cinco décadas y reconstruir los cambios que han experimentado Madrid y la sociedad española a lo largo de este tiempo.

Carmen Sevilla recuerda que una película rodada en el Corral de la Morería, *Europa di notte*, fue la que le abrió las puertas de la fama internacional: «Era una coproducción de varios países y aquí en España la censuraron, no se llegó a estrenar, porque en ella se reflejaba el ambiente de los night clubs europeos, lo que era la noche en el mundo entero. Mi compañero de reparto era Domenico Modugno». Carmen coincidió allí, en más de una ocasión, con Ava Gardner, ilustre visitante que no se perdía ni una velada del tablao durante sus estancias en España. A lo largo del rodaje de *55 días en Pekín*, frecuentaban el tablao Ava y su principal compañero de reparto, Charlton Heston, pero mantenían una relación distante entre ellos. Heston cenaba en compañía de su mujer y tenían prohibido que le solicitaran autógrafos. Ava siempre aparecía a últimas horas de la noche y pedía, según recuerdan los empleados más antiguos del local, una copa de jerez, una cerveza y un whisky. El Corral de la Morería era su lugar de confianza y fue escenario de las turbulentas relaciones que mantuvieron la deslumbrante estrella y Frank Sinatra. «Una noche, Ava Gardner se había sentado a nuestra mesa —recordaba Manuel del Rey—. De repente, entró un hombre andando rápido y fue hasta la barra. Hizo un gesto con el dedo, Ava se levantó enseguida para acercarse a él y empezaron a discutir. El hombre le dio un bofetón y se marchó. Era Frank Sinatra, que había venido a buscarla desde Estados Unidos».

En otra ocasión, Sinatra y Ava, reconciliados, se vieron sorprendidos por la extraordinaria capacidad de los flamencos para llevar a su terreno cualquier tema de éxito mundial. «Estaban los dos juntos, se les acercó El Brillantina y se sentó con ellos», nos relataba el director de cine Tito Fernández, testigo presencial de la escena. Brillantina era un artista con enorme gracia y duende, algunas de cuyas creaciones han sido recogidas después por Chiquito de la Calzada. «Brillantina empezó a hacer compás con los nudillos sobre la mesa y a cantarle "Strangers in the night" a su manera y en su inglés, diciendo "pastis in te flais" y cosas así —explicaba Fernández—. Había que ver la cara de asombro de Sinatra al escuchar aquello. Le dijo a Brillantina que ésa era la mejor versión de la canción que había oído en su vida y que no había dinero en el mundo para pagarle».

Manuel Rodríguez de Alba, Brillantina (1920-1970), nació en la localidad gaditana de Chiclana de la Frontera. Cantaor, bailaor y actor cómico, imitaba, entre otros, a Manolo Caracol y a Lola Flores, en cuyos espectáculos actuó. Trabajó asiduamente en los tablaos madrileños (Cuevas de Nemesio, Los Canasteros, Torres Bermejas...) y era un personaje muy querido entre sus compañeros. Le mataron accidentalmente unos señoritos, en La Línea de la Concepción. Durante una noche de juerga, le empujaron fuera del coche en el que viajaban, para hacerle una broma, y Brillantina falleció.

El desaparecido director Tito Fernández acudió al Corral de la Morería todas las noches durante treinta años seguidos e incluso rodó allí, en 1962, algunas escenas de su película *Rueda de sospechosos*. En varias ocasiones compartió mesa nada menos que con Carmen Amaya. La genial bailaora nunca trabajó en este tablao, pero sí se arrancó a bailar espontáneamente más de una vez. «Era un caso único de capacidad de observación —señalaba Fernández—. Se fijaba en todos los artistas, hasta en el más cortito y elemental, y si él hacía algo con un poco de gracia, te daba un codazo y decía: "Mira qué patadita acaba de dar". Fíjate si Carmen era grande».

Una noche se produjo en el Corral de la Morería un desencuentro entre dos artistas del más alto nivel: Antonio y Antonio Gades. Mientras éste bailaba sobre el escenario, Antonio empezó a hacer comentarios en voz alta: «El cuerpo hay que ponerlo más recto, las manos recogidas...». Gades aguantó el chaparrón, estoico, hasta que terminó de trabajar y, cuando Antonio se iba, lo cogió en la puerta y le dio un buen repaso. Y para rematar, le dijo: «Pero, como artista, eres el mejor».

En el Corral de la Morería debutó, con sólo dieciséis años, Isabel Pantoja. Ella quería dedicarse al baile, pero don Manuel del Rey insistió en que lo suyo era la copla. Estuvo tres años contratada en el tablao. Entre los ilustres visitantes del local destaca también el bailarín ruso Rudolf Nureyev. Siempre pedía un solomillo y una Coca Cola. Durante muchas noches se resistió a subir al escenario, pero, por fin, don Manuel lo convenció de que en aquellas tablas hay muchas energías artísticas y consiguió que ofreciera algunas de sus piruetas a la afición flamenca. Claudia Cardinale, Sofía Loren o Robert Mitchum son otros personajes que no faltaban al tablao durante sus estancias en Madrid. Uno de los espectáculos más glamurosos de la historia de este local lo proporcionó la despampanante rubia de Hollywood Jane Mansfield, que se presentó en la calle de la Morería a bordo de un espectacular Cadillac y en medio de una nube de fotógrafos. También fue especialmente jaleado por la prensa el encuentro en el tablao entre Roger Moore, en la cumbre de su fama como protagonista de la serie de televisión «El Santo», y Manuel Benítez El Cordobés.

Este último fue protagonista de un episodio bastante menos festivo. Algunas noches, en el sótano del tablao, se prolongaban las juergas privadas hasta primeras horas de la mañana. Y en una ocasión apareció la policía, reclamada por algún vecino. Entre los últimos contertulios se encontraba El Cordobés, que, en aquellos tiempos, compartía cacerías, de vez en cuando, con el propio dictador Francisco Franco. Envalentonado por esa circunstancia y, sin duda, por las copas de toda la noche, se enfrentó con uno de los agentes, cuando éste le pidió la documentación: «Cuidado, que yo soy el segundo de a bordo», se le ocurrió decir, en plan fantasma. Y el policía, que debía de ser más franquista que el propio Caudillo, le contestó: «No ofendas a su Excelencia». A continuación, le dio un guantazo y se lo llevó a comisaría.

Mucho más discretas eran, en cambio, las apariciones de otro diestro taurino por el tablao. El singular Rafael Ortega El Gallo siempre preguntaba desde la puerta, antes de entrar, «¿Aquí no estará una señora que se llama Pastora Imperio», por miedo a encontrarse con su ex mujer. Ambos protagonizaron un breve y enigmático romance, con boda incluida, cuya ruptura no quiso aclarar nunca ninguno de los dos.

En algunas ocasiones, las fiestas flamencas en el Corral de la Morería concentraban a un número increíble de figuras. Francisco Lancho, maître del tablao y uno de los empleados más antiguos de la casa, recuerda una noche gloriosa con Antonio Mairena, Juan Varea, El Pili, Porrinas de Badajoz... Mairena estuvo más de una hora cantando por seguiriya y acabó bailando. «Para echarlos a todos por la mañana tuvimos que recurrir a Porrinas —explica Francisco—. Con esa voz que tenía, bajó por las escaleras cantando la petenera, que, según dicen, tiene mal fario, y se fueron todos corriendo».

Cliente habitual del tablao era el escultor Otero Besteiro, que se solía presentar vestido con una túnica blanca y acompañado por un mono vestido de esmoquin, y que permanecía sentado en una silla y sin decir ni pío durante toda la noche. En una ocasión fue Salvador Dalí quien intentó introducir en el Corral de la Morería otro exótico animal. «Se presentó en la puerta con una pantera atada con una cadena —recuerda Juan Manuel del Rey, gerente del Corral de la Morería—. Mi padre le dijo que si le dejaba entrar con la pantera, todos los demás clientes saldrían corriendo por la otra puerta. Dalí venía mucho y estaba aquí charlando tranquilamente con mi padre, hasta que empezaban a llegar periodistas. Entonces se estiraba, se retorcía los bigotes y empezaba a hablar del cosmos».

La bailaora más ligada al tablao ha sido y es Blanca del Rey, de cuyo magisterio se puede seguir disfrutando alguna noche al mes. Su «soleá de mantón» se ha convertido en un clásico. Viuda de don Manuel del Rey, es la propietaria del Corral de la Morería y está empeñada en que el tablao continúe siendo un reducto del cante, el toque y el baile más auténticos. «Debuté aquí con catorce años —recuerda—. Imagínate lo que es para una niña de esa edad encontrarse a Rock Hudson en la barra y ver que se acerca a mí. Yo estaba temblando. Me quitó la flor del pelo, la besó y la puso en la barra. No di pie con bola ese día».

ESCUELA DE GUITARRISTAS

Otro artista flamenco estrechamente vinculado al Corral de la Morería ha sido el guitarrista Félix de Utrera. En 1960 comenzó a trabajar en el tablao y permaneció en él durante treinta y un años. Paralelamente, de la mano de José Blas Vega, Félix se convirtió en guitarrista oficial del sello Hispavox, en una época en la que esta compañía discográfica dedicó enorme atención al arte flamenco. La estrecha colaboración entre el investigador y el guitarrista se prolongó durante más de catorce años. Félix de Utrera respaldó el cante de El Sevillano, Gabriel Moreno, Chocolate, El Flecha y muchos otros artistas. Los más de 300 discos registrados por él constituyen todo un récord. Como solista, rindió homenaje a su maestro Niño Ricardo con el disco *Guitarra con solera.*

«Grababa a destajo, de diez de la mañana a diez de la noche, tenía una capacidad de trabajo tremenda —señala Curro de Jerez, guitarrista vinculado aún al Corral de la Morería e íntimo amigo de Félix—. Pero nunca se le quitaban las ganas de hacer bromas. En una ocasión, estábamos en el estudio con Felipe Campuzano, que había metido bajo y batería en la grabación. Unos instrumentos que entonces eran nuevos para nosotros. El suelo estaba lleno de hojas con partituras y Félix cogió dos. Me puso una delante, él se quedó con otra y dijo: "¿Esto qué es? ¿Do, re, mi o la cagá de una mosca?". Siempre estaba de guasa». Cuando se enteraron de la muerte del presidente Kennedy, Curro y Félix se encontraban en compañía de otros dos flamencos, El Tupé y Caraestaca. «El Tupé nos comentó la noticia diciendo: "Han matado al payo de los Estados Unidos. La que se va a liar con las bombas —relata Curro—. Caraestaca, que no oía bien, preguntó: "¿Cuánto pagan?", creyendo que estábamos hablando de una fiesta con guiris. Y Félix le contestó: "7.000 dólares por noche"».

Enrique de Melchor (1951), una de las indiscutibles grandes figuras de la guitarra flamenca actual, es otro artista que empezó su rodaje en los tablaos madrileños: «Yo he tenido el privilegio de vivir la transición del flamenco, el paso de una época a otra. Hay poca gente que la haya vivido de cerca. Disfruté de la última época de Caracol y Mairena, y de Niño Ricardo, mi padre y Sabicas. De repente, hubo un corte ahí y surgió un nuevo flamenco. Pero de aquello se te quedan muchas cosas. Además, por suerte, he estado siete años en un tablao, que es lo más importante del mundo para la guitarra. Cinco de ellos en Los Canasteros, y allí había artistas increíbles: Manuela Carrasco cuando empezó, que llegó al tablao después que yo, Sordera, Cepero a la guitarra, Matilde Coral, Rafael El Negro, La Perla, Terremoto, Bambino, Brillantina... Eso ya no lo vas a encontrar concentrado en ningún sitio. Empecé a trabajar en Los Canasteros con trece años, cuando estaba en todo su apogeo. Entré en 1967, pero desde el año anterior ya estaba allí diariamente aprendiendo a tocar. Por Los Canasteros han pasado los mejores artistas del flamenco. Yo no empecé el flamenco en el colegio, aquello era ya la universidad, directamente».[2]

El extraordinario guitarrista de Marchena es, junto a Félix de Utrera, uno de los flamencos que más veces ha entrado en un estudio de grabación. Además de Mairena y Caracol, ha acompañado a casi todos los grandes. También en directo. «La primera vez que grabé, iba con mi padre. Yo era muy pequeñito y le acompañé a él en algún número». Después de fallecer su madre, Enrique vino a vivir a Madrid con su padre, Melchor de Marchena: «Al principio, estuvimos alojados en una pensión de la calle de Echegaray, enfrente del Cuatro, que era un bar y casa de comidas donde paraban mucho mi padre y otros flamencos, como Mairena, Chocolate y Gordito de Triana. Yo era el más pequeño de mis hermanos y fui el último en venir a vivir con mi padre».

En el Cuatro fue donde Enrique, con catorce años, conoció a su compadre Pepe Menese, a quien ha acompañado en infinidad de ocasiones durante los últimos cuarenta y cinco

años. El cantaor de La Puebla de Cazalla se presentó ante
Melchor, con el aval de Francisco Moreno Galván, para pedir-
le que le tocara la guitarra en un disco. Y Melchor accedió.
«Mi padre era una de las principales figuras de la guitarra del
momento y vivía en un piso de alquiler y ganaba lo justo para
darnos de comer a los niños —señala Enrique—. Ahora los
artistas estamos mucho mejor. Yo he conocido a todas las grandes figuras del flamenco desde chaval, y he visto que Niño
Ricardo no tenía nada y Manolo de Huelva estaba en las ventas, esperando a un borracho que llegara para darle para comer. Hoy tenemos más consideración que nunca. Antes decías
que eras flamenco y te consideraban lo más bajo de la sociedad, en este momento puedes decir que eres guitarrista y la
gente te reconoce. En la década de 1960 los únicos que tenían
coche eran Caracol, Valderrama y dos o tres figuras más. Que
se haya acabado lo de las ventas ha sido un éxito total. Porque,
para mí, que un artista tan importante como era mi padre, o el
de Huelva, o Niño Ricardo, tuvieran que estar en un sitio esperando a que viniera el señorito...».

Enrique es uno de los más interesantes narradores de la
historia reciente del flamenco, posee una memoria minuciosa
y los análisis que hace están muy meditados. Su pensamiento
musical es la síntesis del sonido actual y el sabor más añejo.
«Ahora los jóvenes guitarristas flamencos tienen mucha técnica, pero no hay que volverse loco —afirma—. Yo intento ir
hacia adelante como Pulgarcito, dejando las piedrecitas por el
camino, para poder volver atrás. Y regreso constantemente.
Siempre hay cosas que descubrir y recuperar».

Continúa estudiando muchas horas diarias y conserva la
misma afición desbordante que tenía cuando empezó a tocar
las seis cuerdas, de niño. «Escucho al peor guitarrista del mundo y siempre aprendo algo —asegura—. Una vez, en el paseo
marítimo de Fuengirola, vi a un chico que cantaba rumbas y
tocaba la guitarra haciendo un rasgueo muy personal. Le pregunté cómo lo hacía y me dijo: "Me da vergüenza explicárselo,

maestro". Pero no era fácil cogerlo. Lo importante del toque es el sonido, el eco, y eso no se aprende, es la única cosa con la que hay que nacer. Si a mí me preguntan cuál es la herencia que me ha dejado mi padre, lo tengo claro: el sonido».

Una de las facetas desconocidas de Enrique de Melchor es su profunda afición por el boxeo. Empezó a asistir (como espectador) a las sesiones de mañana del Circo Price, con aficionados, cuando era sólo un adolescente, y después fue un asiduo de las kermés boxísticas del barrio de Tetuán. Además, está emparentado con Faustino Reyes, púgil nacido en Marchena y criado en Almería, que compitió en los Juegos Olímpicos de Barcelona de 1992 como el boxeador olímpico más joven de todos los tiempos (diecisiete años) y consiguió una medalla de plata en el peso pluma. Reyes también tiene relación familiar con los Habichuela. La escuela boxística de Almería tuvo como pupilo, antes, al veterano cantaor Alfonso Salmerón, a quien, recientemente, se le ha rendido un homenaje con motivo de sus cincuenta años de profesional del flamenco.

Sobre la relación entre el flamenco y el boxeo, Enrique de Melchor relata una anécdota muy ilustrativa: «Una vez, estaba yo en un bar de ambiente flamenco, tomando una copa y se acercó una persona a saludarme, diciendo que era admirador mío. Un amigo que estaba a mi lado me preguntó: "¿Pero no le conoces?, si es Nino Jiménez". No le reconocí al principio, pero claro que sabía quién era, había sido campeón de Europa del peso pluma y yo le vi boxear muchas veces. Entonces le dije: "Qué coño, tú eres de Membrilla". Y me contestó que eso no se lo había dicho ni Fernando Vadillo. Yo le vi debutar de aficionado en las kermés de Tetuán. Después de estar dos horas hablando de boxeo, de mil anécdotas y combates, me pidió que le acompañara a la guitarra por soleá. Yo me quedé sorprendido, pero cuando me dijo: "Ponla al cuatro por medio", pensé: "Pues algo tiene que saber". Se puso a cantar y dejó a unos cuantos cantaores que había allí mudos. No se podía cantar más bonito por soleá, pero a compás y bien. Hizo soleá y fandangos, no se me olvida».

DERECHOS DE AUTOR

La infraestructura laboral que suponían los tablaos y el comienzo de los festivales de verano en Andalucía dio un nuevo aire a los artistas flamencos. Además, por primera vez, los profesionales del arte jondo empezaron a cobrar derechos de autor, gracias a la abnegada labor del maestro Freire.

El compositor y pianista Ricardo Freire fue, durante cinco décadas, uno de los principales creadores que ha tenido el universo de la copla. Autor, entre otros cientos de piezas, de la popular canción «Doce cascabeles», su teclado respaldó, además, el cante de innumerables figuras flamencas, incluida la legendaria Pastora Pavón, La Niña de los Peines. Pero quizás la contribución del maestro Freire al cante, el toque y el baile la realizó con su labor dentro de la Sociedad General de Autores y Editores de España. Gracias a él los artistas de lo jondo comenzaron a percibir derechos de autor por sus trabajos.

Como reconocimiento a esa tarea, los días 3 y 4 de septiembre de 1998 un gran plantel de artistas le rindió un emotivo homenaje en el madrileño Centro Conde Duque. «He intentado proteger el flamenco todo lo que he podido —nos decía—. Muchas veces, por desconocimiento propio, los artistas no percibían el dinero que les correspondía. La SGAE cobraba su parte siempre, pero eso no revertía en ellos, no por malicia de nadie, sino porque el flamenco se consideraba genéricamente algo de origen "popular"». El maestro Freire se incorporó a la SGAE, como inspector técnico musical, en 1971. Desde este privilegiado puesto, observó que el flamenco generaba muchos ingresos que después se redistribuían por otros conceptos, y puso orden en el asunto. Además, se dio cuenta de que este organismo tampoco tenía en consideración la creatividad coreográfica. «Antonio Gades, por ejemplo, estaba ya dispuesto a darse de alta en la Sociedad de Autores francesa», nos explicaba.

TOCAOR DE MADRID

Víctor Monge, Serranito (1942), madrileño de la calle de Fernández de los Ríos, es uno de los incuestionables maestros del toque. La guitarra flamenca de concierto, que actualmente se encuentra en un momento de esplendor, le debe mucho al trío Víctor Monge, Paco de Lucía y Manolo Sanlúcar. «Nosotros empezamos a imponer los conciertos de guitarra en los festivales que surgieron a finales de la década de 1960 por toda Andalucía. Con Manuel Cano también —explica—. En aquella época no había costumbre de escuchar la guitarra sola, pero nos hicimos nuestro hueco y tuvimos mucha aceptación. Después, he representado a Madrid y al flamenco por todo el mundo. Para el público no muy flamenco, lo que abre más caminos es la guitarra y eso, internacionalmente, se ha visto clarísimo».

Comenzó su andadura profesional, con sólo doce años, formando parte del grupo Los Serranos, encabezado por su hermano mayor, Manolo. Víctor era el menor de los integrantes y de ahí le viene el nombre artístico. «Nuestro ambiente familiar era humilde, así que tuvimos que intentar ganar dinero pronto. Empezamos a trabajar en Riscal e interpretábamos cosas aflamencadas. Yo era el que hacía los adornos con la guitarra —recuerda—. Poco a poco fui yendo hacia el flamenco y después estuve con Juan Valderrama dieciséis años. Él me enseñó mucho, porque era un gran aficionado y una enciclopedia».

En la compañía de Valderrama fue donde tomó su primer contacto con el pentagrama: «Había un maestro que te iba ayudando, te enseñaba a solfear, siempre que tuvieras interés en ello». En 1960 apareció su primer disco, *Flamenco en la gui-*

tarra de Víctor Monge, Serranito, y la grabación recibió los elogios de Andrés Segovia y Narciso Yepes. «El maestro Segovia me dijo, en cierta ocasión: "Si usted estudia música, yo seré su abuelo guitarrístico"», recuerda. En 1982, Serranito estrenó con enorme éxito, en el Teatro Real, su obra para guitarra y cuerda *Andaluz sinfónico*. Fue una de las primeras veces que el templo de la música clásica abría sus puertas al arte jondo.

No pierde ocasión de reivindicar la importancia de Madrid como plaza flamenca en la que han nacido notables figuras y donde han revalidado su arte la mayoría de los grandes flamencos: «Por ejemplo, nuestro patriarca, Ramón Montoya, era de Aranjuez y vivió casi siempre aquí. Además, éste era un punto de encuentro fundamental y tuve la ocasión de escuchar mucho a maestros como Manolo de Huelva, que fue quien enseñó a los cantaores a cuadrarse rítmicamente con la guitarra. Y ahora mismo, tenemos a figuras madrileñas tan grandes como El Güito. Fíjate en la diferencia entre su baile y lo que se hace hoy. No tiene nada que ver».

El guitarrista madrileño ha obtenido los premios flamencos más prestigiosos y realizado innumerables giras internacionales. «Entre todos, hemos ido consiguiendo que el flamenco tenga un reconocimiento artístico al máximo nivel. Incluso hemos despertado interés en el mundo de los guitarristas clásicos por conocer nuestra técnica, que, al ser autodidacta, es muy especial». A los tocaores más jóvenes, les sugiere que sientan el flamenco y no se obsesionen por la técnica: «Eso es lo más fácil de aprender, pero la formación flamenca te la dan el tiempo y las vivencias. Para mí ha sido una universidad estar tocando desde niño a los cantaores y los bailaores. He tenido la suerte de pertenecer a una época en la que fuimos todos muy innovadores y aprendimos unos de otros. Quien crea que él ha inventado solo todo lo que hace está muy equivocado».

DESCUBRIDOR DE TALENTOS

Una figura muy especial del Madrid de los tablaos fue Antonio Fernández (1940-1999). Enamorado del cante auténtico y madrileño castizo, afrontó la vida con sabia ironía y siempre apostó por sacar adelante a los flamencos que más le emocionaban. Por eso murió sin un duro, pero gozando del respeto, el cariño y la admiración de todos los que valoran la verdad del arte y la comunicación sincera, no el pelotazo sin piedad. Un par de años antes de su desaparición, se le rindió un emotivo homenaje en el Centro Cultural Conde Duque, en el que participaron El Güito, La Tati, Enrique de Melchor o Carmen Linares, entre otras muchas figuras.

Hasta sus últimos días estuvo residiendo en la casa familiar de la calle de Barbieri donde vivió su infancia y adolescencia. A escasos metros de ella montó Manolo Caracol Los Canasteros. A lo largo de cuatro décadas, Antonio vivió, de forma muy intensa, los entresijos del flamenco, se relacionó con lo más granado de este arte y guió los primeros pasos en Madrid del mismísimo Camarón. Con él le unió siempre una sólida amistad. También fue Antonio quien descubrió a Las Grecas. Artistas de duende, como su adorado Bambino, Rancapino o, más recientemente, El Torta estuvieron muy vinculados a este descubridor de talentos flamencos durante sus aventuras madrileñas.

Fue mucho más que un promotor: el mejor amigo de los artistas y su principal seguidor. Después de entregarles el caché, él era el primero en pagar la siguiente ronda, con lo que le quedaba de comisión. Por eso, los dividendos de su modesto 10 por ciento de representación le lucieron muy poco en propiedades. Eso sí, se llevó puestas miles de noches de arte, en compañía de los elegidos por el duende. Un patrimonio que no está al alcance de cualquier yuppie recién llegado a esto. Las multinacionales del disco y promotores con mucha más infraestructura e infinitamente menos escrúpulos que él acabaron por robarle todos sus descubrimientos. Pero los artistas siempre le guardaron un privilegiado lugar en su corazoncito.

Recordaba con nostalgia el mundillo flamenco que se vivía en Madrid cuando las reuniones de figuras hasta altas horas de la madrugada eran habituales. «El ambiente ha cambiado mucho —se lamentaba—. Ahora nadie se relaciona con nadie, cada uno va a lo suyo. Los artistas, en vez de comentar los cantes, se dedican a hablar del último coche que han comprado». Trató de cerca a todos los mitos flamencos del último tercio del pasado siglo y aseguraba, con absoluta convicción, que la figura más impresionante que conoció fue Camarón: «Era el más humilde de los artistas. Reconocido por todo el que sabía un poco de esto como el mejor, jamás intentó sobresalir por encima de nadie en una reunión. Desde que él murió, no hay un cantaor capaz de meter él solo a tres mil personas en un recinto». Antonio fue un promotor romántico, por eso le resultaba tan difícil sobrevivir económicamente. Pero él sabía mejor que nadie cómo estaba el paño: «Yo me vuelvo loco con el cante, y eso no es bueno. Los que se llevan la tela no tienen sensibilidad ni olfato, sino buenos contactos con los políticos».

EL RUMBERO MÁS FLAMENCO

Tampoco se puede hablar del Madrid flamenco de los años sesenta y setenta sin dedicar un espacio a Bambino. Este gitano de Utrera llegó a la capital en 1961, directamente a El Duende, el tablao de Pastora Imperio, donde compartió escenario con Lebrijano y Rocío Jurado. «Pastora era ya mayor, pero todavía movía los brazos —recordaba—. Y sólo con eso te volvía loco». Después, pasaría por Los Canasteros, Las Brujas... treinta y cinco años en Madrid. «Era otra época, estábamos muy unidos. Después de trabajar, íbamos a comer algo y pasábamos toda la noche por ahí. Amanecíamos en el Rastro. He cogido miles de borracheras. Me acuerdo de La Paquera, de Camarón, de muchos amigos. De El Güito, que me ha dislocado siempre». El bailaor madrileño, que siempre ha muerto, recíprocamente, con el arte de Bambino, le rinde homenaje, cuando está a gusto, cantando y bailando «Corazón loco» por bulerías.

En 1995, Bambino enfermó, abandonó Madrid y se refugió en su tierra natal. Sin un duro, después de haber vendido miles y miles de discos y casettes. «Dicen que hay que guardar para los años malos, pero si no vienen...», nos decía poco antes de su muerte, en octubre de 1998. Había vuelto a la capital para promocionar *Canciones de amor prohibido*, un doble CD recopilatorio con 40 de sus temas más populares. Con motivo de la aparición del disco y dado su delicada situación económica y física, se estaba intentando también organizarle un homenaje. Ya habían sido avisados de que el evento estaba en marcha Paco de Lucía, Fernanda y Bernarda, Serrat, Rocío Jurado, Chiquetete y algún artista más.

Le entrevisté para el suplemento de música de *El Mundo*, en el club deportivo Abasota, situado junto a la sede del diario. Bambino venía descompuesto, después de un infructuoso recorrido por radios y televisiones sin lograr que le dieran el sitio que se merecía. Al parecer, lo peor había sido el paso por Antena 3 Televisión, donde el tarugo de turno, del programa «Hoy de mañana», que no sabía quién era Bambino, le había tratado de forma penosa. Empecé a preguntarle por Fernanda y Bernarda, por Mairena... Los suyos. Enseguida se dio cuenta de que jugaba en casa y se relajó. Pero el avanzado cáncer de laringe que padecía hacía difícil la conversación. Yo repetía algunas de las cosas que él me decía, con un hilo de voz, para que quedasen recogidas en la grabadora. Hablando de *Resucité*, el último disco que había grabado, un par de años antes, comentó: «Sí, tiene el sabor mío. Eso no se pierde, lo que se va son las facultades...». Y añadió: «Mucha gente ha querido hacer mis canciones y grabarlas a mi manera, pero donde nunca me ha podido imitar nadie es sobre un escenario. No sólo he cantado, también he interpretado cada canción. Por eso, aunque estuviera afónico, salía adelante. Daba el corazón en cada una de mis actuaciones. Todo lo que he cantado tiene letras con mucho sentimiento. Me he identificado completamente con ellas y las he vivido en el escenario. Así era fácil convencer a la gente. Unas canciones las metía por rumba y otras por bulerías, según me venían a la cabeza. Y a veces les cambiaba el ritmo, depende de cómo me encontrase. Ahora, quiero participar en mi homenaje aunque sea cantando en play-back». Ese concierto no se llegó a celebrar.

BAILAR DESPACITO

Eduardo Serrano El Güito es la esencia del baile con sabor, reposado, mágico, en el que los silencios son tan importantes como el taconeo. Buen castizo, nunca pierde la ocasión de reivindicar la entidad flamenca de Madrid, como cuna de artistas y plaza donde han disfrutado de su alternativa muchas figuras nacidas en otros lugares. «Aquí se ha concentrado lo mejor de este arte —afirma—. A partir de 1970, coincidimos durante mucho tiempo, en Torres Bermejas, Camarón, Pansequito, Mario Maya, Carmen Mora y yo. Y en Los Canasteros bailaban Farruco y Manuela Carrasco. Casi nada».

Recuerda, con especial cariño, la relación que había en aquella época entre los profesionales del flamenco: «Cada noche, al terminar el trabajo, nos quedábamos de fiesta todos. Lo que ganábamos se gastaba el mismo día, pero teníamos la certeza de que, unas horas después, íbamos a trabajar de nuevo. Ahora funciona otra fórmula, se cobra más caché pero trabajamos menos».

Vivió su infancia en una casa de la calle de Mira el Sol, en pleno Rastro. Artista muy precoz, a los cinco años ya bailaba en películas protagonizadas por Carmen Sevilla o Luis Mariano. «Yo aprendí a bailar con mi madre, que me llevaba a todos los espectáculos de niño. En mi casa hemos bailado todos, mis hermanos no son artistas pero dan sus pataditas. Mi mentalidad, aunque soy gitano, es más abierta, tuve la suerte de que mi madre, en cuanto cumplí seis años, me llevó a un colegio. Salí con tercero de bachillerato y, luego, la vida, de tanto viajar, te da mucha mundología. El caso de Farruco, que es el bailaor que más me ha gustado, es distinto: él ha encajado en su mundo y de ahí no ha querido salir nunca. Los cuatro años que estuve con Pilar López me abrieron mucho los ojos. Al principio, yo sólo bailaba la soleá, pero después de un año ya hacía bailes regionales, la jota... cosas de Albéniz, de Falla... Indiscutiblemente, una cosa es ser bailaor y otra bailarín, pero yo he hecho cosas de Albeniz, con orquesta y bailando flamenco. Todo depende de cómo lo hagas y de lo que tú tengas dentro. El problema es que ahora no salen bailaores».

Con catorce años comenzó a trabajar junto a la gran Pilar López, y en 1959 obtuvo el Premio Internacional Sarah Bernhardt del Teatro de las Naciones de París. Sin embargo, el éxito tan temprano no se le subió a la cabeza y prosiguió su andadura con un enorme sentido del equilibrio. «En aquella época no éramos tan espabilados como los artistas de ahora —opina—. Yo no estaba picardeado y no tenía la mentalidad de aprovechar el premio para ganar dinero. Hoy veo a chavales que sólo hablan de los coches y las casas que se van a comprar. Yo, con veinte años, lo quemaba todo. Lo único que me gustaba era escuchar cantar bien y ver bailar a Farruco o a Mario Maya. Era otra forma de vida».

Considera que esas reuniones eran fundamentales para captar las esencias flamencas. El mutuo contacto cotidiano enriquecía a todos. «Entonces había más educación flamenca, estábamos siempre aprendiendo. Ahora los jóvenes sólo cantan cuando les contratan. Ya no hay reuniones, estamos más preocupados por los chalés y los buenos coches. Muchos ni salimos. Claro que en las casas disfrutas de más comodidades que hace cuarenta años. Antes tenías cuatro sillas y una radio; salías a la calle por aburrimiento. Yo me levantaba a las cuatro de la tarde e iba a la cafetería Carretas, que es donde parábamos los artistas de los tablaos. Después íbamos a otro bar, Tulsa, que había enfrente de Torres Bermejas, y de ahí todo el mundo para su sitio de trabajo. Y luego nos volvíamos a juntar, después de terminar nuestras actuaciones, e íbamos a una venta, o nos quedábamos en Los Canasteros, o en el otro lado. Nos íbamos buscando unos a otros. Ahora nadie quiere saber nada de reuniones alrededor de una botella de vino.

»Cuando yo estaba en Los Canasteros, terminaba de trabajar a las cuatro de la mañana, y enseguida estaban allí Camarón, Pansequito, Las Grecas, La Marelu, Juan Villar... Yo qué sé. Le decía al maître de Los Canasteros que nos dejara estar dos o tres horitas más y sacábamos un par de botellitas de whisky... Amanecíamos allí todos los días. Otras veces nos quedábamos en otro tablao o íbamos a las ventas. Luego abrió Lola Flores Caripén. Nos metíamos allí y salíamos a las ocho o las nueve de la mañana».

Puede estar durante horas relatando memorables reuniones flamencas en las que lo único importante era la amistad y la emoción. En algunas de ellas participaron insólitos personajes, como el actor Yul Brynner. «Una noche, en El Duende, coincidimos con él. Había venido a sustituir a Tyrone Power, que acababa de fallecer, en el rodaje de *Salomón y la Reina de Saba* —recuerda—. Después de tomar unas copas, nos dijo que su madre era gitana[3] y pidió una guitarra. Cuando empezó a cantar sus cosas, le tuvimos que decirle olé».[4]

Confiesa que el cante le tira incluso más que el baile, y él mismo hace sus pinitos en este campo, sobre todo recordando a su admirado Bambino. Antonio Mairena y Manolo Caracol le han cantado en fiestas para que él bailara. Pero quien más le ha gustado ha sido Camarón, con quien le unió una estrecha amistad. El Güito encarna la jondura y la autenticidad del flamenco. Sobre el escenario, tiene la capacidad de parar el tiempo. «A mí me gusta bailar despacito, dejando en todo momento que se escuche al cantaor —explica—. Cuando hay que arrear fuerte con los pies, se taconea. Pero eso no puede ser todo».

CAMARÓN EN EL RECUERDO

Como todos los artistas que vivieron el ambiente de los tablaos madrileños entre 1960 y 1980, El Güito no puede evitar referirse a Camarón: «En Torres Bermejas, cuando yo estaba en el Trío Madrid, con Mario Maya y Carmen Mora, al final de mi actuación cantaba y bailaba por bulerías y, en broma, le decía a Camarón: "Ahí te dejo eso, a ver si puedes...". Él se iba callando, porque tenía ese carácter, hasta que un día, medio enfadado, me dijo: "Tú no sabes ni cantar ni ná". Entonces él tenía veintidós o veintitrés años, y era ya un monstruo. Desde chaval, era almíbar. Caracol, en Los Canasteros, cuando veía entrar a Camarón, protestaba: "Este niño rubio...". No le gustaba que fuera y nunca lo contrató, pero luego, quería que se quedara de fiesta, para oírle cantar.

»Conocí a Camarón cuando él tenía quince años y vino aquí, con Miguel de los Reyes, en su ballet, a una sala de fiesta —señala el bailaor—. Tres años después entró en Torres Bermejas. Escucharle era una locura, era distinto a todo el mundo. Mira que he estado veces con Caracol, y yo soy muy caracolero, pero él era de otro mundo. José cambió las reglas, pero en flamenco, sin equivocar a la gente. Tenía una voz dulcísima, un bajo único. Ha sido el más grande. De los actuales, de los antiguos y de los padres de los antiguos».

Camarón actuó por penúltima vez en Nîmes, junto a El Güito, cuando ya se encontraba muy enfermo: «Nos cayó una nevada tremenda. Trabajamos en la plaza de toros de la ciudad, que está cubierta y es toda de piedra —recuerda el bailaor—. Él ya estaba muy malo, casi hubo que subirle al escenario y sentarle en la silla, pero cantó con una fuerza increíble».

José Fernández Torres, Tomatito (1958), no conoció a Camarón en los tablaos madrileños, pero ha estado toda una vida junto a él. Tenía sólo dieciocho años, en 1979, cuando participó con el cantaor en la grabación de *La leyenda del tiempo*, un disco innovador que supuso el arranque de una verdadera revolución flamenca. Aquello fue el punto de partida de lo que después se ha llamado, con desigual acierto, el «nuevo flamenco». El guitarrista asegura que, en aquel momento, no se dio cuenta, ni remotamente, de la importancia de lo que estaban haciendo. «Al principio, me resultaban muy difíciles aquellas canciones —recuerda—. Yo le decía a José que no me gustaban, que eran muy feas, y él se reía. Aquello de "Volando voy, volando vengo", de Kiko Veneno, me sonaba a cachondeo». Sin embargo, aguantó el tirón como fiel escudero de Camarón de la Isla, y la cosa fue saliendo adelante. Poco a poco, se cuajó un disco que ha quedado para la historia. «José me decía: "No te preocupes, Tomate, que nosotros le damos la vuelta a esto". Él estaba a años luz de todos nosotros».[5]

El guitarrista almeriense tenía sólo quince años y trabajaba en Málaga cuando conoció a Camarón, y en la primera ocasión que tuvo, José lo llamó para actuar con él, en Carranque. Aquella velada cambió la vida del joven gitanito. Poco después, ya era guitarrista del cantaor de La Isla, a quien acompañó en discos memorables e infinidad de actuaciones. José fue el primero que se empeñó en impulsar la carrera de Tomatito como solista. «Él era muy aficionado a la música y también tocaba la guitarra. Cuando estábamos ensayando, me decía: "¿Por qué no haces allí arriba todo lo que tocas aquí?". Yo tenía un miedo terrible a salir al escenario solo, para mí era una penitencia, pero él me obligó a hacerlo».

En cuanto surge, inevitablemente, el nombre de Camarón en cualquier charla con Tomatito, los recuerdos del guitarrista almeriense se disparan y se deshace en elogios hacia el amigo perdido: «Él cantó como lo hizo porque supo de dónde venía todo. Recreaba lo que ya existía y lo hacía aún más bonito. Era sencillo, humilde... y un genio». Y su exaltación de José Monge no se para en los aspectos artísticos: «Cuidaba de los demás lo que no cuidó de él. En aquellos tiempos era muy fácil perderse y siempre estaba pendiente de mí. Fue conmigo una persona exquisita».

EL CALVARIO DE PACO

El dolor por la desaparición de su inseparable Camarón, en julio de 1992, y las falsas acusaciones promovidas por José Candado —un personaje pegado al cantaor durante su última etapa—, haciéndole responsable de apropiarse de los derechos de autor de José, mantuvieron a Paco de Lucía recluido en su casa durante un año, sin sacar la guitarra del estuche, guardando un discreto y atormentado silencio. Superado el luto, decidió regresar a los escenarios en junio de 1993, casi un año después de la desaparición de José Monge. El día que Paco, al frente de su sexteto, comenzaba su gira por Europa, coincidí casualmente con él en el aeropuerto de Barajas. El guitarrista algecireño estaba apoyado contra una columna, mientras sus hermanos Pepe y Ramón, junto al resto de los componentes del grupo, facturaban los equipajes, rumbo a Polonia, donde tenían previstas dos actuaciones, en Katowice y en Varsovia.

Me acerqué discretamente a él, con la única intención de darle un abrazo y mostrarle mi solidaridad, tras el disparatado pleito en el que, involuntariamente, se había visto atrapado después de la muerte de Camarón. Pero lo encontré con ganas de hablar y le pedí permiso para grabar la conversación. En poco más de veinte minutos, el tiempo que tardaron en reclamarle para embarcar, soltó a borbotones parte de la pena y la indignación que llevaba dentro. Un fragmento de la entrevista se publicó en el diario *El Mundo*, el día 22 de junio de 1993, y otra parte, la más personal, en *Interviú*,[6] con el siguiente titular, que también aparecía en la portada de la revista: «Si Camarón estuviera vivo, le arrancaría la cabeza a más de uno».

Éste es un resumen de esa entrevista:

—Me estoy recuperando muy lentamente —afirma Paco—. Este año ha sido el más triste y terrible de mi vida, he pasado una época que va a dejar en mí su huella para siempre. Resultaba tan increíble, después de la pérdida de Camarón, verme envuelto en aquella barbaridad que se inventaron. Era como una pesadilla, una película de Hitchcock.

—¿Por qué ha guardado silencio durante tanto tiempo ante acusaciones tan graves?

—Yo no he estado preocupado en ningún momento por la verdad del asunto, no tenía ninguna duda sobre mi comportamiento y el de mi familia y no quería aclarar nada. Me parecía una falta de respeto a la memoria de Camarón, recién enterrado, echar leña al fuego. La historia se levantó aprovechando el «boom» de su muerte para involucrar en ella a todo tipo de gente y sacar dinero. Me parecía algo tan horrible que decidí quedarme en casa, colgado, sin coger la guitarra, deprimido y hundido en una enorme tristeza.

—Durante este año, ¿no ha utilizado la guitarra ni siquiera como refugio?

—Ni la he sacado del estuche. He estado casi doce meses viendo la televisión diez horas al día, con la imagen de Camarón y todo el problema que surgió después dándome vueltas en la cabeza.

—¿Por qué cree que se ha organizado toda esta campaña de acusaciones contra usted?

—Yo creo que ha habido bastante mala leche por un lado y desconocimiento por otra parte. Mala leche ha sido, sin duda, la del que envenenó a la familia de José contándole mentiras. A su mujer le dijo que él había estado haciendo consultas en la Sociedad General de Autores, que había tenido una entrevista con su presidente, Teddy Bautista, quien le había dicho que los derechos de autor de Camarón ascendían a una cantidad de muchos millones. Luego yo hablé con Teddy y me aseguró que ese señor no había estado allí en ningún momento.

—Ese señor, evidentemente, es José Candado.

—Bueno, yo prefiero que no digamos nombres. El caso es que, de pronto, a la mujer de José y los miembros de su familia les dicen eso y empiezan a tener dudas. Y por un lado, lo entiendo, a pesar de la relación tan estrecha que he tenido con todos ellos. Ten en cuenta que se lo anuncia una persona a la que consideran seria y caen en la trampa. Lo que no puedo entender es por qué ese señor ha ido contra mí. Además, cuando me enteré de que se estaba hablando del asunto, enseguida me ofrecí para aclarar la situación entre todos. Pero él no quería aclarar nada, sólo liarla, y no sé por qué.

—¿Usted no había tenido ningún roce con él, antes o después de morir Camarón?

—Al contrario, siempre mantuvimos una relación bastante amistosa, cordial, incluso cariñosa. De verdad, no entiendo qué se ha querido sacar con todo esto, pero creo que se ha pretendido aprovechar la muerte de José para obtener beneficios económicos. Para mí ha sido un mazazo.

—¿A cuánto ascienden, en realidad, los derechos de autor de Camarón de la Isla? Se ha hablado de cifras astronómicas.

—Sí, de cantidades que no cobra ni Michael Jackson, y cualquiera que conozca el mundo discográfico sabe que las grabaciones de flamenco tienen unas tiradas bastante limitadas. No sé a cuánto asciende lo que él cobró ni lo que les queda por recibir a los herederos; lo que sí puedo decir es que yo me puse a hacer números para calcular lo que he cobrado, porque llegó un momento que me volvieron la cabeza loca, y solicité a Autores que hicieran un recuento de todo lo que me han liquidado en estos años por derechos discográficos. Tardaron cierto tiempo en darme la respuesta, pues es un proceso complicado, teniendo en cuenta que yo llevo ya bastante tiempo en esto. Resulta que, a lo largo de veinticinco años, he cobrado poco más de quinientas mil pesetas, una cantidad ridícula.

—¿Cuántos temas firmó usted en los discos que grabó con Camarón?

—Exactamente, de los diecisiete discos que él registró, más dos recopilaciones, es decir, de un total de ciento sesenta y cuatro temas, sólo aparezco como autor en los tres primeros discos. Antes, en el flamenco, todo lo que se grababa era popular y los derechos se perdían. Creo que fui de los primeros profesionales flamencos que se inscribieron en Autores, porque me lo recomendó un amigo. Yo no entendía muy bien qué era aquello, pero por no llevarle la contraria, fui con él y me apunté. De cada uno de esos tres primeros discos se venderían mil quinientos o dos mil ejemplares. Me han acusado de firmar cosas que no eran mías y la situación ha sido la contraria. En la discografía de Camarón hay bastantes temas que yo he compuesto y no he firmado.

—A usted no le ha resultado muy rentable económicamente grabar algunos discos, ¿no es así?

—Por supuesto que no. Durante los dos o tres meses que me tiraba trabajando en un disco con Camarón, dejaba de ganar, para mí y para mi grupo, treinta o cuarenta millones de pesetas, porque tenía que cancelar varios conciertos. Pero es ridículo enfocarlo así. Yo hacía las cosas con José por afición y por amor, porque nos queríamos mucho. Que de pronto se muera y me caiga toda esta mierda encima... vamos, vamos.

—¿Cómo fue la grabación de *Potro de rabia y miel*?

—Muy dura. Tardamos más de un año en acabarla, porque hubo que suspenderla varias veces. Al final, él ya estaba muy mal, con unos dolores tremendos de espalda. Yo veía que había que acabar el disco, pero por otro lado me daba mucha pena forzarle. Él me decía: «Paco, dame un poco de cuartelillo», y yo no podía hacerle cantar. Teníamos el disco casi fuera, pero no quería hacerle trabajar porque parecía que se me iba a romper. Unos días él estaba bastante mal, sin fuerzas, y otros, un poco mejor. Después, me costó tres meses de trabajo mezclar todo el material para hacer que no se notasen diferencias de sonido entre unos temas y otros, pero lo hice con todo el amor y el cariño del mundo.

—¿Qué tal reaccionó la gente del flamenco ante las acusaciones de las que usted fue objeto?

—Creo que ahora todo el mundo va entendiendo lo que pasó, que fui la víctima de un montón de mentiras, pero los flamencos son muy apasionados, muy emotivos, y aunque la cosa era descabellada, en algunos momentos, cuando estalló la bomba, creo que más de uno pensó lo peor de mí. En determinado momento, lo único que quedaba en la cabeza de alguna gente era que Paco había robado a Camarón, y con José recién muerto. Esa frase, nada más. En todas partes hay personas que no tienen ningún interés en llegar al fondo de las cosas. No he dado opiniones durante todo este tiempo porque me parecía que era algo descabellado, era defenderme y yo no quería hacerlo. ¿De qué me tenía que defender? Todavía hoy me da vergüenza hablar del tema y asegurar que todo era mentira. Es horrible.

—¿Cómo era su relación con Camarón de la Isla?

—Éramos algo mucho más profundo que hermanos, entre nosotros había algo muy especial, una complicidad, un respeto, una amistad muy intensa, una compenetración que no se puede imaginar. Con lo que él me quería, si estuviera vivo ahora y viera cómo me he quedado, el daño que me han hecho, le quitaría la cabeza a más de uno.

10

«NO QUIEREN SOLTAR LA PRENDA»

La existencia de una corriente dentro del flamenco cercana a la izquierda comunista, durante los últimos años de la dictadura franquista, llega a despertar incluso la curiosidad de los servicios de información estadounidenses,[1] que no están dispuestos a que se les escape ningún hilo del proceso de transición controlada apadrinado desde el otro lado del Atlántico. Cantaores como José Menese o Manuel Gerena son militantes del PCE, y Paco Moyano se sitúa más a la izquierda. Miembros del PCE son también los hermanos Francisco y José María Moreno Galván, este último crítico de arte de la revista *Triunfo*. Además, están situados claramente en la izquierda intelectuales tan enraizados en el mundo del flamenco como José Manuel Caballero Bonald, Fernando Quiñones o Félix Grande. También manifiestan su evidente compromiso antifranquista otros cantaores: El Cabrero, más cercano al anarcosindicalismo, Manuel de Paula, Lebrijano, José Mercé, Sordera, Luis Marín, Antonio Cuevas El Piki, Jiménez Rejano, Turronero, Pepe Taranto Morón, Manolo Clavijo...

Una de las bases operativas de los servicios de información norteamericanos en Madrid es el Centro Cultural de Estados Unidos, situado en la madrileña calle de San Bernardo. La entidad está dirigida por el agente de la CIA Miró Morville. Uno de los profesores que trabajan bajo sus órdenes, en Madrid, es Tom Sorensen, un peculiar personaje con una vena artística muy marcada. Durante el día imparte clases de inglés en el centro y por las noches toca la guitarra flamenca, con el nombre artístico de Tomás de Utrera. Además, también hace sus pinitos con el saxofón y, de vez en cuando, se le puede ver en el Whisky Jazz de la calle de Diego de León. «La bohemia de su vida nocturna contrastaba con las actividades que desarrollaba el centro y con el nivel de vida que llevaba: sus dos hijas estudiaban en el Colegio Americano, el más caro y exclusivo de Madrid —señala un antiguo compañero de Sorensen—. A veces nos invitaba a acompañarle por las noches al Patio Andaluz, de la calle de Arlabán, y a otros garitos cercanos a la plaza de Santa Ana. Ésa era su zona cuando iba de flamenco». Retirado de las clases de inglés, Sorensen, en su vertiente de Tomás de Utrera, llega a realizar giras por todo el mundo.

Otro personaje singular dentro de este peculiar universo es la norteamericana Moreen Silver, fotógrafa de prensa muy bien relacionada con la embajada de la calle de Serrano. Dirige la agencia Silver Press y, al mismo tiempo, con el nombre artístico de María la Marrurra, graba un disco, en 1971, secundada nada menos que por la guitarra del gran Melchor de Marchena. Aparece en el programa de TVE «Rito y geografía del cante», e incluso consigue cierto reconocimiento artístico de figuras de la talla de Antonio Mairena. Un caso insólito, la única norteamericana que ha llegado a hacer el cante con fundamento. Y mientras continúa templándose con la soleá de Fernanda de Utrera, participa en tertulias radiofónicas defendiendo a George Bush, frente a Al Gore. Sus actividades informativas y flamencas las desarrolla ahora, desde hace unos años, nada menos que en Yemen, un Estado artificial cuyo gobierno dictatorial está controlado por los servicios de inteligencia norteamericanos.

SEGUIRIYAS CON MEGÁFONO

Uno de los cantaores más activos y comprometidos en la lucha contra la dictadura, durante los últimos años del franquismo y la transición, fue Manuel Gerena. «Llegó a pisar muchas de las comisarías de nuestro país y hasta le retiraron el pasaporte, para que no pudiera irse de su tierra, evitando de esa manera que se convirtiera en un poeta exiliado más de la España franquista», como recuerda su biógrafo Manuel Bohórquez. «Durante una década fue un artista de gran popularidad, que llenaba los institutos, colegios mayores y campos de fútbol. Era el Raimon andaluz, un cantaor de militancia comunista que vendía miles de discos y libros».[2] Gerena fue el primer flamenco que actuó en el Palau de la Música, de Barcelona. Sus letras eran de una claridad rotunda, pero algunas de ellas no hacían demasiadas concesiones al lirismo:

> Tú nunca seas mendrugo,
> siempre te lo digo, pueblo,
> tú nunca seas mendrugo,
> que no te coman la fieras
> que a ti te ponen el yugo
> y rompe ya las cadenas.

Otras son especialmente contundentes:

> Un pan por una pistola,
> menos cárcel y más bienes,
> por este cambio yo lucho,
> aunque a la muerte me lleve.

Sufre persecución constante y sus conciertos son suspendidos en varias ciudades: Sevilla, Barcelona... En algunos casos, canta con un megáfono en la puerta del local clausurado donde iba a actuar. En Asturias, en 1973, como recuerda Bohórquez, llegan a prohibirle hasta veintidós conciertos seguidos. Incluso detienen al guitarrista sevillano Manuel Molina, pareja de Lole, cuando aparece por Oviedo para acompañarle en uno de sus recitales. Van a por él en cuanto le ven andar por las calles de la ciudad con su guitarra en la mano, algo nada habitual en aquellas tierras: «Cuando le preguntaron qué hacía en Oviedo, contestó que tenía que acompañar a Manuel Gerena. Enseguida fue conducido a la comisaría, donde permaneció hasta que trincaron al cantaor, cuya detención tuvo lugar horas antes de su anunciado concierto. Gerena estuvo, como en otras muchas ocasiones, setenta y dos horas en la comisaría, pero a Manuel Molina lo soltaron de inmediato y se volvió a Triana».[3]

El ahora ultraderechista Antonio Burgos escribió en el semanario *Triunfo*, en febrero de 1975: «Mientras espera el santo advenimiento de las bendiciones administrativas para poder dar recitales en los barrios y en las facultades, en las fábricas y —¿por qué no?— en los teatros de Andalucía, para hacer la difícil profecía en su propia tierra, el cantaor Manuel Gerena se ha tenido que contentar con presentar su último disco en Sevilla [...]. Casi en una catacumba-estudio, en Radio Sevilla, para presentar *Cantes del pueblo para el pueblo* [...]. El caso es que a Manuel Gerena, en Andalucía, sólo se le puede escuchar en disco. Mientras pueda cantar en vivo o no, la presentación de la otra noche en la «Tertulia flamenca» de Radio Sevilla no dejó de ser un pronunciamiento. Una especie de nueva Cabezas de San Juan, en la que Gerena, como un Riego, proclamó en su tierra una forma distinta de entender el cante...».[4]

> Si eres patrón de estas tierras,
> vergüenza debe de darte,
> que esté tan alta la hierba
> y el pueblo muerto de hambre.
> O la labras o la dejas.

Entre 1974 y 1975 la discográfica de Gerena fue muy considerable y todos sus trabajos tuvieron una sorprendente acogida popular. «Durante muchos años he hecho un flamenco de urgencia, he sido una especie de periodista del cante. Antes, era más importante lo que decía que cómo lo decía, a pesar de que siempre he sido un gran aficionado, preocupado por conocer todos los palos a fondo. Yo tuve muchos problemas con la censura: me tiraban las letras para atrás, con el estudio ya contratado... No entré en el mundo del cante con la intención de ser un artista flamenco famoso, sino porque tenía la necesidad de cantar contra Franco. Y ahora, el arte crítico continúa siendo imprescindible. No hay que ser sectario, pero tampoco podemos perder la memoria histórica. Muchos políticos se han aprovechado de la lucha de otros para ejercer la prepotencia contra quienes los han puesto donde están».[5]

Tenía sólo nueve años cuando comenzó a trabajar en el campo y de ahí le viene su identificación con «El niño yuntero», de Miguel Hernández, que grabaría, bastantes años más tarde, en 2001, en un disco dedicado al poeta de Orihuela. «Cuando canto este poema, estoy evocando mi infancia: "Recuerdo la sombra del caballo siempre detrás", como dice una copla antigua que yo escribí. Era el caballo del aperaor, que vigilaba a la cuadrilla».

La sombra del caballo,
mare, a mí me molestaba,
aunque los rayos del sol
a mis espaldas quemaban.

Ya organizado sindicalmente, a los doce años fue a trabajar a Sevilla, de electricista, y con diecisiete se subió a un escenario por primera vez. «Tengo 3.000 conciertos en mi pellejo y sigo sin un duro», asegura.

«NO ME QUIERO QUITAR EL SOMBRERO»

Enrique Morente también fue víctima de las arbitrariedades franquistas. En su caso, la censura impidió la publicación de su disco dedicado a Miguel Hernández, porque incluía la adaptación flamenca del poema «Andaluces de Jaén». El volumen salió primero en México, completo, y en España apareció después, en 1971, sin ese corte. «A Miguel Hernández llegué a través de gente como Paco Almazán, José Luis Ortiz Nuevo, Francisco Gutiérrez Carbajo... Mis amigos del Colegio Mayor San Juan Evangelista, donde estaba el arte y la inquietud social —recuerda el cantaor granadino—. La primera vez que canté en el escenario del Johnny fue, por lo menos, hace cuarenta años y un día. Para mí es siempre muy entrañable cantar allí, pero ahora echo de menos los tiempos en los que había más actividad cultural y contestataria en la universidad. Fue una experiencia muy bonita la que vivimos a partir de 1970, llevando el flamenco a los estudiantes».[6]

Morente, el flamenco y el San Juan constituyen una enduendada trinidad desde principios de dicha década. Junto a Tete Montoliu, Enrique es el artista que más veces ha pisado las tablas de este colegio mayor. Gracias al cantaor granadino y también a pioneros de tanta categoría como Juan y Pepe Habichuela o José Menese, entre otros, el cante y el toque encontraron fructífero eco entre los universitarios del final de la dictadura y el principio de la venerada transición. La inquietud creativa de Morente permitió que muchos estudiantes de aquella época escucháramos por primera vez los versos de García Lorca y Miguel Hernández interpretados con melismática jondura.

El primer concierto del cantaor granadino en el San Juan se celebró en 1969 y le acompañaba a la guitarra Perico del Lunar hijo, en aquel momento compañero suyo en el legendario tablao Zambra. Antes de su recital, había tenido lugar una lectura de poemas a cargo de Gloria Fuertes. Hasta en catorce ocasiones se ha subido Enrique al escenario del San Juan. «Es historia del flamenco y de la música popular desde hace ya mucho tiempo», remacha el cantaor. Algunos de los jóvenes estudiantes que hoy residen en el colegio no tendrán muy claro, posiblemente, quién fue Luis Carrero Blanco, pero el San Juan Evangelista y el cante sufrieron las consecuencias de la voladura, aquel lejano mes de diciembre de

1973, del almirante que ejerció de fontanero mayor de Franco. Coincidiendo con el atentado, Morente tenía programado un concierto en el colegio, e incluso llegó a iniciar su actuación, pero sólo tuvo tiempo de hacer un fandango. Con letra muy clásica, eso sí:

> Pa' ese coche funeral
> no me quiero quitar el sombrero,
> pa' ese coche funeral,
> que la persona que va dentro
> me ha hecho a mí de pasar
> los más terribles tormentos.

«La letra del día de Carrero es antigua —explica Enrique—. Yo siempre he sido un poco rebelde y me salió así. Otra vez, fue la mujer de Franco con Raphael al Teatro Barceló, a un palco, y yo estaba allí cantando. Aproveché para hacer dos o tres letrillas de éstas. Claro, no podíamos estar callados. De todas formas, creo que ha habido muchos artistas y cantantes que se han jugado mucho más que yo, como para apuntarme ningún tanto en este terreno».[7]

El caso es que el recital del 20 de diciembre de 1973 se suspendió y los organizadores fueron severamente multados. Alejandro Reyes Domene, memoria viva del Club de Música y Jazz del San Juan Evangelista, recuerda con precisión este episodio, recogido en la *Historia-guía del Nuevo Flamenco*, de Pedro Calvo y José Manuel Gamboa: «Tuvimos que pagar 100.000 pesetas. Un dineral en aquella época». El salón de actos del colegio había ido cogiendo temperatura durante los primeros años setenta y, poco después, llegaría a convertirse en una verdadera caldera. «A partir de 1972, cuando José Menese cantaba el "Romance de Juan García", todo el mundo se ponía en pie, con el puño en alto, y el concierto terminaba con gritos de "amnistía y libertad" —recuerda Alejandro—. Una vez, sin ton ni son, al terminar un cante, José gritó: "¡Viva Mao!", y se armó la de Dios».

Durante años, las actividades artísticas realizadas en el colegio mayor sufrieron la presión constante de la censura franquista. «Hasta 1975, había que presentar un escrito con las letras que se iban a cantar en cada concierto, para que las aprobasen —prosigue Alejandro—. Pero en el flamenco hay mucho de improvisación y es imposible acertar. Había algunos compañeros que se encargaban de llevar a tomar copas a los de la censura durante las actuaciones, para que no se enterasen de lo que se estaba cantando. Uno de los grupos de teatro flamenco más importantes de aquella época, La Cuadra, de Sevilla, de Salvador Távora, vino a interpretar su obra *Quejío*, en la que se cantaba "Qué bonito está Triana...". Y la censura, claro, tachó lo de "republicanas"».

«Había que presentar la solicitud de celebración de cada concierto por triplicado —prosigue Alejandro—. Una copia iba al Rectorado, que siempre contestaba que sí. Otra, al Ministerio de Información y Turismo, con las letras que se iban a cantar. Si era una obra de teatro, tenías que hacer un pase previo. La tercera era para la Dirección General de la Policía, que nunca contestaba ni sí, ni no. Tenían potestad para interrumpir el espectáculo en cualquier momento. Hasta nos prohibieron cobrar la entrada, para ahogarnos económicamente, con lo poquito que pagábamos a los artistas. Como al cineclub del colegio sí le permitían cobrar, hicimos un truco y canalizábamos la venta de entradas por ahí. En 1974, actuó en el colegio Paco de Lucía. Se vendieron mil localidades, a 35 pesetas la entrada, y le dimos el 85 por ciento de la recaudación, que era lo acordado. Su padre decía: "¿Cómo le pagáis tan poco?, con lo bueno y lo famoso que es mi hijo...". Pero eso es lo que había. Luego Paco estuvo en el San Juan muchas veces, en los festivales de jazz, viendo a Chic Corea, a McLaughlin...».

Alejandro Reyes conserva en su memoria infinidad de anécdotas acaecidas a lo largo de los cuarenta años de actividad del Club de Música y Jazz del San Juan Evangelista: «Cuando organizamos el homenaje a Sabicas, en el Teatro Real, a él y a su hermano los llevé a comer cocido madrileño a La Bola. Y no dejaron ni un garbanzo. Sabicas le dijo a Barranco, que era entonces el alcalde y le recibió: "Si usted me pone un apartamentico aquí en la Gran Vía, me quedo a vivir en Madrid". Los cantaores que participaron en los grandes festivales que organizamos a principios de la década de 1970 cobraban 5.000 pesetas y los guitarristas 3.000. A la bailaora Merche Esmeralda sólo se le dio un ramo de flores. Cuando actuó La Paquera de Jerez, que tenía muchos seguidores en Madrid, uno de ellos le regaló un ramo de flores. Ella se disgustó, porque decía que las flores eran para los muertos, que lo que le gustaban eran los bombones y los diamantes».

En el San Juan Evangelista se celebró el último concierto en el que participó Camarón de la Isla, el 25 de enero de 1992.[8] «Llegaron a ofrecer 25.000 pesetas por una entrada y, otros, hasta una gran piedra de hachís por entrar, sin que nadie supiera que iba a ser su última actuación —señala Alejandro—. Tengo un recuerdo inmejorable de él. Era amable, dulce, cariñoso, educado, sin una mala palabra para nadie».

Un habitual de las actividades flamencas del San Juan Evangelista fue el cantaor jerezano Manuel Agujetas. Sus recitales eran un acontecimiento. «Empezaba a cantar en el teatro y siempre terminaba en otra sala del colegio, a las siete o las ocho de la mañana, sin que nadie hubiera podido dormir en toda la noche —relata Alejandro—. Agujetas decía: "Sólo hay tres cantaores: Chocolate, Terremoto y yo". En aquella época no hablaba de política nunca, pero ya era faltón con sus compañeros. Luego fue cada vez más complicado llevarle, por su mala relación con todo el mundo».

LA PREHISTORIA

Manuel Agujetas es un personaje primitivo, un ser de otro tiempo. Su terrible y ancestral queja flamenca es la consecuencia positiva —posiblemente la única— de ese sorprendente anacronismo que encarna el artista jerezano. Manuel es uno de los individuos más difíciles e intratables que ha dado la historia del cante. «Sólo me gusto yo», afirma de forma contundente. Y se queda tan tranquilo. Es capaz de decir que «Carmen Amaya era una india que daba saltos. Por eso les gustaba a los americanos». Otras veces, menos provocador, salva a cantaores como Chocolate, otro jerezano peculiar, pero que era muchísimo más llevadero que él. En un alarde de moderación incluso se digna reivindicar alguna vez a Antonio Mairena, después de haber estado toda la vida criticándolo con argumentos mezquinos relacionados con la opción sexual del maestro. «Yo haría el flamenco obligatorio en las escuelas —afirma—. Pero el de antes, el que había gente que sabía cantar, como Antonio Mairena. El de ahora es una copia, todos pegando chillidos».

Sin embargo, él no quiso ni oler la escuela. «Nunca fui donde estaba el maestro —asegura, orgulloso—. Mejor dicho, sí, creo que fui una vez, y salí volando. Aprendo las letras de memoria y ya no se me olvidan. Uno que sepa leer y escribir no puede cantar flamenco, porque pierde la buena pronunciación». Si la cara es el espejo del alma, Agujetas, obviamente, tiene una dimensión intangible fuera de lo común. Sólo hay que ver la instantánea de Pepe Lamarca que lo presenta con la mirada recelosa, los dientes de oro, la cuchillada en la mejilla... Vaya tela.

Y, desde luego, si Hollywood hubiese descubierto ese rostro hace años, los malos de relumbrón, como Jack Palance, no habrían pasado de comer palomitas en el ambigú del cine. En septiembre de 2002, en Jerez, durante un ciclo de flamenco protagonizado por distintos clanes gitanos, en el que también participaba su propia familia, Agujetas la lió. Sólo se le ocurrió meterse con los artistas gitanos, es decir, con su gente. Renegó hasta del arte de sus propios hijos, y eso que dos de ellos, Antonio y Dolores, son interesantes cantaores. Pero allí están acostumbrados a esos terribles desplantes y prefieren valorar a Agujetas sólo como intérprete. Lo mismo que hace, con buen criterio, la afición madrileña. Aunque a veces resulta demasiado difícil soportar con resignación sus terribles salidas de tono.[9]

Manuel fue fragüero de profesión, como mandan los cánones clásicos, hasta los treinta años, aproximadamente. Está emparentado con algunas de las estirpes flamencas con mayor solera de la tierra del vino fino y es uno de los últimos grandes representantes de una forma de cante que se extingue. Su voz nasal enlaza con las más puras esencias de la prehistoria flamenca. Las actuaciones de Agujetas son seguidas con enorme expectación, y no sólo por el glorioso soniquete que posee: el resultado de cada una de ellas es absolutamente imprevisible.

Algunas notas biográficas señalan que nació en Jerez, en 1939, y otras sitúan el alumbramiento de tan singular personaje en 1937, en la cercana localidad de Rota. Él ni confirma ni desmiente ninguna de las dos teorías. Ni lo sabe ni le importa. Desde hace años, vive aislado en una casa campera situada entre Rota y Chipiona, junto a la bailaora japonesa Kanako Ikeda, y sólo sale de allí para cantar. «Soy el hombre más libre del mundo», asegura. Pero cada vez más, en sus disparatadas salidas de tono, le da por elogiar a Franco, después de haber peloteado con su «sucesor a título de rey», a quien incluso dedicó unos fandangos:

> De los árboles frutales,
> me gusta el melocotón.
> Y de los reyes de España,
> don Juan Carlos de Borbón.

Un cuestionario publicado en «La Revista», (*El Mundo*), en 1998, permite realizar un acercamiento bastante preciso a su ideario:[10]

—Nacionalismo. ¿Sería un presidente españolista?

—Yo soy español, pero a mí me da igual España. No vivo de gobiernos ni de nadie. Yo soy libre, ahora y con Franco.

—Drogas. ¿Legalizaría las drogas?

—No. Yo tengo un niño en las drogas y no entra en mi casa. Con los drogadictos, haría como en México: el que fume porros, ahorcado.

—Siglas. ¿Cómo se llamaría su partido?

—El partido de don Manuel.

—Arte. ¿Declararía los tablaos flamencos Monumento Nacional?

—En los tablaos no hay más que cuatro extranjeras, las llevan los golfos para pasarlas por la piedra. Una basura. El español es *bisho* malo.

CANTE CONTRA LOS USURPADORES DE VEREDAS

Los comienzos artísticos de José Domínguez, El Cabrero, datan de 1970, cuando entra a formar parte del grupo de teatro flamenco La Cuadra, de Sevilla, con el que actúa en distintas localidades españolas y europeas. En el extranjero cosecha un enorme éxito entre los colectivos de emigrantes españoles de Francia, Alemania y Suiza. «Yo cantaba de chavalete en las tabernas. Como siempre he sido un poco podenco, me acercaba también, de vez en cuando, a Sevilla para escuchar los buenos cantes, que en mi pueblo decían que eran de borrachos, de alcoholizados. Allí se conocía más que nada el fandango, y cuando yo cantaba algún tercio por soleá o seguiriya, decían que eso era pegar voces —explica—. Después vine a Sevilla, a La Cuadra, y unas veces estaba cortando leña para la chimenea, otras blanqueaba... Mi abuelo se llamaba Críspulo y en el pueblo le llamaban El Crespo, si yo no me hubiera ido de ese pueblo maldito, habría seguido siendo nada más que El Crespo toda la vida».[11]

> Pa odiá el pueblo en que nací,
> a mí me sobran razones,
> soy como un extraño allí.

Entre odios y rencores
es imposible vivir.

Se nota que soy del monte,
como el barco es de la mar,
se nota que soy del monte,
soy lento en mi caminar
y el silencio es mi horizonte,
y eso el campo me lo da.

La aparición de su primera grabación coincide con la desaparición del dictador y el inicio de la batalla de la transición: «Un día, mi amigo Pepe Carrasco me propuso grabar un disco y me dijo: "Dinero, te van a dar muy poco". Yo le contesté que dinero no quería, pero que pagasen lo que le costase a mi mujer la clínica, porque estaba a punto de dar a luz». Y apareció su primer disco: *Así canta El Cabrero*. A pesar de su dedicación profesional al cante, José nunca se ha distanciado del campo y sus problemas, ni ha dejado de conservar su rebaño de cabras. Durante años ha sido uno de los principales abanderados de la lucha por conservar las rutas de trashumancia del ganado que los propietarios de la tierra han ido usurpando. «Las veredas reales de trashumancia deben tener casi 40 metros, y resulta que no cabe por ellas ni un tractor —explica—. Cuando los terratenientes dicen que las cabras se meten en los campos de trigo, están mintiendo: van por la delimitación que le corresponde a la vereda. Los señores propietarios han ido cerrando las veredas y si el ganado no va por ahí, tenemos que echarlo al asfalto, y entonces nos denuncia la Guardia Civil, porque nadie tiene permiso para trashumar por la carretera. Los guardias se pusieron en cierta ocasión con las armas montadas defendiendo una propiedad y me dijeron que echase las cabras a la carretera. Yo me negué si no me daban un permiso escrito para poder hacerlo. A partir de ahí, El Cabrero se convirtió en el rojo del pueblo».[12]

> Hay quien tiene las ideas
> de un jabalí malherío,
> yo sé que, en el pueblo mío,
> me han tratao como a una fiera,
> porque nunca me he vendío.

Una de las veredas que atraviesa el término municipal de Aznalcóllar pasa por los terrenos que la empresa minera Andaluza de Piritas tiene en la localidad natal de El Cabrero. En cierta ocasión, un guardia jurado le salió al paso, apuntándole con su arma, cuando pasaba con su ganado. «Entonces, dije: "¡Cógele!", como si hubiera otro cabrero detrás de él, y cuando se volvió, me eché encima, le di tres o cuatro "zamarreones" y le quité el cacharro —recuerda El Cabrero—. Acabamos en el juzgado, y el juez, que fue el primero en cerrar una vereda para plantar olivos, tomó como versión del hecho la que le ofreció el guardia jurado, claro».[13]

> Sin matar ni haber robao,
> en la cárcel me vi un día,
> porque un guardia jurado
> me quiso quitar la vía
> cuando iba con mi ganao.

«Las veredas son caminos para el ganado, vías agropecuarias, propiedad del Ministerio de Agricultura y administradas por ICONA —explica José—. Esas veredas tenían antes anchuras de hasta ochenta varas, porque todo el transporte de ganado se hacía así, sin camiones ni nada. Hubo una reducción de las veredas a solicitud de los terratenientes y se comieron parte del terreno, pero incluso con las reducciones, la que menos tenía en la zona de Aznalcóllar era de 17,5 metros, y la media era de 22,80. Pero esos señores no han respetado la nueva delimitación, han sembrado las veredas y han dejado sólo paso para un tractor. El ganado, para ir a los abrevaderos, para ir a los descansaderos e incluso para desplazarse necesita esos pa-

Juan, Pepe, Carlos y Luis Habichuela, junto a su madre y su hermana.

Pepa Flores y Antonio Gades en París.

Chaquetón.

Melchor de Marchena.

Camarón y Paco de Lucía en el estudio madrileño de Pepe Lamarca.

Paco Toronjo y El Mami en la Peña Chaquetón.

Rafael Romero, Perico del Lunar y Alfredo Grimaldos.

Encarnación Gil (esposa de Menese), Xavier Ribalta, Francisco Moreno Galván y José Menese, junto a Paco Ibáñez y su madre en la casa del cantautor en París.

Niño Miguel.

Joselero de Morón.

Manuel Soto, Sordera, con su hijo Vicente
y su sobrino José Mercé.

El Güito y Mario Maya, en Los Canasteros.

Farruco, con Farruquito, El Farru y otro de sus nietos,
bajo un retrato de Carmen Amaya y Antonio.

Juan Moneo, El Torta.

Bambino.

Manolo Heras, Pepe Habichuela, Chaquetón, Carmen Linares, Rafael Romero, Luis Habichuela, Enrique Morente y Perico del Lunar, junto al pintor Pepe Rubio y otros responsables del Café de Silverio, tras el festival flamenco celebrado en el madrileño Cine Europa en 1982.

sos. Entonces, sólo hay dos opciones: echar el ganado a la carretera, que es peligrosísimo y además está prohibido, o arrollar lo que los terratenientes han sembrado».

Las disputas que El Cabrero ha tenido por defender el uso legítimo de las veredas han sido innumerables. En otra ocasión, le cortaron el paso tres hermanos propietarios de Aznalcóllar en tono amenazador: «Esto lo hemos sembrado nosotros y nosotros lo segamos. Como vuelvas a pasar mañana, te levantamos a hostias». «Al día siguiente nos juntamos unos cuantos cabreros y pasamos con todas las cabras, ya sin cuidar ni de los límites de la vereda, del rebaño tan enorme que montamos», relata el cantaor.

En 1989, otro propietario de tierras, Antonio Nieto Sánchez, amenazó a El Cabrero de muerte: «Para acabar contigo habría que pegarte un trabucazo». Nieto era propietario de unos terrenos ubicados entre las veredas de «El cordel de Escacena y Niebla» y la colada del «Pilar Viejo».

Con la jerarquía eclesial tampoco ha hecho buenas migas El Cabrero. El 20 de octubre de 1982 ingresó en la Prisión Provincial de Sevilla para cumplir una condena de dos meses por un delito de blasfemia, impuesta por la Audiencia Provincial de Córdoba. Se había cagado en Dios durante una actuación en Alcolea (Córdoba), cuando un espectador le hizo burla. Salió en libertad tras beneficiarse de un indulto concedido como consecuencia de la movilización popular que se produjo en solidaridad con él.

> Nos enseñan a matar,
> mucho más que a sembrar un árbol,
> nos enseñan a matar,
> y a los que nos rebelamos
> sólo nos queda gritar:
> ¡Ni guerra, ni dios, ni amo!

En 1993, con Felipe González en La Moncloa desde diez años antes, los responsables del programa «Informe Semanal», de

TVE, vetaron un reportaje sobre El Cabrero. El trabajo se había realizado después del éxito obtenido por el cantaor durante todo el mes de agosto de ese año, en una serie de conciertos patrocinados por la Fundación Womad, dirigida por el cantante británico Peter Gabriel. Fernando López Agudín, director del programa en ese momento, aseguró que, «simplemente», se había pospuesto la emisión. Las opiniones de El Cabrero, abierto simpatizante de la centenaria tradición anarcosindicalista del campo andaluz, jamás aparecieron en antena. En sus cantes, José definió, de forma anticipada, la feliz culminación bipartidista de la «modélica» transición:

> ¿Cómo van a arreglar ná?,
> con almuerzos de trabajo,
> si el que está jarto de pan
> sólo quiere al que está abajo
> pa ver si lo junde más.

> Hasta llegar al poder,
> muchos prometen la luna,
> y cuando arriba se ven,
> no escuchan queja ninguna
> y te tratan con el pie.

TEATRO FLAMENCO

Durante los últimos años del franquismo se da también un importante movimiento de teatro flamenco comprometido, cuyo primer hito lo constituye *Oratorio*, como señala José Manuel Gamboa:[14] «En Lebrija toma forma un nuevo teatro popular que arranca con la pieza *Oratorio*, original de Alfonso Jiménez Romero y que montó Juan Bernabé. Este director de teatro, Juan Bernabé Castell (Lebrija, Sevilla, 1947-1972), fue el fundador y director del Teatro Estudio Lebrijano (TEL), todo un ejemplo de novedosa dramaturgia ciudadana, concebido desde el rigor artístico, que fue posible gracias a la entrega de una población rural. El ejemplo trascendió tanto en lo cultural como en lo social y político, cuando aún se vivía en la dictadura. *Oratorio* servirá para dar a conocer el teatro lebrijano y, por ende, el teatro popular andaluz dentro y fuera de nuestras fronteras. La trilogía andaluza *Boca de cabra* (1967), *Oratorio* (1968) y *Oración de la tierra* (1969), del dramaturgo moronense Alfonso Jiménez Romero (Sevilla, 1931-1995), resultó al fin una investigación estética sobre el flamenco como expresión popular dentro de unas estructuras dramáticas. Para su puesta en escena siempre se buscó a gentes del medio rural. Muchos de los actores eran campesinos andaluces sin experiencia previa en los escenarios. En posteriores montajes de ese tipo participaron gentes como Fernanda Romero, Diego Clavel, Juan Morilla, Manuel de Paula, Miguel Vargas o El Cabrero».

Oratorio es el antecedente directo de *Quejío*, obra del grupo La Cuadra, de Sevilla, al frente del cual está Salvador Távora. Se adopta el nombre de «La Cuadra» porque así es como se denomina al local donde se ha gestado el grupo, un centro montado por Paco Lira, en Sevilla, que, durante esos años, es epicentro de numerosas actividades culturales comprometidas y reducto del mejor flamenco. Lira es un personaje fundamental en el ámbito cultural sevillano de esos años, profundo conocedor del cante y un hombre íntegro y consecuente. Tras la desaparición de La Cuadra, inaugura un nuevo local, La Carbonería, en pleno barrio de Santa Cruz, que aún conserva sus puertas abiertas.

En febrero de 1976, poco después de la muerte del dictador y en plena batalla por la «ruptura democrática» que nunca se conseguiría, sonó también la voz reivindicativa de los gitanos, con textos de José Heredia Maya y arropada por el baile de Mario Maya. *Camelamos naquerar* ('Queremos hablar') constituyó un hito cultural y social. Descatalogada desde hace muchos años, ahora se acaba de reeditar la banda sonora de aquel espectáculo, en la que podemos recuperar el eco de El Piki, excelente cantaor que falleció muy joven, asesinado en circunstancias que nunca se han aclarado.

Granadino, como Mario Maya, Antonio Cuevas, El Piki (1945-1980), trabajó junto a este maestro del baile en numerosas ocasiones. Pero además de sus colaboraciones cantando para baile, grabó un excelente disco, contundente y emotivo, que se abre con unos tangos tremendos, en los que su poderosa y flamenquísima voz denuncia:

> Ni la cantan los poetas,
> ni la miran los extraños,
> no está en zambras, ni está en fiestas,
> la Andalucía que canto.
>
> Convivir en los cortijos,
> con esclavos de mi tierra,
> con mujeres que, en tinajos,
> paren lo mismo que bestias.
>
> Con gañanes enfermizos,
> que viven bajo las cuevas,
> con los niños harapientos
> y sin maestro en la escuela.
>
> Nunca durmieron en cama,
> nunca comieron en mesa,
> ni estrenaron nunca un traje
> en un domingo de fiesta.
>
> La Andalucía que canto
> es la flamenca de veras,
> que llorando está por dentro
> y se rebela por fuera.

También reivindica los campos andaluces para los jornaleros en unas excelentes y muy personales bulerías:

Yo no sé por qué
la campiña y los toritos
tienen que ser de Domecq.

Pero lo que yo sí sé:
que las plazas de mi pueblo
son mías y son de usted.

Por los campos de la Europa
trabajo de sol a sol,
cuando yo vuelva a mi tierra:
Torototrón, tron, tron, tron...

«DE PALOS Y PALOS DANDO»

Granadino también es el cantaor Paco Moyano, director del
Festival de Teatro Flamenco en su Alhama natal, un flamenco
valiente que se ha encontrado con muchos problemas como
consecuencia de su compromiso político y artístico. Con motivo de los actos preliminares de los fastos del V Centenario,
consiguió colar un gol por toda la escuadra a la Junta de Andalucía, que le subvencionó su disco *De Sur a Sur.* Después de
eso, ya no volvería a encontrar ninguna ayuda pública para sus
interesantes trabajos. En la colombiana que cierra ese volumen, titulada, elocuentemente, «Espada y cruz», Paco canta:

De Palos y palos dando
salieron tres carabelas,
y clavaron una cruz,
allá donde espada hundieran,
en un rosario de muerte
y de misa en cada aldea.

Eso para ir empezando, y continúa:

Si llega a saberlo el fraile
Bartolomé de las Casas,
ni se casa con la Iglesia,
ni con Cristóbal se embarca,
si llega a saber el crimen
Bartolomé de las Casas.

Y el estribillo redondea el mensaje:

Espada y cruz, espada y cruz,
bendiciendo
al andaluz,
indio y negro.

Además, es imprescindible recordar los campanilleros incluidos en el disco, titulados «Militante», que rinden homenaje a
los caídos en la lucha contra el fascismo:

Los rosales que mi patio tiene,
poquito a poquito, floreciendo están,
si la noche asesina a una rosa,
al alba se abren unas pocas más.

Una sombra de cárcel le sigue
y un olor a caenas hasta el final,
y hasta el triunfo que busca un valiente.
Más en el sufrir, ¿quién le apoyará?
¡Solidaridad!
Y al hermano caído en la lucha
prestémosle nuestro calor fraternal.
Es la lluvia sangrante la savia
que a futuras rosas color les dará.

En un disco anterior, *Yo os canto* (1978), Paco recordaba, por
soleá, la represión que sufrió su propia familia:

Un sillón tendrá en el cielo
aquel que, en un Jueves Santo,
mandó matar a mi abuelo.

Y en esa misma grabación, citaba a uno de los «padres de la patria» que participaron en la elaboración de la Constitución monárquica de 1978, Manuel Fraga Iribarne. No hay que olvidar que el ex ministro de Franco entre 1962 y 1969 formaba parte del gabinete gubernamental que dio el visto bueno a la ejecución del militante comunista Julián Grimau y, después, a los fusilamientos de los jóvenes anarquistas Francisco Granado y Joaquín Delgado.

¿Dígame usté, don Manué,
qué aprendió en la Gran Bretaña?,
que el capital, en España,
confía tanto en usté.

ENTRE LA PERSECUCIÓN Y LA BODEGUIYA

En 1976, el mismo año que se estrena *Camelamos naquerar*, tiene lugar en el Teatro Lope de Vega de Sevilla la presentación de otro excelente espectáculo, *Persecución*, con textos de Félix Grande interpretados por Juan Peña, Lebrijano. En él se denuncia la historia de marginación y represión que sufren los gitanos desde su llegada a España en el siglo XV. El trabajo queda recogido en un disco imprescindible en el que Juan, espléndido, está acompañado por las guitarras de su hermano Pedro Peña y Enrique de Melchor. «Quisimos que fuese no únicamente un producto artístico, sino también y sobre todo una propuesta de inquietud civil», señala Félix Grande.

Lebrijano, cercano a los socialistas andaluces durante la transición, llegaría a tener una estrecha relación con Felipe González que, finalmente, se rompió. Después de una de sus visitas a La Bodeguiya de La Moncloa, durante el primer gobierno socialista, el cantaor declaraba a Carmen Rigalt, en *Diario 16*:[15] «Un artista nunca debe casarse formalmente con nadie. Otra cosa es que yo haya luchado durante mucho tiempo por unas ideas y junto a una gente que hoy ocupa el poder. Pues sí, es verdad, pero no voy a meterme ahora a trotskista sólo por llevar la contraria y mantener el tipo. Ser amigo de Felipe y visitar de vez en cuando La Moncloa no significa que me hayan nombrado el cantaor oficial del Partido Socialista. Si fuera un cantaor del partido tendría subvenciones y privilegios, cosa que no tengo. Soy amigo de Felipe, que en alguna ocasión me ha invitado a cenar, y yo, como conozco su afición por el flamenco, le he cantado un poquito. Algunos han interpretado que actúo como un gitano cantándole a un señorito, y eso me duele. Yo llevo haciendo campaña con el PSOE desde el año setenta y siete. Incluso antes, en esa época en que andábamos todos corriendo. ¿Cómo se dice?... En la transición, eso es, pues yo andaba metido con ellos. Cuando empezó la movida política, en el año setenta y dos, tanto Menese como yo adoptamos una actitud. Él se fue por la parte de los comunistas y yo, sin tener una ideología concreta, me sentía cercano al socialismo. No tomábamos partido, sino conciencia política, simpatías... Sin embargo, nunca me afilié a nada. La libertad del artista debe ser sagrada. En nombre de esa misma libertad, hoy acepto las invitaciones de Felipe para ir a La 'Bodeguiya' y dedicarle un poco de cante. A él le gusta mucho escuchar flamenco en la intimidad».

Años después, la cosa ya había cambiado:

—¿Tenías mucha relación con Felipe González?

—Se ha hablado mucho de eso, pero más que amigos, éramos conocidos. Yo hice campaña por el PSOE en las primeras elecciones de Andalucía y he vivido un mundo en el que no he entendido muchas cosas, pero me he ido limpio y algún día, cuando sea mayor, si me entra la neura, contaré cosas. Yo pensaba que tenía cierta amistad con Felipe González, pero después no ha sido así.[16]

LA LUCHA EN LA CALLE

El recuerdo de Blas Infante, padre del andalucismo, fusilado en la carretera de Sevilla a Carmona por los fascistas, el 11 de agosto de 1936, sin juicio previo, también aflora en muchas de las nuevas coplas flamencas que se empiezan a cantar a partir de 1976. El propio José Menese, que lleva años haciendo un cante muy comprometido, contribuye al resurgimiento del andalucismo durante la transición:

> ¡Viva Andalucía libre!,
> gritó un hombre agonizante,
> honró su nombre la Historia,
> se llamaba Blas Infante.
> ¡Bendita sea su memoria!
>
> (Granaína)

Pero, sin duda, la mayoría de los nuevos textos de contenido social hacen referencia al campo andaluz. Turronero, con su flamenquísimo eco, canta:

> Olivaritos del campo,
> ¿quién los varea?:
> veinticinco chiquillos
> y una correa.
>
> (Bulerías)

> Al empezá la caló
> empezaban los jornales
> y cuando llegaba el frío:
> ¡Vaya usté, que Dios le ampare!
>
> (Tientos)

En esta línea abunda el cantaor lebrijano Manuel de Paula, gitano de familia jornalera.

Lo mismo que cazaores
son los campos de la tierra,
que a cambio de la comía
te dan la prisión eterna.

El 3 de marzo de 1976, en Vitoria, son acribillados por la policía los trabajadores que participan en una multitudinaria asamblea que tiene lugar dentro de la iglesia de San Francisco de Asís. A consecuencia de los disparos, mueren cinco obreros: Francisco Aznar Clemente, Pedro María Martínez Ocio, Romualdo Barroso Chaparro, José Castillo García y Bienvenido Perea. Pepe Taranto Morón pone queja flamenca a la denuncia de estos asesinatos. En su copla, habla sólo de cuatro muertos; posteriormente fallecería otro de los obreros heridos.

Sonaron cuatro disparos,
la sangre allí s'erramó,
que el grito de mis hermanos
s'a oío por toa la nasión.

Cuatro muertos van p'adelante,
los jundunares detrás,
los gritos llegan al cielo
pidiendo la libertad.

El 13 de agosto de ese mismo año, Francisco Javier Verdejo Lucas, estudiante de diecinueve años, muere en Almería por disparos de la Guardia Civil. Recibe un balazo por la espalda mientras hace una pintada: «Pan, trabajo y libertad». Es plena feria patronal en la localidad andaluza y el suceso conmociona a toda la provincia. Javier es hijo de un personaje muy conocido en aquellas tierras, Guillermo Verdejo, un franquista recalcitrante que ha sido presidente del Colegio de Farmacéuticos y alcalde de Almería. Cuando los guardias civiles que han asesinado a su hijo se presentan ante él para ofrecerle sus excusas, intentando explicarle que lo ocurrido ha sido fruto de un accidente, el padre de la víctima les contesta que sólo han cumplido con su obligación.

El grupo musical andaluz Gente del Pueblo, vinculado al Sindicato de Obreros del Campo (SOC) y al Partido del Trabajo de España (PTE), graba poco despúes un homenaje a Javier por sevillanas:

> Por las playas de Almería
> nacieron claveles frescos,
> sembrados con la semilla
> del joven Javier Verdejo.
>
> Cayó su cuerpo «jerío»,
> como en otoño las hojas
> y con su sangre, en la arena,
> puso la bandera roja.

Los familiares del fallecido intentan que el entierro pase desapercibido, pero la gente abarrota la iglesia de la Virgen del Mar. Varios camaradas de Javier, que militaba en la Joven Guardia Roja, organización juvenil del Partido del Trabajo de España (PTE), y miembros de otros partidos de izquierda arrebatan el féretro a la familia y lo llevan en hombros hasta el cementerio, al frente de una gran multitud. El gobernador civil de Almería es el fiscal Roberto García Calvo, que en 2001 llegará a magistrado del Tribunal Constitucional. Ordena la detención de quienes han participado en «el secuestro del cadáver» durante el entierro, pero no realiza ninguna investigación sobre las circunstancias en las que se ha producido la muerte del joven comunista y archiva rápidamente el caso. Cuando es designado juez del Tribunal Constitucional, veinticinco años después, respaldado por el gobierno de José María Aznar, a nadie se le ocurre preguntarle por el asesinato de Javier Verdejo.[17]

El 8 de septiembre de 1976 muere en Fuenterrabía Jesús María Zabala, delineante de veinticuatro años, por disparos de la Guardia Civil, mientras participa en una manifestación pro amnistía. Son las fiestas del Alarde y 50.000 personas asisten a su funeral. El día 9 se inicia una huelga general en todo el País Vasco como rechazo al nuevo crimen. En la misma composición de Gente del Pueblo que rinde homenaje a Javier Verdejo, titulada «Pan, trabajo y libertad», también se recuerda el asesinato de Jesús María Zabala:

> Como se agitan los mares,
> Euskadi se ha «estremecío»
> y al grito de libertad,
> se levanta «embravecío».
> El pueblo pide justicia
> por la muerte de Zabala,
> por todos los que han caído
> heridos cuando luchaban.

El 4 de diciembre de 1977, durante la celebración en Málaga de una manifestación multitudinaria y autorizada, a favor de la autonomía andaluza, muere por disparos de la Policía Manuel José García Caparrós, de dieciocho años. Los responsables de la Diputación de Málaga no permiten que ondee en el edificio la bandera blanquiverde andaluza y un grupo de fascistas, protegido por la Policía, increpa a los concentrados, algunos de los cuales responden a los provocadores. Los policías cargan violentamente, sin previo aviso, y disparan contra los manifestantes pelotas de goma y botes de humo. En determinado momento, llegan a hacer uso de sus armas reglamentarias y disparan fuego real. Cae muerto de un disparo García Caparrós, militante del PCE y miembro de CC.OO.

La Policía armada llega hasta el Hospital Civil persiguiendo a los heridos e incluso ametralla la fachada del edificio. Al día siguiente, la Guardia Civil irrumpe en las instalaciones de Radio Juventud y apalea al periodista Rafael Rodríguez, que ha calificado la muerte de Manuel como un «asesinato». El ministro Martín Villa rechaza airado este término y nombra al entonces subdirector general de Seguridad José Sáinz, veterano torturador franquista, para que investigue los hechos. No habrá ningún responsable del crimen.

En esta ocasión es Manuel Gerena quien recuerda al compañero caído:

> Andalucía de luto
> pide justicia en la calle;
> hermano, José Manuel,
> nuestra bandera es tu sangre.

Durante esos «modélicos» años de la transición, en los que la represión policial estuvo combinada con la actuación de la extrema derecha, también Paco de Lucía tuvo problemas con los ultras. En 1976, en un programa televisivo conducido por Jesús Quintero, el periodista le pregunta a Paco: «¿Qué es más importante a la hora de tocar la guitarra, la derecha o la izquierda?». Y el guitarrista contesta: «La izquierda es la que hace música, es creativa; la izquierda es inteligente. Como la derecha es la que ejecuta». El doble sentido de sus palabras encrespa a los franquistas y un día, a la salida del cine Avenida, en plena Gran Vía, cuando va acompañado por su mujer, Casilda, Paco sufre la agresión de un grupo de fascistas que le reconocen. Le intentan pisar las manos, para destrozárselas, pero él se defiende, acude gente en su ayuda y, al final, afortunadamente, no ocurre nada grave.

LAS PEÑAS: CANTE GRANDE Y REIVINDICACIÓN SOCIAL

Otro de los cantaores comprometidos que falleció durante la transición en extrañas circunstancias fue Luis Marín (1950-1978). Nacido en la localidad malagueña de Ronda, emigró a Madrid muy joven, con su familia, y se afincó en el barrio de Vallecas. Junto a su hermano Bartolo, también cantaor, fue uno de los principales impulsores de la peña flamenca Los

Cabales. Desde los últimos años del franquismo militaba muy activamente en la Organización Revolucionaria de los Trabajadores (ORT). Su muerte nunca quedó clara. Había sido amenazado en numerosas ocasiones por la extrema derecha y fue atropellado, en el paseo de la Castellana, por un capitán del Ejército que se dio a la fuga. Finalmente el militar sería identificado, pero, como era habitual en aquellos años, no se llegó a investigar a fondo el asunto, el responsable de la muerte de Luis nunca fue condenado y el asunto se archivó.

Junto a Perico del Lunar, Luis Marín grabó dos discos, con evidentes connotaciones políticas: *Cantata de Andalucía* y *El anarquismo andaluz*. En este último cantaba, por petenera, el poema de Ernesto Che Guevara que Juan Paredes Manot, Txiqui, uno de los cinco fusilados el 27 de septiembre de 1975, escribió detrás de la foto suya que les envió a sus hermanos pequeños cuando ya estaba en capilla:

> Mañana cuando yo muera,
> no me vengáis a llorar,
> nunca estaré bajo tierra,
> soy viento de libertad.

Luis remataba el cante con un tercio suyo:

> Tu sangre sembró el camino
> de flores de libertad.
> Yo quiero ser jardinero
> de tu frondoso rosal,
> compañero, compañero,
> muerto por la libertad.

En ese mismo disco se incluyen unos fandangos en los que queda clara la posición política del cantaor:

«Que la noche no es el día,
que la luna no es el sol,
que tu clase no es la mía,
son enemigas las dos»,
un pobre a un rico decía.

En 1986 se inauguraría en Vallecas una peña con su nombre, que intentaba recuperar la herencia flamenca y política de Luis Marín. «No queríamos montar una peña tradicional, sino otra cosa, atípica, abiertamente de izquierdas —explica Víctor Jiménez, ex presidente de la ya desaparecida entidad—. Nuestra sede era la Asociación de Vecinos de Nuevas Palomeras. Conseguimos que se pusieran los nombres de Antonio Mairena y Luis Marín a dos calles del barrio». El espíritu de la Peña Luis Marín ha encontrado continuación en el Ateneo Republicano de Vallecas, que organiza, a finales de diciembre, desde hace seis años, el Festival Flamenco Republicano, en el que se reivindica la figura de Angelillo.

La peña Luis Marín se vino a sumar a un movimiento que había surgido durante la década anterior. Hace treinta y cinco años, coincidiendo con el comienzo de la transición, Madrid disfrutaba de un floreciente movimiento flamenco asentado en la sólida infraestructura que proporcionaban varias peñas situadas en barrios populares como Vicálvaro, Moratalaz o Vallecas y en los pueblos del cinturón obrero de Madrid. Estas entidades, lo mismo que otras de similares características creadas en Barcelona, estaban enraizadas en el tejido social, político y ciudadano de oposición al franquismo y agrupaban a la inmigración andaluza, fundamentalmente, y también a aficionados extremeños y manchegos. Por ejemplo, el vicepresidente de la Peña de San Blas-Vicálvaro, Pepe Antúnez, cordobés de Fernán Núñez, era destacado militante del PCE. Por su parte, el presidente de la Peña Chaquetón, Pablo Tortosa, también comunista, era un conocido dirigente del metal de CC.OO. Y la Peña Duende, que aún mantiene sus puertas abiertas, ocupa la sede del PCE del Pozo del Tío Raimundo. Los retratos flamencos que llenan las paredes del local estaban presididos por uno grande de Dolores Ibárruri, Pasionaria. Entre los establecimientos flamencos madrileños de los años setenta y ochenta también fue importante el Centro Cultural Al-Andalus de Moratalaz, donde se fundían el cante y la militancia política antifranquista. Pepe Caballero, con la guitarra de José Manuel Montoya, cantaba a su padre, veterano comunistas torturado y encarcelado:

> Cuando vendrá la Merced,
> y aunque sea tras de las rejas,
> a mi pare me dejen ver.

LA CARCELERA

El 1 de mayo de 1974 se inauguró, en el barrio de Malasaña, La Carcelera, una entidad que fue clave para la difusión del flamenco en Madrid durante los años de la transición. En aquella sesión estuvieron presentes, entre otras figuras del arte jondo, Manolo Sanlúcar, José Menese y Francisco Moreno Galván. Con muchas dificultades, se mantuvo abierta hasta 1993 y, durante ese tiempo, pasaron por allí numerosas veces los miembros de la familia Sordera, los Habichuela, Menese, Rafael Romero, Agujetas, Carmen Linares, Chaquetón... «Los primeros años sufrimos una persecución constante y varias detenciones —recuerda el fundador y director de La Carcelera, el cineasta José Luis López del Río—. Nuestra abogada, Cristina Almeida, decía que le dábamos más trabajo que CC.OO.». López del Río dirigió también la excelente película *Casas Viejas*, rodada entre 1981 y 1985, en la que se relata la represión que sufrió este pueblo gaditano, enclavado en una zona de fuerte presencia anarcosindicalista, a manos de la Guardia Civil y la Guardia de Asalto, en 1933. Algunos vecinos del pueblo fueron quemados vivos. En la cinta de López del Río participaban supervivientes de aquellos hechos y algunos descendientes de los asesinados. Por ejemplo, José Suárez, el alcalde socialista de Casas Viejas en 1933, se interpretaba a sí mismo en la pantalla. Igual que Miguel Pavón, uno de los anarquistas que asaltó entonces el cuartel de la Guardia Civil.

Visitante asiduo de La Carcelera era Paco Almazán (1937-2004), uno de los aficionados que más ha hecho por la difusión del cante, el toque y el baile en la capital de España. Durante más de 30 años, este singular personaje, austero y apasionado, impulsó todo tipo de músicas populares y fue imprescindible animador de tertulias y encuentros en los que el arte siempre estuvo ligado a la realidad. Paco era un exponente de la cultura alternativa. O sea, la de verdad, la que surge por auténtica necesidad expresiva, al margen de diseños comerciales y encargos subvencionados. Siempre se mantuvo fuera de los circuitos institucionales, lo suyo fue tejer una red natural para la cultura en Madrid. En algunas ocasiones se embarcó en la organización de grandes festivales, pero a lo que dedicó casi toda su ilusión fue a indagar nuevos caminos, a buscar y potenciar a artistas jóvenes y a acercarlos al público en infinidad de recitales celebrados en locales familiares.

Fue un estudioso y, sobre todo, un disfrutador del flamenco. Desde las páginas de la revista *Triunfo* creó escuela. Escribió de los viejos cantaores gitanos, polemizó con Antonio Mairena y se entusiasmó con la nueva vía abierta por Enrique Morente. Antes, había sido maestro en Soria, como Machado, pero perdió definitivamente su puesto represaliado por el régimen franquista. Era, en el sentido más honesto, tradicional y elogioso del concepto, un hombre de izquierdas. Por supuesto, jamás quiso ni tuvo el menor cargo oficial. Su visión progresista lo integraba todo: la política, las relaciones personales, las reivindicaciones sociales y el arte. Hasta el último momento siguió preparando catálogos de pintura y escribiendo de danza árabe, escultura, música... Folclorista erudito y notable arabista, nunca dejó de investigar en las raíces de la cultura popular. Y tampoco se desconectó jamás de los acontecimientos más relevantes de su tiempo. Durante sus últimos años se le podía ver en las manifestaciones contra la Ley de Extranjería y contra la invasión de Irak, o cada 14 de abril, en la Puerta del Sol, entre banderas republicanas.

FLAMENCO EN LAS «CATACUMBAS» DE LA VIEJA MURALLA

Pedro López Sábado, malagueño de Villanueva de Tapias, inaugura en 1965, en el número 8 de la calle del Factor, «enfrente del Palacio Real», el mesón Torre Narigües. La denominación del establecimiento hace alusión a la mítica torre albarrana del mismo nombre que, al parecer, despuntaba sobre la vieja muralla árabe de Madrid. «Llegamos a la conclusión de que podía haber estado enclavada en esta zona —explica Pedro—. Cuando empezamos a cavar en el sótano del local, descubrimos una escalera, enmarcada por un arco mudéjar, que descendía hacia una galería con bóvedas y arcos, adornada con azulejos moriscos. Para evitar problemas, decidimos tapiar y enyesar todo y, desde entonces, utilizamos sólo parte de las galerías como bodegas y cuevas para el mesón. También cegamos tres pasadizos subterráneos que, posiblemente, comunican con el Palacio Real y el de Abrantes».

En esas cuevas del mesón protagonizaron infinidad de noches de arte las principales figuras de los tablaos madrileños. Durante aquella época, el mesón fue centro de reunión de cantaores, bailaores y guitarristas, que cenaban allí a diario cuando terminaban de trabajar. Pedro daba guisos y platos de cuchara hasta el alba. Y allí no había problemas de ruidos ni de vecinos intransigentes. «Por aquí han pasado casi todos —recuerda Pedro—. Desde Rafael El Gallina, hasta Beni de Cádiz y Juanito Maravillas. Manolo Caracol siempre decía: "¡Hay que ve cómo guisa este niño el conejo!". Ese plato ha sido una de mis especialidades. Y el estofado, no te digo nada».

Pedro rememora con especial cariño a Pepe de la Matrona, a Niño Ricardo y a un jovencito Paco de Lucía, pero el cantaor con que ha mantenido siempre una relación más estrecha ha sido y es Pepe Menese: «Una de las mejores noches de cante que yo he vivido la pasé a su lado. Fue un 28 de enero, aniversario de mi boda y del nacimiento de José Martí. Nos cantó de todo y acabamos llorando». En las cuevas del local, las juergas flamencas a altas horas de la noche se alternaban con las reuniones políticas clandestinas en un horario menos artístico. Las anécdotas de la militancia de izquierda que han tenido como escenario el mesón, y las tretas utilizadas por Pedro para burlar a la Policía política, son innumerables, pero él aún no quiere que se relaten por escrito. «En España, las cosas han cambiado mucho menos de lo que la gente se cree —afirma—. Una vez, había una reunión de estudiantes en la cueva y aparecieron dos policías a husmear. Lo primero que hice fue ponerles unos whiskys —era mi sistema de fijarlos a la barra— y luego les dejé caer que, en la reunión, estaban los hijos del ministro Sánchez Arjona, el primer nombre que se me ocurrió. Se tomaron la copa de un trago y salieron corriendo».

Otro asiduo del mesón ha sido Manuel Gerena, pero durante los años que se buscó el amparo del PSOE, en la Castilla-La Mancha de José Bono, el cantaor sevillano no apareció por allí. Después de mucho tiempo, volvimos a coincidir con él en el mesón, con motivo de la grabación de su disco dedicado a Miguel Hernández, el 11 de septiembre de 2001. Mientras hablábamos de los viejos tiempos y Pepe Lamarca hacía fotos, nos fueron llegando noticias de lo que estaba pasando en ese momento con las Torres Gemelas de Nueva York.

También mantuvo una relación muy estrecha con Pedro y su mesón el cantaor Paco Moyano, uno de los artistas flamencos más comprometidos con la realidad política. Durante una temporada, fue camarero en Torre Narigües. «Paco era miembro de una organización de izquierdas muy radical y, en una ocasión, le detuvo la Policía —relata Pedro—. Cuando él faltaba al trabajo, yo no le preguntaba nada, porque me imaginaba que algo bueno tendría que estar haciendo por ahí. Pero aquella vez pasaron cinco días y comencé a alarmarme. Y además, de repente, llega la Policía al mesón y se lleva todas las cintas y los discos de Paco, sin dar ninguna explicación. Entonces, me puse en contacto con un comisario de policía que vivía en la calle Mayor y era cliente del mesón, un hombre muy del régimen, que recibía todas las navidades una felicitación firmada por Franco. Le conté: "Tengo un camarero que, según aparece en el periódico, está detenido". Entonces llamó a la Dirección General de Seguridad y, después de una breve charla por teléfono, me dijo: "Ah, Francisco Fernández Moyano. Pues apártate de él porque es comunista". Yo, haciéndome el tonto, le contesté: "A mí me da lo mismo que sea comunista o bombero, pero es el mejor camarero que he tenido y el más formal". Así conseguí, por lo menos, que le dejaran de torturar, de darle con el vergajo en las plantas de los pies. Después deposité una fianza de 30.000 pesetas para que le pusieran en libertad. Se la entregué a Gómez Chaparro, uno de los jueces más fascistas que ha habido. Por cierto, junto a Paco detuvieron también al pintor Hernán Cortés, que ha cambiado mucho. Antes dibujaba las portadas de los discos de Moyano, y ahora se dedica a hacer retratos al rey y a los políticos de las Cortes».

Poco a poco, a medida que el ambiente de los tablaos iba decayendo, los flamencos dejaron paso en Torre Narigües a los cantautores. A partir de 1976 el local se convertiría en la casa de Silvio Rodríguez, Atahualpa Yupanqui, Pablo Milanés, José Alfonso, Carlos Puebla, Paco Ibáñez, Daniel Viglietti. Pepe Menese y Antonio Gades continuaron siendo asiduos visitantes de «Casa Pedro».

ESCUELA DEL ARTE Y DE LA VIDA

En cierta ocasión, le pregunté a José Mercé, bromeando: «Cuando grabaste las letras de Caballero Bonald, en *Bandera de Andalucía*, con veinte años, un gitanito de Jerez como tú, sabía lo que hacía?». Y lo que me respondió no tiene desperdicio: «Sí. Es que ya llevaba cuatro años con Gades». José reconoce que junto al genial bailaor y coreógrafo se le abrió un mundo nuevo en muchos aspectos. «La primera vez que fui a París con él, nada más llegar, nos llevó a toda la compañía a conocer el teatro donde íbamos a trabajar y, a continuación, al cine, a ver *Morir en Madrid*.[18] Tengo recuerdos grandiosos de Antonio, con él he vivido mi mejor época de aprendizaje, he trabajado en los mejores teatros del mundo siendo un crío. Él me enseñó a estar en un escenario. La disciplina que tenía Gades era increíble, su profesionalidad era de otra dimensión. Por ejemplo, llegábamos al Teatro de la Zarzuela, en Madrid, y dormíamos dentro, para preparar las cosas. Fue el mejor coreógrafo de su tiempo».

El cantaor, guitarrista e incatalogable creador jerezano Diego Carrasco coincide con su paisano José Mercé: «Si alguien me ha enseñado a valorar lo que es un escenario, ése ha sido Antonio Gades. Si he visto a alguien transformarse y darle categoría al baile ése ha sido él. Me enseñó a andar por un escenario, a darle valor a una sombra, a darle valor al teatro, al flamenco en el teatro. Y fue un revolucionario y cambió el sentido, la ética y la estética. A partir de Gades se puede hablar de una época diferente. Pilar López, que fue su maestra, merecía tener un alumno así para que todo se transformara, abriendo puertas al mundo de la danza, y sobre todo, en lo que concierne al teatro. Para mí, de los genios más grandes que hemos tenido en el flamenco, don Antonio Gades».[19]

«Tuve el privilegio de ver a Gades bailando su farruca en el rodaje de la película *Los Tarantos* y eso es inolvidable», asegura, por su parte, José Menese. El cantaor de La Puebla de

Cazalla fue una de las figuras que participó en el homenaje que se rindió a Antonio Gades, en el Palacio de Congresos de Madrid, el 28 de febrero del pasado año, organizado por el Partido Comunista de los Pueblos de España (PCPE), en el que el bailaor militó durante sus últimos veinticinco años. El acto contó con una activa participación del Ministerio de Cultura de Cuba. Gades mantuvo una estrecha relación con la revolución cubana hasta el final. Precisamente su última travesía marina, cuando ya estaba minado por el cáncer, le llevó hasta el Caribe. Allí volvieron sus cenizas y, hoy, una estatua suya, de tamaño natural, se recuesta contra una de las columnas de los bellos soportales de la plaza de la Catedral, en la Habana Vieja.

José Menese conoció a Gades en 1963, en casa del escritor jerezano José Manuel Caballero Bonald. El cantaor tenía veinte años recién cumplidos y acababa de llegar a Madrid. Poco después, ambos se volvieron a encontrar en Barcelona, donde comenzaba el rodaje de *Los Tarantos*, la última película en la que participó la gran Carmen Amaya, dirigida por Rovira Beleta a partir de una historia original de Alfredo Mañas. «En un café de Las Ramblas, quedamos Antonio, Vicente Escudero y yo —recuerda Menese—. Para mí, aquello fue una gratificación enorme, porque Gades era ya una figura y Vicente Escudero, un mito, con una personalidad increíble. Antonio me ofreció incorporarme a su compañía, pero yo tenía un contrato junto a la bailaora La Singla, y no pudo ser. Luego, a lo largo de los años, nos vimos esporádicamente, sobre todo en casa de Caballero Bonald, con quien le unía la pasión por la mar». Y Menese vuelve otra vez al rodaje de *Los Tarantos* y aquella escena nocturna en la que Gades bailaba la farruca: «Fue una preciosidad, los caños de riego de los barrenderos cruzándose y Antonio saltando de velador en velador».

Gades sentía pasión por la figura y el baile de Carmen Amaya. Las cosas más bonitas que se han escrito sobre la mítica bailaora del barrio barcelonés de Somorrostro son de él:

«La primera vez que vi a Carmen Amaya no pude aplaudir: estaba paralizado. Al acabar la actuación fui con Pilar López a saludarla. Entré llorando a su camerino y salí llorando. No pude articular palabra. La abracé y me abrazó. Recuerdo su humanidad, su sencillez. Jamás hablaba de baile. Hablaba de las cosas más simples de la vida, siempre con un paquete de tabaco rubio y el mechero en la mano izquierda, y una taza de café». Ambos participaron en el rodaje de *Los Tarantos*, donde Carmen bailó por última vez. Pero no coincidieron, porque no actuaban en las mismas escenas y no bailaban juntos. Durante el rodaje, se agravó la enfermedad de Carmen y pronto falleció. Sus recuerdos del día que falleció Carmen denotan con claridad el carácter de Antonio y su actitud ante la realidad: «El 19 de noviembre de 1963 habíamos organizado un partido de fútbol en Montjuïc entre camareros y artistas. En medio del partido me dijeron: "Antonio, ha muerto Carmen Amaya". Yo cancelé inmediatamente mi actuación de esa noche. Me fui por todos los tablaos de Barcelona. Cuando llegué al de la antigua vedette Bella Dorita, estaba la gente dando palmas y yo me puse a gritar delante de todo el mundo: "¡No tenéis vergüenza! ¡Que esté Carmen Amaya de cuerpo presente y haya un tablao flamenco abierto!". Me dediqué a cerrar todo lo que hubiera abierto de flamenco [...] Su tumba en Bagur era un bloque blanco que, de tanta austeridad, parecía diseñado por Malevich. Años después su marido trasladó su cuerpo a Santander. De haber estado yo, habría impedido por todos los medios, legales o ilegales, que se llevasen a Carmen fuera de Bagur porque ella quiso morir allí».[20]

Antonio, efectivamente, tenía claro lo que podía suceder. El marido de Carmen, Juan Antonio Agüero, se empeñó en trasladar los restos de la bailaora al panteón familiar de su familia, en el cementerio de Ciriego, en Santander. La familia, muy conservadora, nunca vio con agrado aquel traslado, y en la tumba donde se encuentran sus restos no hay ninguna referencia a Carmen Amaya, para evitar que se sepa dónde está. En una ocasión, un grupo de seguidores de Carmen colocó una placa y enseguida la familia la arrancó y la hizo desaparecer.

El desbordante talento artístico de Antonio Gades y su integridad constituyen un ejemplo flamenco y humano. Hablando de su última creación, escribió: «De *Fuenteovejuna* me interesó, sobre todo, el acto solidario de los perdedores. La solidaridad frente al poder. En estos momentos de globalización del choriceo y de feroz individualismo, creo que *Fuenteovejuna* está o debería estar de rabiosa actualidad. Estudié el folclore como un poeta estudia la gramática, no se lo trinqué al pueblo para prostituirlo. Mi meta, en ese sentido, siempre ha sido contar una historia con el baile y no el hacer un panfleto para teatro, aunque tenga un compromiso social claro...».

Y en 2002, en el discurso leído cuando se le hizo entrega del Premio de las Artes Escénicas Corral de Comedias de Almagro, señaló: «Me gusta recordar un epitafio que se puede leer en la tumba de una bailarina de Gades (la Cádiz fenicia), en el Foro romano. Reza: "Que la tierra sea tan leve sobre ti como tú lo fuiste sobre ella". Hoy se percute demasiado y el zapateado no es percusión, es la prolongación de un sentimiento, a la tierra no se la puede pisotear, si pisoteamos la tierra, no da nada, ni sonidos ni trigo [...] Me han preguntado para cuándo otra obra, y yo que tengo fama de lento, y lo soy, les contesto que no hay prisa, pues tengo "todo el pasado por delante". He sido un hombre de teatro que he utilizado el baile como forma de expresión. Nunca avisé de que llegaba, ni dije que me iba».[21]

LA NOCHE Y EL DÍA

El talento y la honradez artística de Gades contrastan con la actitud de un personaje que colaboró con él en la trilogía cinematográfica integrada por *Bodas de Sangre*, *Carmen* y *El amor brujo*: Carlos Saura tuvo la desfachatez de firmar, junto al propio Antonio Gades, las coreografías de esos trabajos. Posteriormente, el cineasta dirigiría dos cintas en las que volvía al mundo del arte jondo, *Sevillanas* y *Flamenco*, que levantaron más de una crítica de los propios artistas participantes en ellas. «Yo había hecho una bulería para *Bodas de sangre* y Saura la cortó. Catorce años después, me llamó para participar en *Flamenco*, y también dejó mi actuación fuera al final», señala El Güito. Es una espinita que todavía tiene clavada el maestro de bailaores, la inexplicable marginación que sufrió en el montaje de este largometraje: «Yo fui a Sevilla y grabé mi baile según lo previsto, seguiriya y martinete. Los minutos que me habían dicho, cinco. Y cuando vi la película, me encontré con la desagradable sorpresa de que mi número no aparecía. Estoy indignado y deseando echarme a la cara a ese individuo, aunque no sé si es conveniente, porque le tendría que decir cosas muy fuertes».[22]

Farruquito tampoco tiene muy buena opinión artística de Carlos Saura, después de haber participado en el rodaje de *Flamenco*: «Yo tenía once años. Llegamos allí, donde todo el mundo estaba haciendo seis o siete veces la misma escena, y mi abuelo Farruco le dijo al director: "Yo no soy un bailaor de repetir muchas veces, porque cada vez que lo haga va a ser distinto, me voy a mover por un sitio distinto y voy a volver locos a los de las cámaras". Aquello no le gustó nada a Saura, que nos trató de una forma un poco rara. Hicimos una prueba, que fue la que salió bien de verdad, y a la segunda, rodamos. Tengo un recuerdo muy extraño de aquello, era como si no conocieran a Farruco. Y luego, me queda un recuerdo muy bonito: haber bailado por bulerías con mi abuelo. Resbalaba mucho el suelo. A Saura sólo le preocupaban las luces, aquello era como una pista de patinaje».[23]

El propio Farruco recordaba también con desagrado aquel rodaje: «Yo hice una cosa con Saura, que me había llamado antes para *Sevillanas*. Entonces le dije que no, que yo no era un bailaor de sevillanas, se lo dejé bien claro. Me veía ridículo bailando una sevillana a mis años. Luego vinieron a contratarme para eso de *Flamenco*, que la película es una guarrería de verdad, parece mentira que haya tantas figuras y esté tan malamente organizada y tan malamente montada. Me dieron tres minutos y yo le dije que no soy un bailaor de repetición: "A mí me pegas el tiro a la primera vez, porque no te dejo una segunda, si me dejas herido, te mato". Y así fue: entré a las nueve y a las doce ya estaba en la calle. La película tendrá buena escenografía, pero el flamenco es otra cosa, tiene más raíz que lo que se ha hecho ahí. Tiene que haber más unidad, más continuidad, una pelea...».[24]

También durante el rodaje de *Sevillanas* se produjo una ilustrativa anécdota, en este caso protagonizada por el gran Paco Toronjo, que aparece en el montaje final del mediometraje, interpretando unas memorables sevillanas «bíblicas», una de las mejores secuencias de la cinta. Pero en la trastienda hubo un rifirrafe entre Saura y él que define bien la personalidad del cantaor. Y la del director. El cineasta aragonés, tras realizar la toma que al final aparecería en la película, pretendió que Paco volviera a cantar otra tanda de sevillanas, por si acaso. Pero él había cumplido y dijo que si tenía que volver a cantar, haría fandangos, que realmente era lo suyo. El título de la cinta no permitía esa licencia y Saura insistió, convencido de que el dinero todo lo puede. Le ofreció un suplemento económico al cantaor para resolver cuanto antes el asunto, pero eso no servía con Toronjo, miembro de una especie a extinguir, que no responde a los estímulos comerciales y crematísticos. Al final, Paco abandonó el plató sin cantar nada más y se fue a la planta de cafetería, donde los camareros gozaron de los envolventes aires del Alosno y de Calañas gratis, durante varias horas. Por fortuna para el flamenco y el cine, la única toma que se había hecho era buena.

JEREZANOS DE HOY

El flamenco es un arte de transmisión oral, dinástica, familiar. Algunos clanes gitanos de la Baja Andalucía han conservado en su seno formas propias que han heredado una generación tras otra, en fiestas de barrio, bodas, bautizos y celebraciones más o menos herméticas. Pero los cambios sociales han contribuido a desmembrar estos núcleos conservadores de antiguas esencias. El cante con sabor añejo cada vez encuentra menos reductos para pervivir como lo ha hecho hasta ahora.

Afortunadamente, en núcleos como Utrera, Lebrija y, sobre todo, Jerez, continúan saliendo artistas para los que el flamenco, antes que una profesión, constituye una forma de vida, como lo era para sus maestros. Tras la extraordinaria generación de cantaores que participaron, en 1967, en la grabación del monumental disco *Canta Jerez* (Sordera, Sernita, El Diamante Negro, Terremoto y Romerito), surgió una nueva, a la que pertenecen El Torta y El Capullo de Jerez. Cercanos ya a los sesenta años, se encuentran en su plenitud profesional. Ambos disfrutaron de un ambiente natural similar al de sus maestros, y se nota en el cante que hacen. También ha vivido el flamenco más rancio en familia, desde su nacimiento, el bailaor Antonio El Pipa, algo más joven que El Torta y El Capullo, pero, igual que ellos, anclado muy firmemente en la tradición. El caldo de cultivo en el que estos tres artistas se han formado como flamencos no lo van a encontrar las nuevas generaciones.

Juan Moneo, El Torta, es uno de los cantaores más geniales y profundos que ha dado el flamenco durante las últimas décadas. El aficionado que disfruta por primera vez del personalísimo eco de este jerezano modifica, inmediatamente, su concepto del arte jondo. A los cincuenta y seis años recién cumplidos, conserva su característico torrente de voz, que le permite dotar, como nadie, de enorme tragedia a los cantes. Al mismo tiempo, evidencia mayor largura interpretativa que nunca. Los artistas como él son imprevisibles e irregulares, lógicamente, porque no se puede alcanzar la gloria siempre. Pero quien ha sentido alguna vez las puñaladas de su cante no puede dejar de seguirle una y otra vez. Ya no van quedando flamencos con el magnetismo y la capacidad de comunicación de El Torta.

Nacido en pleno barrio de San Miguel, conocido castizamente como La Plazuela, el 4 de septiembre de 1953 —la fecha está mal en casi todas las referencias biográficas del cantaor—, Juan Moneo Lara pertenece a la familia de los Pacote, una dinastía gitana de enorme solera flamenca, en la que destaca artísticamente, por la enorme jondura que atesora, su hermano Manuel Moneo, uno de los cantaores más rancios que hay en la actualidad. «A espaldas de donde yo dormía de chico vivió Manuel Torre —señala El Torta—. Estoy orgulloso de haberme criado donde nació la esencia». Y añade: «Lola Flores a trescientos metros de mi casa, Chacón a quinientos, La Paquera... Yo estaba en la cuna y ya escuchaba cante».

Le gusta evocar a los viejos de su barrio. Se pegaba a ellos ya de crío: «Manolo Jero, el padre de Periquín, y Tío Borrico eran muy amigos. Estaban siempre juntos, cantaban durante toda la noche en Los Cuatro Muleros y, a veces, discutían ya por la mañana, bebiendo aguardiente. Y Tío Borrico cantaba: "El aguardiente de Huelva / se lo lleva el extranjero. / Cuando lo prueba el inglés, / canta el fandango alosnero. / Aunque no lo cante bien". Soy el artista más viejo y más joven. Empecé muy pronto y sigo vivo, gracias a Dios».

Reconoce que siempre le ha dado mucha vergüenza cantar y que lo ha hecho porque lo necesitaba. Para expresarse, más que como profesional del arte. «Lo que yo hago no es cantar, es transmitir», matiza. Y a continuación, apunta una copla: «Cantar, cantar, / el pájaro en la laguna, / porque no sabe llorar». Entre las infinitas noches de duende que ha vivido, escuchando con devoción a los viejos o alternando con los artistas de su generación, recuerda de forma entrañable los ratos compartidos con Camarón: «Las primeras veces, venía a Jerez a vernos en un Mini que tenía. Con dieciocho años, sin carné ni nada. Camarón me admiraba y yo a él. Nos buscaba a mí, a mi hermano Manuel y a Luis de la Pica. Era muy buen aficionado, un enamorado del cante. Me gustan los artistas inquietos, impulsivos, que se dejan llevar por la corriente, por el riesgo. El fallo gusta, de él se aprende. Descubres cosas nuevas».

El Torta rompe la fama de cerrados en lo suyo que tienen los flamencos de Jerez. Entre los artistas no nacidos en su tierra, destaca de modo especial a Antonio Mairena: «Fue el que introdujo el cante en los festivales, el que lo puso en su sitio. Era un maestro. Nadie, después de Manuel Torre, ha sido más cantaor que él. Luego llegó Camarón y revolucionó el flamenco —afirma—. Mi hermano Manuel es muy mairenero, y tiene razón de serlo. Para mí, Antonio es el que ha puesto el escalafón arriba. Era un cantaor y un señor. De lo que yo he vivido, el más grande, porque a él sí lo he escuchado. De Torre me han hablado y he oído sus discos. Otro de mis cantaores es Juanito Mojama, que era de La Plazuela».

Y continúa con sus reflexiones sobre los maestros: «Por Torre y por Mairena cantan bien muy pocos, y a Camarón hay muchos que lo imitan. Todos lo hacen igual, pero él era un genio adelantado a su tiempo. Aunque hizo daño al flamenco, por los que le han seguido. Lo suyo, sí, pero abrió un camino que no vale. Empezó muy puro y lo tiraron por el barranco. Hablo como aficionado, no como artista. Primero hay que ser aficionado, porque si no vas al colegio, cómo vas a aprender».

Ganó uno de los primeros y más importantes premios de su carrera en el concurso de Mairena del Alcor, en 1972. El encargado de entregarle el galardón era el máximo inspirador del certamen, Antonio Mairena, pero El Torta no lo recogió de sus manos. Lo hizo, en su nombre, Antonio Benítez, el presidente de la peña flamenca jerezana Los Cernícalos. Por miedo a que no le dieran el premio y, sobre todo, por vergüenza, Juan se encontraba fuera del recinto, metido en un coche, lejos de los focos, para que nadie lo viera. Escuchó por la megafonía que él había sido el ganador.

Juan, que atesora un inequívoco rajo gitano, también se muestra receptivo ante la herencia de los cantaores que no han sido de su etnia. «El *castellano* número uno y el que más me ha gustado del mundo ha sido don Antonio Chacón —asegura—. Y lo he discutido muchas veces: ¿es que no canta bien el *castellano*? Y además, era de Jerez, de San Miguel. No nace nadie más creador que él. De los que quedan ahora, cantando puro, los que más me gustan son Manuel Agujetas y mi hermano Manuel Moneo. No en Jerez, en el mundo entero. Cuando falten, quedará el flamenquito».

Se muestra satisfecho de su último disco, *Momentos*, registrado en directo, pero necesita que le digan que la grabación ha quedado bien, que es un trabajo importante. Sabe que tiene dentro algo muy especial, pero nunca está seguro de haber hecho las cosas como a él le gustaría. En un momento de euforia, viendo la emoción de los que escuchamos las pruebas del disco, nos hace un guiño: «Yo creía que el flamenco se iba a acabar en 2015, pero, después de esto, tenemos para cincuenta años más. Y me quedo corto, para no abusar».

El Torta, tremendamente inseguro, necesita que le reconozcan su indiscutible talento, pero tiene miedo al éxito: «Tampoco quiero mucho, lo que más me gusta es cantarle a quien yo quiera. A los políticos, a ninguno. Políticos no quiero... ni a mi tío político», señala. A continuación, nos apunta otro cante: «No tengo trono, ni reino, ni fronteras. / Pa mí es un pájaro cantando,/ una flor, la primavera». Y vuelve a la carga contra los proclamados representantes del pueblo soberano: «Todo el mundo es libre ¿quién manda en nadie? Los políticos se han hecho dueños del mundo. Y es una pena».

Muchas de las letras que interpreta en el nuevo disco son suyas, algunas han surgido sobre la marcha. Están ahí, aparentemente olvidadas, y le vuelven a brotar cuando se encuentra en el escenario o en una juerga. Explica que las tiene que guardar en su cabeza porque escribe muy mal y tampoco tiene la costumbre de recogerlas en una pequeña grabadora cuando se le ocurren. «Desde siempre he sacado letras, he cantado al día a día —explica—. Algunas se me van después de hacerlas. La que me gusta mucho sí se me queda. Pero tampoco se pueden hacer muchas letras buenas todos los días, no entiendo a esos que escriben tanto. Yo las saco a mi manera, será peor o mejor, pero soy distinto. A veces, se me ocurren soñando. No sé si estoy dormido o despierto. Aparte de las pesadillas. Pero hay algunos que no han llegado a soñar. Hay que estar solo, huir del ruido. Aprendes más escuchando que hablando».

En el disco incluye unas conocidas bulerías en las que habla de su lado más oscuro:

En mi barrio conocí
a una mala compañera.
Se llamaba heroína,
no puedo apartarme de ella.

Y yo no sé qué hacer,
y no sé adónde ir,
y tengo que robar
para poderla conseguir.

No puedo vivir,
porque llevo mala vida
no puedo vivir,
porque la droga me domina.

Asegura que se refieren a una etapa ya superada, pero dice que quiere seguir cantando la letra «para advertir a las criaturas». Y remacha: «La noche es más larga que la muerte».

Una y otra vez, Juan vuelve a sus orígenes familiares, asegura que ahí está la clave de su cante: «He tenido el privilegio de estar desde niño en el guiso. El flamenco me viene por mi abuelo Pacote y también por mi abuela, Manuela Carpio Montoya. Somos nueve hermanos, cinco varones y cuatro niñas. Cantamos todos, aunque a algunos les da mucha vergüenza. Más que a mí todavía. Lo llevan dentro, pero no van a ser artistas nunca. Manuel es el mejor, tiemblan las tablas cuando canta, revienta a todo el mundo».

También se acuerda siempre de su entrañable amigo Luis de la Pica, fallecido en 1999, con cuarenta y ocho años. «De mi generación, he tenido mucha relación con Moraíto, Periquín, El Capullo... Pero donde estaban todos los condimentos era con Luis de la Pica. Me decía: "Popá, cántame por seguiriya". Era muy bueno, un niño, un duende. Muy sensible, sin maldad ninguna. Y cantando, tenía un estilo propio, muy personal. Si Luis pudiera mirar por un agujerito, diría: "Paíto, ¿bajo?"».

Conserva innumerables recuerdos de las mil noches que compartió con Luis, haciendo compás con las palmas o los nudillos, hasta el alba. «A mí me gusta cantar más sin guitarra que con ella —explica—. Sobre todo cuando la guitarra no es buena. Hay muy pocos tocaores que acompañen al cante de verdad. Pararse es lo más difícil. Los silencios son importantes, que no te molesten cuando estás inspirado. Ahora todos quieren correr y lucirse, pero hay que tener un máximo respeto al que canta. De eso ya no hay: Moraíto, Niño Jero y pocos más. ¿Tú vienes aquí a acompañar y a ayudar, o a qué? Como decía El Beni de Cádiz al otro: ¿Cuándo me toca a mí?».

A pesar de llevar cantando toda la vida, nunca ha vencido el miedo escénico. Al contrario, cada vez lo pasa peor cuando tiene que actuar. «Me gusta discurrir y meterme en el cante sin darme cuenta. Cantar flamenco es llorar. Cuando alguno me dice que he estado bien o que me admira, me da mucha vergüenza. Si fuera verdad, prefiero no creerme nada nunca y seguir siendo humilde».

Al primero que recuerda haber escuchado cantar es a su abuelo Pacote: «De niño, me sentaba en sus rodillas, me iba de jugar a la pelota para estar con él. Mi abuelo le decía a mi hermano Manuel: tú cantas muy bien, pero éste es El Cordobés. Por el torero, que había formado una revolución. Me juntaba con los viejos para aprender. En mi casa y en el barrio, en cada esquina, había una fiesta, y yo estaba en la mejor siempre. Enseguida me escapé de mi casa para irme con Tío Borrico a Los Cuatro Muleros, ganando cuarenta duros.

»Me levantaba a media noche y me decía mi padre: "¿A dónde vas?". "A escuchar cantar, no puedo estar en la cama" —continúa—. He estado siempre en la calle. Todo el mundo descansaba menos yo. Los que me han gustado más que nadie han sido Agujetas El Viejo, Manuel Agujetas, Terremoto, Borrico, mi hermano Manuel, Rubichi, Chocolate, Mairena... Camarón, aparte».

Aún recuerda con inquietud la primera vez que cantó en público, en la fábrica de botellas donde estaba empleado su padre: «Trabajaban juntos él y el padre de Salmonete —relata—. Iban a hacer una fiesta flamenca, ellos ronearían y, al final, nos llevaron allí. Era una fiesta para los trabajadores. Después ya empecé a presentarme en las iglesias, buscando bautizos. Yo decía: bueno, se come, se bebe y se canta ¿no?».

Afirma que ha ido muy deprisa por la vida y que, por eso, se ha llevado demasiados golpes. Ahora quiere continuar más despacito, reposado, como cantando por soleá. Reconoce que ha perdido bastante tiempo en los recodos del camino, pero sabe que tiene muchas bazas en la mano: «Detrás, está toda mi vida y conservo mucha fuerza en la voz, así que estoy dispuesto a volver a nacer en el cante. Tengo que seguir aprendiendo, porque lo que he sacado fuera hasta ahora me lo dieron los monstruos. He estado con todos los más grandes del mundo: Borrico, Camarón, Mairena, Terremoto, Gades el bailarín... Ahora el flamenco ha cambiado mucho, no está en los bares, los jóvenes lo escuchan en los discos. Está comercializado».

Además de los cantes de Jerez, El Torta ha grabado también estilos que no son característicos de su tierra, como la bambera o los aires levantinos, y reivindica su condición de buen aficionado: «Aunque la gente no lo piense, soy un cantaor largo. Me hace falta un repaso, pero puedo cantar quince palos flamencos. Bueno, palos no, estilos. Los palos son los que da la Guardia Civil. Hay que hablar ya de otra manera: estilos flamencos. Y cada estilo tiene un ramillete, por ejemplo, las cantiñas, el mirabrás, la romera... Hay que ser aficionado y conocerlos todos».

A uno de los contertulios se le ocurre decir que nunca le ha escuchado cantar por romera e, inmediatamente, Juan se arranca con una vieja letra: «Romera, ay mi romera, / no me cantes más cantares. / Como te coja en el yerro, no te salva ni tu mare». Se siente fuerte, lanza la voz arriba y la rompe con seguridad y tragedia. «Pienso grabar muchos discos todavía —afirma sonriente—. Tengo dentro la matriz de todos los cantes, luego hay que desarrollarlos».

Ahora vive en un pueblo cercano a Madrid, y en la capital se encuentra bien arropado. La primera vez que vino fue para trabajar en Los Canasteros, era muy joven, y ahora, muchos años después, ha vuelto con otra mentalidad: «Estoy curtido y más consciente de lo que hago. Y con menos voz se canta mejor». Él conserva mucha todavía, pero la dosifica con más cabeza que antes, sin perder el salvajismo primitivo, que es una de sus principales señas de identidad. Reconoce que, hasta ahora, no se había parado a escucharse, cantaba lo que le salía y ha sido su talento natural el que le ha dotado de sello propio. Quiere elaborar más su trabajo. Pero que nadie se alarme, con El Torta no hay el más mínimo peligro de rutina. «He patinado muchas veces y al patinar te sales de órbita. Pero con eso

también sacas algo. El cante sale del sufrimiento de la vida».
E inmediatamente después de la reflexión, nos hace otro cante: «Era mi pena tan grande / que, cuando canto mi pena, / la
voz se me hace sangre».

«A muchos, si sacan la voz así, se les parte la aorta —bromea—. Yo pago las consecuencias de mi forma de cantar y de
vivir, soy el responsable de mis actos. Hay quien no puede
cantar de esta manera porque Dios no les ha dado esa pena.
Las lágrimas negras de algunos no hacen llorar ni a los niños.
Están comiendo del nombre del flamenco y sólo cogen lo
que es fácil, lo que sobra, lo que no vale». Y concluye: «Casi
todo lo que se hace no tiene sentimiento de verdad. Te vuelven loco con tanto ruido. Por eso me gusta que Beethoven
fuera sordo, porque el silencio es donde reina la raíz. A Beethoven le vino bien la sordera, para no enterarse de muchas
cosas».

ESTILO PROPIO

El eco de Miguel Flores, El Capullo de Jerez, encierra los secretos del flamenco más rancio. Formado desde niño en la
escuela de la vida, es un intérprete absolutamente personal, a
quien se puede identificar, sin la más mínima duda, casi antes
de que empiece a templarse. Posee el genuino soniquete de su
tierra, pero aborda los cantes de una forma que lo diferencia
con claridad de todos sus paisanos. Como los grandes creadores, ha acuñado un estilo propio. En el panorama flamenco de
comienzos del siglo XXI, cada vez más monocorde, El Capullo
resulta un personaje felizmente incatalogable.

Después de más de tres décadas de rodaje profesional, adquiriendo poso en cientos de fiestas y reuniones, ha empezado
a ser conocido por la mayor parte de la afición flamenca hace
menos de diez años. Nació el 3 de abril de 1954, en la calle de
Cantarería, en pleno corazón del barrio de Santiago, dentro

de un patio de vecinos donde no pasaba una sola noche sin que se improvisara una fiesta colectiva. Allí se fraguaron lo que serían sus primeros recuerdos musicales.

A los pocos años, la familia de Miguel se trasladó a la Asunción. Su abuela trabajaba en las bodegas de González Byass y los señoritos le ofrecieron la posibilidad de adquirir un piso en esta nueva barriada. También recalaron en ella glorias flamencas de los barrios de Santiago y San Miguel como Tío Borrico, Terremoto, Paco Laberinto o La Paquera. El Capullo tuvo la posibilidad de criarse escuchando el mejor sonido surgido de las dos grandes cunas del cante jerezano.

El que más le marcó de todo aquel plantel de figuras fue Fernando Terremoto. Miguel, de niño, visitaba su casa a diario y, sentado en el brazo de un sillón, se quedaba embobado escuchándole. «En una ocasión, fueron a aquella casa Antonio Mairena y sus hermanos Curro y Manuel —recuerda El Capullo—. Fernando hizo una seguiriya y se pusieron a llorar los tres».

Miguel despuntó en los «Jueves Flamencos» que organizaba el maestro de guitarristas Manuel Morao y, enseguida, comenzó a buscarse la vida con el cante. Los vecinos de La Asunción aseguran que, si no hubiera sido por el flamenco, El Capullo habría triunfado como futbolista. Allí aún se acuerdan de su espigada figura distribuyendo juego desde el centro del campo, con elegancia, a los compañeros del equipo del barrio. Pero el cante tiraba más que el balón, y las dos cosas no podían ser. «Como yo era muy juerguista, llegaba al vestuario sin haber dormido, después de pasar toda la noche en una boda o en una reunión —bromea—. Pero incluso así era capaz de meter dos o tres goles por partido». Años después, llegaría a jugar un partido de artistas contra toreros en el que también intervino Maradona. «Terremoto ha sido mi cantaor. El mejor futbolista de todos los tiempos, Di Stéfano. Y el último artista del balón, Zidane», asegura.

Afirma que sus letras y sus músicas salen «de la vida». Está completamente de acuerdo con El Sordera, quien aseguraba que «para saber de esto, hay que trasnochar». El Capullo ha estado en la calle desde chavalito, yendo a fiestas uno y otro día. «Hay que ver cómo canta toda la gente, artistas y aficionados —opina—. Las noches de juerga son muy buenas, porque cuando estás a gusto con los amigos o los artistas, te inspiras. Vas dando vueltas a la máquina y te salen cosas que ni tú sabes que las tienes en la cabeza».

Se considera un artista «muy agresivo», porque le gusta «picar» a otras figuras para medirse con ellas en el noble campo de juego de la tertulia de amigos. No es partidario de elaborar teorías y prefiere que todo lo relacionado con el cante se dirima haciendo música. Sabe que tiene pellizco y que la comunicación directa y primaria es su mejor terreno. Le gusta recalcar que «lo de cantar bien hay que demostrarlo». «No es lo mismo emocionar a los ingleses que estar entre flamencos —insiste—. Lo bonito de la vida no se puede grabar, porque cuando surgen los mejores momentos, nunca hay cámaras».

Jerezano por los cuatro costados, se siente orgulloso de haber heredado en la sangre el particular ritmo que se imprime a la bulería en su tierra. Pocos flamencos están tan pasados de compás como El Capullo y tienen esa capacidad natural de cuadrar siempre a la perfección los tercios. Y a la hora de bailar, tampoco hay que perderlo de vista. «Nuestro cante es distinto al de cualquier otro sitio —afirma—. Y con el baile pasa igual, aquí no sólo zapateamos, movemos las manos, el cuerpo...». El único cantaor profesional de su familia es él, pero sus dos hermanas y sus tres hermanos bailan también con mucho arte. Todos lo han mamado de su madre, Isabel La Moza. Ella nunca quiso subirse a un escenario, pero podría haber dado mucha guerra sobre las tablas.

Es payo y sostiene que, dentro del mundo jerezano de auténtica solera, no se pueden establecer diferencias entre gitanos y «gachós». «Lo importante es criarse en la cuna del arte —sentencia—. Yo llevo toda la vida con El Torta, El Mijita o

261

Manuel Moneo. Aquí, puros somos todos. En Jerez, los gitanos y los payos somos lo mismo. Eso de que los gitanos vienen de Egipto... No lo sé. Desde luego, no conozco a ninguno de Jerez que haya estado allí. Siempre hemos vivido juntos, trabajando en las bodegas o el campo y cantando en los tabancos».

BAILAOR DESDE LA CUNA

Nieto de Tía Juana la del Pipa, bailaora jerezana de referencia, Antonio Ríos Fernández (Jerez, 1970) tiene compañía propia desde hace más doce años y sus espectáculos constituyen una vuelta a las más puras esencias flamencas. Considera que en el arte jondo es imprescindible mirar hacia atrás para no perder las raíces y el sabor. Gitano del barrio de Santiago, perteneciente a una familia cuajada de artistas, lo suyo estaba claro desde la cuna. «Yo empecé, igual que cualquier otro gitano de Jerez, haciendo el baile como parte del juego —recuerda—. Lo mismo que el resto de mis amigos. Quizás el que no era gitano utilizaba una bicicleta o un balón. Yo, además de eso, tenía el baile, que era una forma normal de entendernos en mi entorno. Estábamos muy acostumbrados a ello a través de las fiestas familiares. Nuestras celebraciones se hacían siempre por bulerías. Eso no sólo te marca, te cautiva. Mis comienzos como bailaor me los dio mi familia, y un día empecé a intentar saber qué había más allá de un baile por bulerías y fue cuando me metí en una escuela».

En Jerez, pasó por la academia de Fernando Belmonte y Paco del Río, que entonces tenían al ballet Albarizuela, y después formó parte del cuadro que Angelita Gómez tenía en su escuela. Enseguida apareció el maestro Manuel Morao y le trajo a Madrid, al Teatro Alcázar, con *Flamenco, esa forma de vivir*. Después le llevó a París y, a continuación, a Nueva York. Antonio tenía diecisiete años. «Me hice artista profesional en los escenarios, casi sin darme cuenta —explica—. De ahí pasé a las compañías de Cristina Hoyos y de La Tati, hice colaboraciones para Lola Flores y estuve con Ricardo Franco, hasta que monté mi propia compañía».

Los recuerdos de su abuela, Juana la del Pipa, le afloran constantemente, mientras habla de su carrera: «Cuando ella venía a casa, yo aprovechaba esos momentos íntimos para bailarle. Le decía: "Mira omá". No se le podía llamar abuela porque le molestaba mucho, era mamá Juana. Cuando intentaba hacerle algún paso nuevo, me decía: "Déjate de tonterías y levántame los brazos como saben hacer los hombres". Yo levantaba los brazos, le tocaba los "pitos" y me decía: "Así, eso es bailar por derecho. Y por soleá, el brazo se mete para dentro". Yo le contestaba: "No te entiendo". Hasta que saltaba: "Mira, niño, ¿tú estás tonto?". Entonces, se remangaba, se ponía en el filo de la silla, y me decía: "Mira, por bulerías se marca así y por soleá así. ¿Te has enterado o no?". Le salía ese ramalazo, ese temperamento y es lo que yo quería. Todo eso forma parte de mi caja fuerte de los secretos».

La familia de Antonio está llena de artistas flamencos. En el cante, nada menos que su tío Fernando Terremoto y su tía María Soleá. El Pipa viene de una de las familias flamencas con mayores ramificaciones que hay en Jerez, los Fernández. Los Zambo, también son de su gente. Y por parte del padre de Antonio, los Pantoja. «La madre de Fernando Terremoto era Pantoja también —explica—. Isabel Pantoja tiene ascendencias de Jerez. ¿Sabes ese tópico que dice que los gitanos somos todos primos? Bueno, pues poquito nos queda. Los Parrilla son Fernández también. En mi familia directa, aparte de mi tía Juana, hay buenos cantaores. Ya te digo, nada menos que Terremoto. Y bailaoras, imagínate, muchas primas de mi madre, gente que no es conocida fuera de Jerez, pero que ha marcado un hito bailando por bulerías».

El Pipa llegó a vivir las grandes fiestas familiares donde el flamenco lo llenaba todo. Considera que, ahora, ese ambiente está desapareciendo poco a poco, a pesar de que Jerez sigue siendo una «isla flamenca»: «Allí todavía seguimos celebrando las fiestas a nuestra manera. Se siguen haciendo los pedimientos y los dichos, antes de las bodas. Nuestras alegrías las seguimos festejando por bulerías. Es cierto que ya las fiestas no duran tres días, pero, por lo menos, se prolongan durante una madrugada entera. Jerez es conservador con lo suyo. Los flamencos nuevos que salen se quieren parecer cantando a Terremoto, a Sernita, a los Moneo o a los Zambo. Todavía tenemos nuestro propio espejo donde mirarnos. Aún nos acordamos de cómo se canta, se toca la guitarra y se baila en Jerez. Yo no digo que sea mejor ni peor, pero sí es cierto que allí se cuece el flamenco de una forma diferente. Tiene un sabor especial».

Asegura que, por supuesto, esas vivencias naturales que él ha tenido, de familia, de barrio, se reflejan de forma evidente en su forma de bailar y de concebir los espectáculos: «Y hasta que no se me agoten las ideas que nacen de mi tierra, de lo que yo he vivido, no voy a echar mano de otra cosa. Soy un artista fiel a mi mundo, nunca he intentado contar nada que no haya sentido, desde *Vivencias*, que fue mi primer espectáculo, en homenaje a mi abuela. Cuando sienta una historia nueva o la necesidad de bailar a un poeta, por ejemplo, lo haré. De momento, no.

Reconoce que, además de los artistas de su familia, ha tenido como referencias donde encontrar valiosos detalles nuevos a los maestros «con personalidad propia», empezando por Antonio Gades: «Nadie ha sabido llevar el flamenco a escena mejor que él. También me he fijado en la gitanería de Farruco o la elegancia de Güito, en el carisma de Manolete, la finura de Mario Maya, lo racial de Manuela Carrasco, Angelita Vargas o Concha Vargas, en la elegancia de Matilde Coral... Soy muy esponja. He estudiado mucho todos los vídeos de estos grandes. En Jerez no hemos tenido la suerte de ver siempre lo mejor y a todas las grandes figuras de la danza, como en Madrid. He intentado aprender de quien, de verdad, ha tenido algo que decir».

A pesar de que piensa que falta personalidad en el arte, Antonio considera que el baile flamenco actual está en auge: «Cada día atravesamos más fronteras y hay festivales internacionales importantísimos a los que vamos los flamencos. Pero, si soy sincero, debo decir que las copias nunca han sido buenas, deberíamos mirar más de dónde venimos y respetar los cánones del flamenco. Creo que se ha pasado de la evolución a la revolución, y de la fusión a la confusión. No sé hasta qué punto es bueno esto. Yo estoy a favor de la evolución, por supuesto, pero no podemos olvidar que el flamenco tiene su estética y sus propias claves. En mis espectáculos hay dos guitarras, palmas y buenos cantaores y bailaores. Lo de siempre. Con esos elementos, sabiéndolos utilizar y ponerlos en escena, hay suficiente».

También considera que existe una confusión premeditada, que se utiliza el flamenco como denominación de origen de forma interesada, para presentar productos que tienen muy poco que ver con el arte jondo: «Están metiendo en el mismo saco cosas muy diferentes. Todo aquello que lleve dos notas que suenen a lo nuestro, lo denominan flamenco, pero no es así. Y no podemos consentir esa confusión deliberada. No hay suficiente información. Se puede confundir a quien no esté informado, a quien no sabe o no conoce. Pero esto pasa también más allá del flamenco. Yo hablaba en cierta ocasión con Lola Greco, que es una gran bailarina, y le decía: "Ahora se hace mucha danza contemporánea, ¿no?". Y ella me contestó: "De eso, nada. Lo que ocurre es que aquí se hacen tres movimientos extraños y se le llama baile contemporáneo". Yo pienso que estamos sufriendo algo parecido en todas las disciplinas. No sólo en el flamenco están dando gato por liebre».

Coincide con El Capullo en que, en Jerez, gitanos y no gitanos siempre han estado juntos, no hay distinción entre unos y otros: «Allí hemos tenido la suerte de que no ha sido necesario luchar por la integración, porque no hay nada que integrar. Compartimos una sociedad y estamos todos orgullosos de vivir juntos, los que somos gitanos y los que no lo son. Mi hija va al colegio como cualquier otro niño, y yo mismo nunca me sentí fuera de lugar por ser gitano. No he sufrido jamás la marginación, con lo cual no quiero decir que no exista. Y sé que fuera de Jerez la hay mucho más. Pero en mi tierra esto se ha vivido de otra manera. Sinceramente, yo no encuentro diferencias entre el gitano y el que no lo es. Para mí, ser gitano es algo más íntimo, parte de mi personalidad profunda. Yo me siento gitano cuando tengo a una gitana vieja delante de mí y me tiembla el pulso. O cuando un gitano viejo se te acerca y te dice: "Sobrino, así se baila". O cuando alguien te dice olé, y ese olé está bien dicho».

12

«AGITANAOS»

El flamenco es la manifestación musical con mayor personalidad de la cultura española. Sus peculiares claves internas y la fuerza comunicativa que lo caracteriza han conseguido atrapar, a lo largo de los dos últimos siglos, a numerosos artistas nacidos lejos de la Península Ibérica. Pintores, fotógrafos, músicos y novelistas, además de todo tipo de viajeros y turistas, se han quedado irreversiblemente prendados de la magia propia del cante, el toque y el baile, tras conocer alguna de sus manifestaciones más genuinas.

El compositor ruso Mijail Glinka visitó Granada en 1847, y los duendes flamencos impregnaron para siempre su música. Más tarde, le ocurrió lo mismo a Debussy, y algo similar debió de suceder con el inquebrantable viajero e intuitivo escritor Richard Ford. Todos ellos encontraron en la queja de un cante por soleá, en el sonido del bordón durante una falseta de seguiriya o en el desplante de un bailaor con estampa torera, un embrujo del que ya nunca pudieron librarse.

A finales del siglo xviii, época de la que datan las primeras referencias documentadas sobre algo parecido a lo que hoy conocemos como flamenco, José Jerónimo Fleuriot, marqués de Lange, en un ataque de arrebatadora pasión, después de contemplar a una bella gitana bailar, escribía: «Apuesto a que el anacoreta que come más lechugas, que más reza, que más ayuna, que más se azota, no puede ver bailar un fandango sin suspirar, sin conmoverse, sin maldecir de su cilicio y de su régimen. Pero es preciso que el fandango se baile bien. La cabeza, los brazos, los pies, todo el cuerpo, parecen moverse lentamente para excitar el asombro, la admiración, la voluptuosidad. Y mi anacoreta no puede resistir más, pierde la cabeza, palpita, y acaba dando al diablo con sus lechugas, su hábito y sus sandalias».

Una impresión de parecida intensidad le debieron de producir al norteamericano Donn Pohren, en 1950, el baile de Carmen Amaya y el sonido de la guitarra del maestro Sabicas. Poco después cogió un avión y vino a España, donde se asentó ya para siempre, hasta el final de su vida bohemia. Aquí llegó a ser galardonado con el Premio Nacional de la Cátedra de Flamencología de Jerez de la Frontera y, a lo largo de cinco décadas (falleció en 2007), vivió intensamente el flamenco desde sus reductos más íntimos, convertido en acérrimo defensor de la mayor ortodoxia interpretativa. Se entusiasmaba al recordar el toque de Diego del Gastor, un gitano extraordinario para quien resultaba embarazoso recibir dinero a cambio de su arte, y también al hablar de las falsetas de Melchor de Marchena, «que, por seguiriyas, tenía un estilo antiguo y rancio como ninguno».

Autor de libros tan difundidos en el ámbito literario anglosajón como *El arte del flamenco*, *Vidas y leyendas del flamenco*, *Una forma de vida* o *Paco de Lucía y familia: el plan maestro*, Pohren vino a España por primera vez en 1953. Su primer contacto con el arte jondo lo había tenido en México, en 1947, donde conoció a dos genios del baile y la guitarra, respectivamente: Carmen Amaya y Sabicas. «Yo, hasta entonces, no sabía ni una palabra de flamenco —explicaba—. Soy de Minnesota y allí no existía el menor vestigio de cultura latina, sólo un poco de folclore escandinavo y alemán, y para de contar. Pero después de ver a aquellos monstruos, ya no dejé de pensar en el flamenco. Yo frecuentaba un bar mexicano donde paraban exiliados republicanos que no podían volver a España, y les prometí que vendría a conocer todos los lugares de los que ellos me hablaban».

Llegó a Madrid dispuesto a estudiar Filosofía y Letras, pero pronto cambió de opinión: «Fui, como mucho, una docena de veces a la facultad y no llegué a examinarme de ninguna asignatura. Eso sí, aprendí a tocar la guitarra un poquito. Más tarde, en Sevilla, empecé a enterarme de lo que era el flamenco de verdad, en casa de los Pavón, la familia de La Niña de los Peines. Tuve bastante contacto con su hermano Arturo, que siempre estaba sentado en la puerta de la calle, cantando a media voz, para él mismo. Fue quien me habló por primera vez de Manuel Torre y de otras figuras de aquella época».[1]

Junto a su mujer, la bailaora española Luisa Maravilla, el escritor y guitarrista estadounidense disfrutó del ambiente flamenco que se respiraba en la sevillana Alameda de Hércules y en la calle de Feria. De vuelta a Estados Unidos, creó en San Francisco el primer tablao de aquel país, El Rincón Flamenco. En la ciudad californiana hizo amistad con David Serva, brillante y rancio tocaor norteamericano que ha desarrollado una sólida carrera profesional en España. «Juntos parábamos mucho en 'La Bodega', un local que también era frecuentado por Sabicas, que acostumbraba a entrar diciendo: "¿Quién se acuesta esta noche conmigo?". Y siempre se levantaban dos o tres manos. Todo el mundo le regalaba guitarras a Sabicas. "Es muy importante para mí y quiero que la conserve", le decían, más o menos. Y él las vendía al día siguiente a cambio de lo que le quisieran dar».

En 1963, Pohren fundó una importante tertulia flamenca en los bajos del colmao Los Gabrieles, en la madrileña calle de Echegaray, por donde pasaron artistas de la talla de Bernardo de los Lobitos, Pepe de la Matrona, La Perla de Cádiz o El Flecha, «el que más bonito cantaba por tangos», según Pohren. «En aquella época, los flamencos vivían mal —recordaba—. Los puristas, claro, porque Pepe Marchena sí ganaba dinero. Para los que no entendían de cante él era un héroe. Sus seguidores son los que después han criticado a Antonio Mairena, uno de los que más han hecho por el cante puro».

Más tarde, el tocaor norteamericano y su mujer se trasladaron a la Finca Espartero, en Morón de la Frontera, que se convertiría en un auténtico emporio flamenco. «En aquella época nosotros sobrevivíamos dando clases de baile y guitarra, techo y comida, a alumnos extranjeros, que pagaban muy poco, pero lo justo para que pudiéramos ir tirando. Eso nos permitía estar dentro del mundo del flamenco y relacionarnos a diario con Diego del Gastor, Juan Talega, Antonio Mairena, Fernanda y Bernarda... Era otro tiempo, ahora no se puede ni imaginar. Disfrutábamos de quinientas juergas al año. Por vivir el flamenco de forma tan intensa ahora tengo gota, y el hermano de Manuel Fraga, que ya no vive, me quitó hace años un riñón, como consecuencia de mis investigaciones gastronómicas».

Pohren añoraba los ambientes flamencos que tuvo la suerte de frecuentar entre 1950 y 1970: «Comparándolos con aquellos, los de ahora no me interesan nada. Antes la gente quería cantar, tocar, bailar a todas horas, compartir sus conocimientos con los demás y contribuir a un enriquecimiento artístico mutuo. Ahora la mayoría de los profesionales sólo actúa de mala gana y por dinero. Recuerdo que Diego del Gastor no quería que le pagaran sus clases de guitarra. Ahora un tocaor no te dice ni hola sin cobrar. Ves a los cantaores mirando el reloj a cada momento, locos por salir corriendo para actuar en otro sitio. Todo se deteriora: antes, España era un refugio frente al *American Way of Life*, y ahora hay cada vez más hamburguesas por todas partes».

EL POLLITO QUE PIABA

Sin duda, el artista flamenco norteamericano que ha tenido más capacidad para olvidar la entonación de su lengua natal y sustituirla por los aromas fonéticos del caló es El Pollito. Escuchándole hablar o cantar nadie diría que ha nacido en la localidad californiana de San José. Sólo su pelo, rubio claro, y una piel blanquísima le delatan. Johnny Lane llegó a Madrid para estudiar Filología Hispánica cuando hacía furor en las emisoras de radio españolas la canción «Penny Lane», de los Beatles. «Aquí el título era traducido como 'Callejuela del penique' —señala—. Yo pensé que mi caso sería igual, y empecé a llamarme Juanito Callejuela». El apelativo de Pollito se lo colocaron como consecuencia de que, durante una buena temporada, sus escasos conocimientos flamencos sólo le permitían cantar una letra por bulerías popularizada en la voz de Antonio Mairena: «El pollito que piaba, el pollito que pió...».

Después de arduos y vanos intentos de agitanar su puesta en escena, Lane decidió asumir definitivamente su condición de guiri y buscar un espacio propio. A partir de ese momento empezó a ofrecer un peculiar espectáculo en el que hacía de hombre orquesta, combinando la rumba cantada con el toque y unas pataditas de baile. «Al principio, al ser tan rubio, llamaba mucho la atención —explica—. En un tablao querían que me tiñese para dar mejor imagen, y tuve que pintarme el pelo y las cejas de negro, con un bote de Kanfort, pero después, en plena actuación, el tinte se derritió con el calor de los focos, empezaron a caerme chorretones por la cara y aquello fue un desastre».

El Pollito se aflamencó en el Sacromonte granadino, donde fue apadrinado por la familia gitana de los Pitirili y compartió mil noches de juerga con sus «primos» Curro, Juanillo y Carlos. A lo largo de los más de cuarenta años que lleva en España, también ha mantenido una estrecha relación con Camarón, Paco de Lucía, Sabicas y Ramón el Portugués, entre otros muchos flamencos. Milagrosamente, mientras se fogueaba en la universidad nocturna del cante, fue capaz de titularse también en la Complutense de Madrid, pero su condición de filólogo siempre ha estado relegada por la afición a la rumba agitanada y la guitarra. Dedicándose al flamenco, a su manera, ha sobrevivido hasta hoy: «Ahora, los artistas se quejan de que la cosa se está poniendo jodía, pero yo estoy como siempre. Dicen que hay crisis, ¿no se llama así?, pero para mí ha existido toda la vida, esto no es nada nuevo. Lo que hace falta es salud para seguir haciendo cosillas».

«LA GITANA RUBIA»

Parece increíble, pero están ahí juntos, en la misma foto: Antonio Mairena bailando, con Fernanda de Utrera haciéndole compás. Le cantan sus hermanos Curro y Manuel Mairena, además de Lebrijano, Menese, Camarón y Enrique Morente. Tocan la guitarra Manolo Sanlúcar y Samy Martín. Casi nada. Era el año 1970, en el madrileño Teatro de La Zarzuela. Y allí estaba Elke Stolzenberg con su cámara. Había llegado poco antes a Madrid, pero ya sabía perfectamente dónde se encontraba la verdad del cante y qué acontecimientos hacían historia.

Cuando llegó a España en busca del duende, en 1968, con los cuatro taconazos que había aprendido en un tablao de San Francisco, esta alemana de 1,80 metros, larga cabellera rubia y planta despampanante causó furor en los ambientes flamencos de la capital. Y también por las calles: los guardias urbanos paraban el tráfico para que ella cruzase. Una noche, los mismísimos Sabicas y Paco de Lucía tocaron para Elke, picados, durante horas. Desde entonces, con el sobrenombre artístico de La Rubia, ha paseado el baile flamenco por los escenarios de medio mundo, y como fotógrafa, ha conseguido dar cuerpo a una imprescindible colección de retratos, en la que aparecen inmortalizadas las principales figuras del cante, el toque y el baile.

Además de hablar a la perfección alemán e inglés, Elke es capaz de expresarse en un castellano repleto de expresiones provenientes del caló. Los primeros españoles con los que se relacionó, en Estados Unidos, eran gitanos y flamencos. Ellos le descubrieron la magia de su música, de la que se enamoró apasionadamente. Intentando beber de las fuentes de lo jondo y adentrarse en los secretos del baile que tiene a Carmen Amaya como emblema, se vino a España.

Nacida en Berlín, en el seno de una familia con vocación viajera, Elke se había desplazado a la Costa Oeste norteamericana en 1965, cuando comenzaba la fase de mayor desarrollo del movimiento hippie. Allí consiguió trabajo en el diario local *Examiner*, como redactora gráfica, y recibió el encargo de realizar un reportaje en Ciro's, mesón de flamenco, local regentado por un bailaor que había abandonado su situación acomodada en Valladolid para unirse a la compañía de Antonio, con la que llegó a Estados Unidos, donde se asentó. «El ambiente que había en aquel tablao me fascinó de tal manera, desde el primer momento, que volví a él una y otra vez los días siguientes —recuerda Elke—. Por fin, llegué a un acuerdo con Ciro para recibir clases de baile a cambio de mis fotografías».

Una vez en Madrid, la fotógrafa alemana, recién estrenada como bailaora, se metió de cabeza en la academia de Amor de Dios. Las relaciones entre la atractiva guiri y los integrantes de un universo tan singular y con claves internas tan complejas como el flamenco no fueron fáciles. El primer choque con esa realidad para ella desconocida lo tuvo el día de su debut profesional: «Actué por primera vez en el tablao Las Cuevas de Nemesio, donde había un cantaor gitano que tenía mucho miedo, porque también era su primer día de trabajo. Yo le dije que no se preocupara y cantase para mí. Entonces creyó que me había enamorado de él y me estuvo persiguiendo durante no sé cuánto tiempo. Fue horrible. En otra ocasión, recibió una llamada anónima amenazándola por haber bailado la petenera, un cante que, según algunos gitanos particularmente supersticiosos, tiene «mal fario». «Aquel hombre se había dado un golpe con su coche después de salir del tablao donde yo actuaba, no sé en qué condiciones, y me echaba a mí la culpa del desastre», recuerda, divertida, Elke.

Reconoce que, a lo largo de más de tres décadas como artista flamenca, le han tirado los tejos en infinidad de ocasiones y ha recibido propuestas de lo más pintorescas. Sin embargo, asegura haber sabido torear bien el asunto: «He utilizado un truco infalible para hacerme respetar: leer la mano y echar las cartas. Comencé a hacerlo cuando trabajaba en Los Canasteros y me ha dado muy buen resultado para mantener las distancias en este mundillo lleno de gente muy supersticiosa. Cuando yo llegué a España, con mi pelo rubio, mi estatura y vistiendo minifalda, imagina lo que ocurrió. Todos los tíos se volvían a mirarme. Si subía al metro, notaba manos por todas partes. Así que por la noche, en un tablao... Pero ha habido suerte, nunca he tenido problemas graves, ni con los compañeros de trabajo ni con el público».

GRANDEZA DE LO MARGINAL

Otro de los fotógrafos que mejor ha reflejado la realidad de los ambientes flamencos, José Lamarca, llegó también a España, desde el otro lado del Atlántico, hace cuarenta años. Nació en San Isidro, provincia de Buenos Aires, en 1939 y fue en Tucumán donde tomó contacto con el flamenco por primera vez. Allí frecuentó la compañía de emigrantes granadinos que trabajaban destilando ron de la caña de azúcar. Más tarde, en Buenos Aires, conoció a Antonio Gades, Camarón y Paco de Lucía, con quienes estrechó la relación de amistad a raíz de su exilio en España, a partir de 1972.

Aquí ha realizado, desde entonces, trabajos fotográficos sobre un gran abanico de temas, y de modo muy especial sobre el flamenco. Suyas son las portadas de numerosos discos de José Menese, Camarón, Paco de Lucía, Enrique de Melchor, Carmen Linares y Lebrijano, entre otras muchas figuras. A lo largo de estas cuatro décadas de intensa relación personal con los artistas —reconocidos o casi anónimos— que integran el peculiar universo del flamenco, José Lamarca ha plasmado gráficamente una importante porción de la historia del cante, el toque y el baile. «En realidad, mi enamoramiento del flamenco viene por dos lados: primero por la vertiente musical y segundo por la marginalidad que veo en ese mundillo —afirma—. Quizás me atrae tanto porque, en el fondo, yo también soy marginal».

Ha rehuido, por regla general, retratar a sus fascinantes modelos en el escenario, entre la maraña entorpecedora de micrófonos, y ha intentado encontrarlos en su propio medio, inmersos en escenas cotidianas, o en el estudio fotográfico, posando abiertamente. Hace especial hincapié en presentarlos agrupados en clanes, como les corresponde a los depositarios de un arte (que representan y les trasciende) perpetuado mediante la transmisión oral, familiar, dinástica. Cada flamenco constituye el eslabón de una cadena que se prolonga desde hace dos siglos.

Pepe los retrata con la sobriedad inquietante del blanco y negro. Lo hace de forma sencilla y directa, dura y entrañable a un tiempo, mágica y real, sin concesiones. Así es la imagen patética del malogrado Niño Miguel, la cara de siglos de Fernanda de Utrera... Los retratos del argentino José Lamarca les resultan muy familiares a todos los amantes del flamenco. Sus fotos, que han ilustrado libros, entrevistas y numerosas carpetas de discos, forman ya parte de la mitología del cante. Algunos aficionados se sorprenden cuando descubren la conocida instantánea de Terremoto bailando en un colegio de Sanlúcar a mediodía, junto con las de la boda de Camarón —Pepe fue el único fotógrafo que estuvo invitado a aquel acontecimiento— o la entrañable instantánea en la que el genio de La Isla y Paco de Lucía compadrean distendidamente.

Llegó a España, como exiliado político en 1971, pero la pasión por este arte la traía ya desde su tierra: «Mi madre es de Tucumán, una provincia del norte de Argentina, y allí la emigración española es mayoritariamente andaluza. Por ejemplo, el abuelo de mi amigo el poeta Juan José Hernández era de Salobreña y llegó allí para destilar ron de la caña de azúcar. En aquel ambiente era habitual escuchar discos de cantaores antiguos, como El Carbonerillo».

En Buenos Aires, el fotógrafo hizo amistad con Antonio Gades y, después, también con Paco de Lucía y Camarón, cuando éstos eran aún desconocidos para el gran público español. «Yo estaba haciendo la cartelera del Teatro Avenida, donde presentaba un espectáculo Antonio Gades, cuando me detuvieron por cuestiones políticas. Estuve seis meses preso y, como en aquella época se podía optar, si no tenías pendiente ningún juicio, por pedir la expulsión del país, me vine a España». Uno de sus primeros trabajos en Madrid fue, precisamente, el de retratista en Casa Gades, el restaurante que el bailaor tenía en la calle de Conde de Xiquena.

Guarda especial cariño por una foto en la que aparecen los cantaores Manuel Soto, Sordera y José Menese jugando a los chinos con Terremoto de Jerez. «A él, que era como un niño, le encantaba ganar, y ellos le dejaban». Esa instantánea, en la que el genial cantaor jerezano cuenta las monedas con su dedo índice, ya ha pasado a la historia del arte jondo. Entre sus retratos más conocidos hay varios de Camarón realizados en estudio entre 1970 y 1980, época de gran esplendor del cantaor. «Camarón posaba mal, porque era muy tímido y se ponía nerviosillo, pero me encantaba hacerle retratos, me gustaba mucho la expresión de su cara —explica Pepe—. La portada de uno de sus discos, *Castillo de Arena*, que luego recuperaron para *Te lo dice Camarón*, se la hice cuando él pensaba que ya habíamos terminado y se sentó tranquilamente a beber un vasito de vino.

»Un cantaor que me pareció especial como modelo fue Rafael Romero —prosigue—. En mi estudio le hice un carrete de fotografías y los treinta y seis retratos valían. De forma natural, en cada foto ponía una pose distinta, con una elegancia y un saber estar sorprendentes. Parecía que sabía hasta cómo le estaba dando la luz. Nunca le tuve que decir: "Mueva un poco la cara", ni nada parecido. Ni mover para nada el flash de estudio. Otra de mis fotos favoritas es la que le hice al Niño Miguel[2] apoyado en la guitarra. Yo no lo conocía cuando vino a mi estudio, pero después supe que su vida era muy trágica. Creo que le arranqué, de alguna manera, toda esa tragedia en la foto. Recuerdo que vino con una camiseta sucia y el amigo que lo acompañaba le prestó su camisa. Ha sido un guitarrista extraordinario y pocos aficionados le conocen.

»En Marbella, hace más de treinta años, tras una actuación, posaron para mí juntos Victoria de los Ángeles, Vicente Calderón, que era entonces presidente del Atlético de Madrid, Juan Habichuela y Menese —prosigue Pepe—. Juan es madridista, pero sus hijos, los miembros de Ketama, son atléticos, y me pidió una foto con Calderón para dársela a ellos. Lo mismo hicieron casi todos los artistas que había por allí, ya se sabe que los flamencos son muy aficionados al fútbol. Pero al final de la noche, Victoria cantó, *a capella*, una petenera en francés y nos quedamos con la boca abierta. A partir de ese momento ya no tuve que hacer más fotos a Calderón».

Asegura que ahora resulta cada vez más difícil juntar a tres o cuatro cantaores, si no es fugazmente en la trastienda de un festival, y cuidando mucho que congenien entre ellos. «Los ambientes flamencos han ido cambiando y ya no hay lugares para compartir arte y anécdotas». Pepe considera que la mayor parte de las fotos que se hacen ahora en el mundo del flamenco tienen escaso interés. Rechaza el esteticismo y reivindica los trabajos con valor documental: «Fotografiar a un cantaor en el escenario, sudando y descompuesto, transmite algo demasiado obvio. Yo me he inspirado en lo que hicieron los maestros anónimos que nos dejaron retratos de las figuras de finales del siglo xix y principios del xx. Son fotos que hablan de lo que sentían los personajes. Ellos buscaban sus lugares favoritos para posar. Sólo hay que ver un viejo retrato de La Niña de los Peines, con mantón y peineta, plantada delante de lo que más le enorgullecía en aquel momento: su frigorífico».

EL TRONCO DEL FARAÓN

«En el cante puro, hay que buscar siempre, hasta encontrarlo, el tronco negro del faraón». Con esta enigmática frase, el legendario cantaor Manuel Torre intentaba definir, hace noventa años, sus propias sensaciones al hacer un tercio por seguiriya. El legendario cantaor jerezano, que murió en la absoluta indigencia, ha sido uno de los flamencos que ha poseído un grito con mayor desgarro y los más inquietantes ecos. Referencia jonda de Federico García Lorca, que se inspiró en él para elaborar su *Teoría y juego del duende*, el genial gitano del barrio de San Miguel acuñó otra sentencia histórica: «Todo lo que tiene "sonidos negros" tiene duende».

Esa autenticidad, la carga de vida que atesora el flamenco, su complejidad artística, la originalidad e intensidad de todas sus manifestaciones, han atrapado, inevitablemente, a numerosos artistas plásticos y fotógrafos a lo largo de dos siglos. Desde Goya o Doré hasta Joan Miró. Durante este tiempo, la implicación de los profesionales del pincel en las vidas de sus modelos ha ido adquiriendo cada vez mayor intensidad y el tratamiento fotográfico del tema ha ido experimentando una evolución paralela.

Los primeros lienzos y grabados con motivos genuinamente flamencos datan de la primera mitad del siglo XIX. Muestran, por lo general, escenas de fiestas colectivas en las que el centro de atención principal es la bailaora de turno. Las piezas están animadas por un espíritu romántico que busca el costumbrismo con cierta ingenuidad, detrás de la que se adivina la mentalidad del advenedizo. Éste se mantiene distante del objeto retratado. El vito, el baile de farol y la cachucha quedaron así inmortalizados.

Con posterioridad, los impresionistas y modernistas llegaron más lejos en sus obras. Comenzaron a introducirse con mayor frecuencia en las celebraciones artísticas y a experimentar nuevas técnicas, inspirados en la luminosidad cautivadora de los ambientes gitanos, las variadas texturas y los exuberantes colores de las ropas que vestían los flamencos. La bailaora continuó siendo la principal protagonista, pero su singularidad quedó plasmada con rasgos que denotaban una observación mucho más cercana.

Y por fin, los vanguardistas y expresionistas consiguieron penetrar en la tragedia del flamenco, intentaron entender algunas de sus claves internas y ahondaron en los rasgos violentos y la expresión crispada de los cantaores. Las bailaoras fueron cediendo terreno a favor de éstos. Tal circunstancia ha sido y es una constante histórica: los neófitos que se acercan al universo del flamenco embriagados por el baile, acaban situando el cante en primer lugar cuando comienzan a asumir y cultivar la pasión intensa por este arte único. Fue el caso de García Lorca, cuya extraordinaria intuición le permitió captar las más puras esencias flamencas. A él se deben algunas de las definiciones que se acercan con mayor acierto a algo tan inaprensible como «el duende». El poeta granadino veía el cante «concentrado en sí mismo y terrible en medio de la sombra».

Los gitanos fueron también motivo de atracción preferente para los fotógrafos extranjeros que recorrieron España durante el siglo xix, como Clifford o Napper, quienes crearon sólidas bases para el trabajo de los profesionales que han continuado su obra. Retratos como el de *Gitana bailando*, del primero de ellos, fechado en 1862, o *Grupo de gitanos*, realizado por Napper el año siguiente, son piezas claves. Fieles al sentido documental que siempre animó su obra, retrataban a los calés agrupados en clanes y en su propio medio natural.

Actualmente, en la fotografía flamenca conviven dos tendencias. Una busca el perfil humano, los matices que hay detrás del profesional del cante, el baile o el toque, con el artista posando de forma consciente. Dentro de ella se encuadra el argentino José Eduardo Lamarca, que prefiere captar la imagen de sus modelos en estudio, con iluminación artificial, y sólo en raras ocasiones los sigue sobre el escenario. Por el contrario, la alemana Elke Stolzenberg basa su trabajo en el retrato en directo; obtiene las imágenes de forma inadvertida, en plena actuación, cuando el artista se encuentra realizando el máximo esfuerzo.

Uno de los modelos flamencos más impresionantes ha sido, sin duda, Fernando Terremoto, miembro insigne de la nómina de los últimos trágicos, fallecido en septiembre de 1981, a los cuarenta y siete años. Intérprete a la vieja usanza, espontáneo, sin control ni dosificación, sincero hasta las últimas consecuencias, Fernando era capaz de trasmutarse, en segundos, de afable jugador de una partida de chinos en mítico oficiante de la ceremonia centenaria del cante. Su grito era como un torrente, con fuerza para expresar en sus demoledores e irrepetibles sonidos lo que verbalmente él era incapaz de articular. El grito era su idioma, pero un grito que no se rompía hacia arriba, sino hacia abajo, reventando las entrañas.

Con motivo de su muerte, escribía José Manuel Caballero Bonald: «A Terremoto lo acosó su propia indefensión humana y tal vez por eso sólo pudo manifestar su intimidad a través del cante. Si no estaba cantando, estaba bebiendo, en mitad de un nebuloso hermetismo, o hablando de cosas cuya clave sólo él conocía. Explicaba lo que pensaba por el atávico recurso del grito». Impresionaba la capacidad expresiva de Fernando. Su grito salvaje encerraba todos los misterios y la intensidad del flamenco. La autenticidad del cante está en la queja. Como decía El Calzones: «Lo único que vale es el chorro de emoción que a uno le duele por dentro». No obstante, también se ha desarrollado dentro del flamenco una línea de cante «melódico» que ha contado con grandes maestros y a la que se deben enormes hallazgos musicales.

Se ha dicho que «nadie posa mejor que un gitano, aunque sea un mendigo», y ahí están, para demostrarlo, los retratos de la diosa de los cantes por soleá, Fernanda de Utrera, con su cara de siglos y su eco «afillao», o los retratos imponentes de Manolo Caracol, a quien le sonaba la voz flamenca hasta dando los «buenos días». También Agujetas, conservador del más puro eco fragüero de Jerez, con su mejilla rajada y un rostro inquietante en el que destacan los dientes de oro; Rancapino, maestro de acariciar la tragedia en los tonos bajos, y su amigo de siempre, el último gran genio, el gitanito de La Isla «con voz de azúcar», Camarón, a quien le fue cambiando el contorno de su aniñado y angelical rostro de los primeros tiempos a medida que perdía los dientes. Y, por supuesto, Rafael Romero, El Gallina, que posó en su última entrevista con un abrigo raído, desaliñado y sin afeitar, pero sin perder el porte de aquel faraón al que se refería Manuel Torre.

Tanto Elke Stolzenberg como Pepe Lamarca demostraron también su sensibilidad artística y un indudable olfato profesional al hacer objeto preferente de sus objetivos a Camarón. Se fijaron en él de forma intuitiva y precoz, conscientes de que era un artista muy especial. Elke lo retrató por primera vez cuando era poco más que un adolescente, en 1970, en el tablao madrileño Torres Bermejas, y Pepe dejó constancia gráfica de la evolución del genio de La Isla durante los años siguientes. Suyas son las fotos más conocidas de Camarón durante aquella época y las que fueron portada de sus discos.

Elke, como veterana y aventajada alumna de la academia de Amor de Dios, conoce a fondo los entresijos del baile y ha sido capaz de plasmar, mejor que nadie, los movimientos y los desplantes de los más grandes maestros: El Güito, Farruco, Manolete, Antonio Gades, Merche Esmeralda, Manuela Carrasco... Pepe Lamarca le suele decir a la fotógrafa alemana, a modo de requiebro torero: «Elke, qué bien los mueves. Yo que sólo sé pararlos...». Gracias a estos dos artistas y a otros grandes profesionales de la cámara, como la catalana Colita, el flamenco ya no presenta tantas dificultades a los cronistas a la hora de ilustrar sus trabajos como las que tuvo que superar, en

1935, Fernando el de Triana para dar cuerpo a su precursora obra *Arte y artistas flamencos.*[3]

Una sola anécdota revela las fatigas que sufrió el viejo cantaor cuando quiso poner imágenes al grito flamenco: «Al preguntarle a uno de los hijos de Manuel Cagancho si tenía fotografías de su padre y de su abuelo, me contestó con sencillez infantil: "Mira, mi agüelo no se retrató en su vía, y mi pare... Pasaba un día por la puerta de mi casa un retratista de aquellos que hacían los retratos de lata ar minuto, y le hicieron que se retratara, rogándoselo mucho, porque no quería. Por sierto que salió mu bien, pero un día le fue a quitá mi mare las cagás de moscas con un estropajo y jabón, y cuando se dio cuenta, no quedaba más que la lata. Así que no te pueo serví».

EPÍLOGO

Como remate de este libro de marcado carácter periodístico, ofrecemos un análisis de la evolución del flamenco en Madrid durante las últimas tres décadas y de su seguimiento a través de los medios de comunicación. Quizás estas líneas puedan servir como aproximación a la situación actual del arte jondo y ofrecer algunas claves para situarse ante su posible futuro.

Desde hace más de cien años, Madrid es, sin duda, una de las principales plazas flamencas. A la capital han venido a revalidar y consolidar su magisterio infinidad de figuras del cante, el toque y el baile. Casi todos los grandes. Don Antonio Chacón, por ejemplo, vivió en Madrid sus últimos años y falleció en su casa de la calle de Toledo, junto a la plaza Mayor. Como dice José Blas Vega, madrileño y uno de los más rigurosos investigadores del flamenco, en su obra *Vida y cante de Don Antonio Chacón*: «Indudablemente, Madrid ha jugado un papel en la historia del flamenco tan importante que creemos, y nos atrevemos a decirlo así, aunque pueda parecer exagerado a los que no están en el tema, que, después de Sevilla y Cádiz, es la tercera provincia andaluza de la geografía flamenca».

El gaditano Fernando Quiñones seguía por ese camino en su escrito de presentación del segundo Festival Flamenco de San Isidro, celebrado en el viejo Palacio de los Deportes en 1982: «En materia de flamenco, Madrid es la ciudad andaluza situada más al norte». Esa indiscutible importancia de la capital como tribuna del arte jondo ha quedado acreditada a través de innumerables crónicas periodísticas, que ya desde el siglo XIX documentan de forma muy esclarecedora la evolución del cante, el toque y el baile.

En su libro *Flamenco en el Madrid del siglo XIX*, el investigador holandés Arie C. Sneeuw cita un texto aparecido en *La Nación*, el 8 de octubre de 1849, que viene a ser, ni más ni menos, lo que se conoce en el periodismo actual como una «previa»: «Hace algunos días que se halla en esta Corte el joven sevillano don Francisco Antonio Vega, cuyo mérito en el canto andaluz acompañando a la guitarra han elogiado los periódicos de Andalucía. Parece que pronto tendremos el gusto de oírle».[1]

Sneeuw también recoge otro texto de *La Nación*, publicado el 10 de febrero de 1856, que muy bien podría servir ahora de modelo para los encargados de elaborar las guías de fin de semana que se entregan junto a los diarios y en las que se facilita la programación de los distintos establecimientos que ofrecen flamenco en directo: «Hay en el centro de Madrid, plazuela del Ángel, un café al cual concurren por las noches, a pasar el rato a tragos, gente de buen humor, es decir, mozos macarenos y hembras de trapío. En medio de aquel café está sentado en una silla, con la propia satisfacción que si fuera un trono, un moreno andaluz entonando al compás de su guitarra cantares andaluces de pura raza, cuya letra manifiesta la poesía que hay en el alma de los hijos de aquel privilegiado suelo».

Y por fin, otra crónica, ésta de *La Época*,[2] hace las veces de lo que actualmente consideramos una crítica, pero sin el obligatorio añadido de las estrellitas de calificación que hoy nos exigen en algunos medios: «Numeroso público llevó anoche al Circo de Parish la presentación de un cuadro de cante y baile flamenco, compuesto por ocho personas mayores y un niño de ocho años llamado Antonio Vidal. Hay en este cuadro "bailadores", "tocadores" y "jaleadores", distinguiéndose principalmente, por su gracia y hermosura, entre las primeras, una bella sevillana: Matilde Moreno. Para todos hubo muchos aplausos».

Como se ve, la crítica flamenca actual no ha inventado

nada, salvo el seguimiento más sistemático de conciertos y novedades discográficas, mediante entrevistas, reseñas, notas previas y críticas. De forma fragmentaria, pero en algunos casos muy jugosa —ahí están las hemerotecas—, ha quedado constancia del paso por Madrid de casi todas las grandes figuras. Desde Juanito Mojama a Varea, Mairena o Caracol. La lista es interminable. Una parte sustancial de la historia del flamenco se conserva en la prensa. Y en la actualidad, los flamencos considerados hijos adoptivos de la ciudad gozan de un respaldo bastante más sólido que nunca en los medios de comunicación de la capital. Es el caso de José Menese, Enrique Morente, Carmen Linares, José Mercé, Enrique de Melchor o Vicente Soto, entre otros muchos. Todos ellos llevan viviendo en Madrid desde que eran chavales. Y se puede rastrear muy bien la evolución de su carrera a través del trabajo de los periodistas especializados.

Entre 1950 y 1980, Madrid disfruta de la edad dorada de los tablaos. Y en locales como Zambra, Café de Chinitas, Los Canasteros, El Corral de la Morería o Torres Bermejas se puede degustar cada noche el arte de casi todas las grandes figuras del momento. El ambiente flamenco que se respira esos días queda reflejado en artículos dispersos, la mayor parte de ellos más cercanos a las crónicas de sociedad o a la gacetilla de espectáculos con pretensiones pseudoliterarias que a la prensa especializada tal como la concebimos hoy.

A partir de 1980, el brillo de estos locales va decayendo, cuando los artistas punteros que enriquecían a diario sus veladas comienzan a dar el salto a los grandes escenarios. El flamenco sale de los reductos donde se ha refugiado durante los años de posguerra y vuelve a triunfar en los teatros. El acceso al arte jondo se democratiza y el cante llega a nuevos y más amplios públicos. Este fenómeno se traduce en una mayor atención de los medios de comunicación al flamenco, pero sin que todavía se dé un salto cualitativo importante en el tratamiento periodístico especializado del arte jondo.

Manuel Ríos Ruiz, actual crítico flamenco del diario *ABC*
y cuya firma es habitual en la prensa desde hace cuatro décadas, recuerda que lo que entonces se llamó «flamenco experi-
mental» abrió nuevas puertas al periodismo flamenco en Madrid: «Cuando, a finales de la década de 1960, la casa Hispavox
editó discos del saxofonista Pedro Iturralde, del pianista José
Romero y del cantaor Enrique Morente, nos correspondió
publicar tres reportajes en el diario *Ya* sobre lo que significa-
ban como el comienzo de una nueva etapa del flamenco. Y
seguidamente, tras llevar el cante al salón de actos del Ateneo
de Madrid, con Morente y Manolo Sanlúcar, emprendimos
una serie de recitales en centros culturales de Madrid y otras
ciudades castellanas con estos artistas».

Pero, sin duda, quien consigue abrir de forma irreversible
los medios de comunicación al arte jondo es Paco de Lucía, en
1974, tras el pelotazo de su rumba «Entre dos aguas», incluida
en el disco *Fuente y caudal*. El crítico musical Ángel Casas,
completamente profano en el ámbito del flamenco, como él
mismo reconoce, entrevista al guitarrista de Algeciras, en noviembre de ese año, para la revista *Vibraciones*. La introducción
de Casas a la entrevista es suficientemente elocuente: «He ex-
plicado a Paco de Lucía mi imposibilidad de hablar con él de
flamenco. Y fruto de la imposibilidad, la ausencia de ganas.
Vamos a hablar de un músico que tiende a la universalidad, a
hablar de Paco de Lucía al borde del "boom". De una guitarra
andaluza que congrega ya a un número de oyentes muy importante y en cuya sensibilidad difícilmente había entrado el
flamenco hasta ahora».[3] Casas no tiene el más mínimo interés
en conocer el universo social y musical donde se ha gestado un
personaje como Paco de Lucía. Y estamos hablando del mejor
tocaor que ha existido.

Históricamente, los medios de comunicación se han preocupado del flamenco sólo cuando uno de los artistas surgidos de
su seno ha adquirido relumbrón y ha conseguido trascender
el ámbito de los «cabales» por el motivo que sea, no necesa-

riamente relacionado con la estricta calidad de sus interpretaciones. Casi siempre con motivo de alguna supuesta «revolución», real o ficticia, y con la esperanza de que el flamenco sea menos flamenco y pueda ser entendido con las claves de otras músicas más «fáciles» y «masivas». Además, a excepción de Camarón de la Isla, la prensa no especializada en el flamenco siempre ha dado mayor cancha a la guitarra y al baile que al cante. Como los guiris.

De Manolo Sanlúcar se ocupa, unos meses después, otro periodista ajeno al arte jondo, a raíz de su éxito comercial «Caballo negro». Juan María Mantilla escribe en el diario *Ya*: «La revitalización del flamenco está en su punto álgido. El canto y la guitarra flamencos están llegando por primera vez a un público mayoritario, que está descubriendo una fuente musical de una gran riqueza que hasta hoy estaba muy poco divulgada. La sorpresa la dio Paco de Lucía. Hoy, poco a poco, se está forjando la popularidad de otro genio de la guitarra. Su nombre: Manolo Sanlúcar».[4]

Desde muy dentro del flamenco, en cambio, ya por esas fechas escribe de forma habitual en la revista *Triunfo* nuestro querido Paco Almazán, fallecido en 2004. Gracias a él queda reflejado en los papeles un evento histórico como el homenaje que se rinde a Pepe de la Matrona el 3 de marzo de 1976, en el Teatro Monumental de Madrid, con la presencia de Sordera, José Menese, Miguel Vargas, Carmen Linares, Serranito y Enrique de Melchor, entre otros. El cronista sabe que se dirige a un variado abanico de lectores, pero no elude hacer valoraciones de aficionado buen conocedor del paño: «Pepe Habichuela es uno de los guitarristas jóvenes en quien la rebeldía —al margen del valor de las modas— se produce también, pero desde dentro siempre de la contención y densidad flamencas que caracterizan a la escuela de su apellido. En cuanto a Perico del Lunar, no hay ningún problema en esta ocasión, pues su toque melancólico y medido conoce perfectamente a los cantaores de Zambra y supo acompañarlos con justeza a cada uno de ellos».[5] También en las páginas de *Triunfo*, ese año ya se pueden encontrar con frecuencia artículos de José Monleón sobre teatro flamenco. El semanario presta una notable cobertura informativa a la obra *Camelamos naquerar*, de Mario Maya, que constituye un hito en 1976.

En Vallecas, las peñas flamencas del barrio comienzan a convocar grandes citas a las que acuden no sólo los cantaores aficionados que alimentan las reuniones de sus propios locales cada fin de semana, sino también profesionales de mayor renombre. Son significativos los festivales de la Peña Fosforito en 1982 y 1983 o el homenaje a Juan Varea que se celebra en el Teatro Monumental en 1984, impulsado por los miembros de la Peña Los Cabales. La peña de San Blas-Vicálvaro, que inicia sus actividades a una hora tan poco flamenca como las doce de la mañana de cada domingo, y las de Usera y San Fernando de Henares, entre otras, contribuyen a enriquecer tan peculiar circuito.

Al calor de ese movimiento, un grupo de cantaores aficionados y periodistas editamos la revista *Cabal*, cuyo número cero aparece en noviembre de 1982. En la portada, la foto más conocida de Silverio Franconetti, acreditado intérprete de la seguiriya al cambio que presta su nombre a la cabecera. Esta publicación surge con la modesta intención de servir de órgano de expresión al movimiento de peñas flamencas que ha mantenido en los barrios de Madrid un importante rescoldo durante años difíciles para el arte jondo. Con la osadía de la juventud, pocos meses antes, en julio de 1982, nos habíamos presentado en la casa de Antonio Mairena, en la sevillana calle de Padre Pedro Ayala, para hacer al maestro partícipe del proyecto, con tanta fortuna que disfrutamos de dos largas conversaciones con él. Su valioso testimonio aparece en el número uno de *Cabal* y en las páginas de este libro. En los siguientes ejemplares entrevistamos a Menese, Juan Varea, Fosforito, Chaquetón, Sordera, Manolo Sanlúcar... Pero curiosamente, nuestra ilusión por recabar las opiniones de las principales figuras del flamenco nos aleja del mundo de las peñas, que prefiere ver reflejado en las páginas de la revista su propio ambiente endogámico.

Por fortuna, en ese momento el flamenco se está abriendo a públicos más amplios. A partir de 1984, las Cumbres Flamencas que se celebran en el Teatro Alcalá Palace ofrecen espectaculares carteles y contribuyen de forma decisiva a ir creando una afición rejuvenecida, sin los resabios de los veteranos peñistas, que, en general, muestran muy poco interés por la posibilidad que se está presentando de acceder en directo al cante de los grandes. Prefieren permanecer recluidos en exclusivos y cerrados reductos.

Al mismo tiempo, desde las páginas del diario *El País*, Ángel Álvarez Caballero abre una brecha informativa fundamental. El veterano periodista vallisoletano afincado en Madrid se convierte en pionero de una forma actualizada de tratar el flamenco en la prensa. Hasta 1981, cuando él empieza a escribir en sus páginas, este periódico, el de mayor tirada de España, no tenía crítico de flamenco. Fernando Quiñones escribía algún artículo ocasionalmente y apenas nada más. Pero a partir de ese momento, poco a poco, empieza a tratarse el flamenco en la prensa diaria con las mismas claves que cualquier otro tipo de música: se anuncian las actuaciones que va a haber, los artistas tienen ocasión de manifestar su opinión, sobre todo cada vez que graban un nuevo disco o preparan un recital importante, y comienza a hacerse crítica de cada acontecimiento de cierta relevancia.

Como en otros ámbitos informativos, el rodillo periodístico del diario de Polanco marca línea. En este caso para bien. Y el papanatismo habitual de la prensa actúa, por una vez, de forma favorable a algo que merece la pena: como el periódico de mayor tirada empieza a considerar el flamenco una música casi similar a cualquier otra, los responsables de otros medios llegan a la conclusión de que ellos también le pueden dar cancha. Eso facilita que algunos periodistas aficionados al cante contribuyamos a abrir camino en las publicaciones que van surgiendo y en otras ya consolidadas. Comienza a asentarse un circuito flamenco estable y se retroalimenta con la crítica, que refleja la nueva situación. Cada vez con mayor frecuencia, hay acontecimientos interesantes de los que se puede escribir, y el reflejo de los conciertos en la prensa atrae a nuevos públicos.

En 1982 abre sus puertas el Café de Silverio, y se suma a la labor que, desde años atrás, llevaba desarrollando La Carcelera bajo la batuta de un pionero tan singular como José Luis López del Río. La Carcelera, que cerrará sus puertas en 1993, constituye un punto de referencia básico para los aficionados al cante, sobre todo durante los años inmediatamente posteriores a la muerte de Franco. Por el semisótano de la calle de Monteleón donde está ubicada esta entidad cultural pasa todo lo más grande del cante y el toque de esa época. López del Río divulga el flamenco auténtico con enorme respeto a sus raíces y un inequívoco compromiso político contra la dictadura.

Situado muy cerca de La Carcelera, en la calle de Manuela Malasaña, el Café de Silverio contribuye a hacer más flamencas las noches del barrio que circunda la plaza del 2 de Mayo. En diciembre de 1982, un festival organizado por los propietarios del nuevo establecimiento, en el cine Europa, concentra a Enrique Morente, Chaquetón, Rafael Romero, El Gallina, Carmen Linares, Pepe y Luis Habichuela, Perico del Lunar, Manolo Heras... Todos juntos posan para la revista *Cabal* en el vestíbulo del cine. Casi la mitad de los artistas que podemos contemplar en esa histórica foto, lamentablemente, ya han desaparecido.

Un poco antes, en 1981, la Peña Chaquetón, recién constituida, ha apadrinado también un memorable festival, nada menos que un domingo por la mañana, en el cine Consulado. Con José Menese, Sordera, Carmen Linares y el propio Chaquetón. Un momento inolvidable de ese acto se da cuando sube al escenario Antonio El Flecha, padre de Chaquetón. Es la última vez que el veterano cantaor gaditano puede acudir a un espectáculo flamenco. Pero todavía no hay un hueco en la prensa diaria para ocuparse del evento.

La Peña Chaquetón se convierte en un lugar de referencia fundamental para los aficionados al cante, y por su local de la calle de Canarias pasan infinidad de figuras, hasta que cierra definitivamente sus puertas en 1999. Su esquema es diferente al de las antiguas peñas de los barrios periféricos madrileños, en los que se producía una sucesión de breves actuaciones de artistas aficionados. El planteamiento de la Peña Chaquetón consiste en ofrecer cada viernes un recital completo de una artista de renombre. Siguiendo sus pasos, se constituirá en 1992, en el Pozo del Tío Raimundo, la Peña Duende, que continúa ofreciendo un recital cada viernes. La Peña Chaquetón es también la impulsora de la Semana Flamenca de Alcobendas, que ya ha celebrado 25 ediciones y, junto con las Jornadas Flamencas de Fuenlabrada, se ha convertido en el certamen de este tipo más antiguo de la Comunidad de Madrid. La Semana de Alcobendas comenzó siendo un concurso de cante que, en su segunda edición, celebrada en 1985, ganó una jovencísima Mayte Martín, años antes de alzarse con la Lámpara Minera.

También en 1981 se celebra en el Palacio de los Deportes el primer Festival Flamenco de San Isidro, otro importante hito. Camarón, que ya ha trascendido en ese momento el mundo del flamenco, se convierte en el gran enganche de la cita, evidenciando su capacidad de convocatoria. Y los periodistas de rock, que ya se habían fijado en él a raíz de *La leyenda del tiempo*, comienzan a prestarle cada vez más atención. José acudirá puntualmente cada año a este evento, hasta 1990, en que se celebra su última edición, en un escenario distinto, el campo de fútbol de Usera, con el genio de La Isla ya muy tocado por la enfermedad que le provocará la muerte un par de años después.

Además, en 1982 comienzan a emitirse los programas «El cuarto de los cabales», de Pepe Verdú y Manuel Ríos Ruiz, y

«Nuestro Flamenco», de José María Velázquez, ambos en RNE, además de «Madrid Flamenco», de José Manuel Gamboa y Juan Verdú, en Onda Madrid. Y aparecen otros programas dedicados a la difusión del flamenco en distintas emisoras locales.

Desde 1980 hasta hoy, durante estos 30 intensos años, en Madrid hemos asistido a una auténtica revolución dentro del universo flamenco. Musical y sociológica. Todo ese proceso está reflejado pormenorizadamente en la prensa. De las reuniones espontáneas y bastante cerradas entre los propios artistas, que se gastan lo que acababan de ganar en los tablaos, se pasa a los teatros y los cachés con muchos ceros. Además, pronto aparece el «nuevo flamenco», que genera bastantes contradicciones y una gran confusión. Es un fenómeno que acerca a cierto público joven al cante de verdad, pero del que se benefician, con notable oportunismo, personajes que no saben ni abrir la boca por soleá o seguiriya. Lo cierto es que tanto el flamenco como sus sucedáneos llegan a los medios de comunicación con una fuerza desconocida hasta ese momento. Y su presencia en ellos, por derecho propio, resulta ya irreversible.

Las cuatro ediciones de la Cumbre Flamenca, que se celebran entre 1984 y 1987, convocan en Madrid a un extraordinario plantel de artistas —en ese momento, la nómina de figuras es aún enorme— y sirven de modelo para otros certámenes que van a seguir sus pasos, como el Festival Flamenco de Caja Madrid. La última década del pasado siglo es una época de verdadera eclosión flamenca en Madrid. La Peña Chaquetón, Casa Patas, Revólver, Caracol y otros locales entrecruzan su oferta artística. Hay actuaciones casi a diario. Se consolidan la Semana Flamenca de Alcobendas y las Jornadas Flamencas de Fuenlabrada, y los festivales en el Colegio Mayor San Juan Evangelista se multiplican. Además, surge el Festival de Caja Madrid, que, en cierta medida, recupera la herencia de las Cumbres Flamencas. Una nueva generación de aficionados se acerca al arte jondo. Y los medios de comunicación se hacen eco de este fenómeno.

Dentro de este panorama, se merece una mención muy especial el Club de Música del Colegio Mayor San Juan Evangelista, que programa conciertos flamencos en este centro desde hace cuarenta años y es el germen de certámenes tan importantes como el Festival del Taranto o el Festival de Caja Madrid.

Desde hace cuatro años, se celebra un nuevo certamen de gran relevancia, Suma Flamenca, cuya programación alcanza escenarios hasta ahora prácticamente inéditos para el cante, en pequeños pueblos de la Comunidad de Madrid. Además, desde hace quince años tienen lugar en Leganés las Jornadas Flamencas de La Fortuna, Rivas se ha convertido en otro centro flamenco de referencia y mantienen su actividad tablaos clásicos del centro de Madrid, como el Corral de la Morería, Torres Bermejas o el Café de Chinitas, entre otros, a los que han venido a sumarse dos nuevos establecimientos de este tipo, Las Carboneras y Las Tablas.

El flamenco empieza a gozar de un espacio propio cada vez más razonable en los periódicos, casi como cualquier otra música de raíz, aunque todavía hay que pelearse mucho para encontrar huecos informativos. Y las figuras del arte jondo comienzan a tener cara y voz también para los profanos. La posibilidad de escribir y publicar frecuentes artículos sobre el mundo flamenco nos impulsa a los periodistas especializados a mantener un contacto más estrecho con los profesionales de este arte. Los que de verdad saben de flamenco son los flamencos y es un privilegio poder estar cerca de ellos grabando y anotando sus opiniones y recuerdos. El papel impreso sirve de referencia para entender y reconstruir una época y una forma de vivir.

Los flamencos son personajes muy accesibles, tienen poco que ver con los grandes divos del pop o el rock, pero, lógicamente, la mayor parte de los aficionados no encuentran la posibilidad de cultivar una relación estrecha con ellos. Nosotros tenemos la gran suerte de escribir sobre personajes con quienes mantenemos, en general, un cercana relación personal. Los vemos con frecuencia y compartimos unos vasos de vino con ellos. ¿Cuántas veces han alternado con Mick Jagger los que escriben sobre los conciertos, los discos y las anécdotas de los Rolling Stones? ¿Y qué crítico español ha mantenido una larga sobremesa con Van Morrison? Nuestra relación con los flamencos nos permite aportar información novedosa, caliente, conseguida directamente de los protagonistas, sin necesidad de acudir a Internet o hacer refritos de notas ya publicadas. Por eso es importante seguir los criterios del periodismo profesional para tratar el flamenco: siempre es mejor acudir a las fuentes que elucubrar más de la cuenta. Menos flamencología y más información.

El periodista especializado en flamenco puede ejercer, con equilibrio y buen sentido informativo, el necesario papel de intermediario entre los artistas y el público. Una crítica no se puede basar sólo en desmenuzar sesudamente los estilos que ha abordado el cantaor sobre el escenario. Se supone que quien escribe sobre esto tiene ya experiencia en el asunto y al menos cierto conocimiento, pero, sobre todo, se beneficia de saber qué ocurre entre bambalinas. Parte de esa información de trastienda le puede servir al espectador sentado en su butaca para saber por qué las cosas han ocurrido de una manera o de otra.

Quienes trabajamos en medios de comunicación de difusión masiva asumimos la responsabilidad de estar dirigiéndonos a un público muy heterogéneo, con un nivel de conocimiento y afición desiguales. Desde un periódico se debe realizar la labor más constructiva posible, a caballo entre la pura información, la divulgación y la crítica. Para bien o para mal, hay lectores que se guían por algunas de nuestras opiniones. Y no es lo mismo publicar en un diario de distribución nacional que en una revista especializada o en el boletín de una peña.

Además, en el periódico, las críticas de flamenco comparten página con las de pop, rock y otras músicas. Y tener un mínimo criterio a la hora de valorar un disco o una actuación contrasta, a menudo, con el periodismo de exaltación que se practica habitualmente. Por ejemplo, los comentarios semanales sobre los nuevos discos flamencos que se publican en «Metrópoli», el suplemento que se entrega los viernes con «El Mundo, aparecen en una doble página, en medio de una incontenible lluvia de estrellas que califican como excelsas casi todas las grabaciones de los más variados estilos. Hay que andar con mucho tiento a la hora de valorar a los flamencos, para no parecer, por comparación, un inquisidor de nuestra música. Pero tampoco se puede caer en el carril jabonoso del acriticismo y el aprobado por aclamación. Y la verdad es que a los artistas no les gusta una crítica, aunque sea tibia, ni cuando están rematadamente mal.

En los años treinta del pasado siglo, el genial compositor argentino Enrique Santos Discépolo escribió «¿Qué vachaché?, un tango que llegaría a grabar Carlos Gardel, en el que decía: «¿Qué vachaché ('vas a hacer') si ya murió el criterio?». Más de setenta años después, el periodismo de exaltación se ha apoderado de las páginas culturales de los diarios, que cada vez parecen más expositores publicitarios de las grandes compañías discográficas, editoriales y productoras cinematográficas. Y desde luego, todo lo que se hace ahora en el mundo de la cultura no es precisamente original y glorioso. Tampoco la mayor parte de lo que se sitúa dentro del ámbito del arte jondo. En lo que nos toca a nosotros, hay una verdadera obsesión por adjudicar la denominación de origen flamenca a casi todo, aunque no tenga los más mínimos puntos de contacto con el arte de Chacón o La Niña de los Peines.

Todavía hoy resulta mucho más fácil escribir de un invento bien promocionado por una compañía discográfica fuerte que de un cantaor con verdaderos fundamentos flamencos. La diferencia es que el invento se lo venden las compañías directamente al redactor jefe y, además, cuando la nueva estrella aparece en varios medios importantes, se produce un contagio colectivo. Las presentaciones de los famosos son de obligado cumplimiento informativo y a la mayor parte de los artistas flamencos de verdad los tenemos que colar usando todo tipo de trucos adquiridos a lo largo de nuestra ya larga vida profesional.

En cierta ocasión, Antonio El Pipa nos decía: «Una persona no conocedora del flamenco debe intentar encontrarse con una actuación sencilla y con artistas importantes, no necesariamente en nombres, sino en capacidad de transmisión. Y tiene que sentirse atrapado por esa música que está escuchando. ¿Pero cómo le decimos a alguien no informado qué es el flamenco y qué no lo es? Es algo muy difícil. La sensibilidad y la experiencia son las luces que te van marcando el camino. Los medios de comunicación tienen una gran responsabilidad a la hora de clarificar el panorama y diferenciar unas cosas de otras. No se le puede poner a todo la misma etiqueta».

Rafael Amador, fundador del grupo Pata Negra junto a su hermano Raimundo, reconocía en una copla, con mucha gracia autocrítica, las diferencias entre el flamenco y lo que se mueve en su periferia: «Yo tengo una pena loca, / que canto por bulerías / pa que me partan la boca». Pero no todos los llamados «nuevos flamencos» son tan lúcidos y honestos como él. Ni, por supuesto, muchos de los que se apuntan a escribir en los periódicos de estas cuestiones, al calor de la moda de lo «flamenquito», sin criterio ni conocimiento. Así, se pueden leer, en diarios de notable difusión, disparates como que un artista ha cantado por «campiñas», que alguien ha interpretado «La Tarara» de Camarón, o que Paco de Lucía trabajó en el tablao Porrinos de Badajoz, cuando Porrina, el gran cantaor extremeño, no tuvo ningún tablao en Madrid. Y menos, con su nombre mal escrito. Incluso en *El País*, se cuela un espontáneo que asegura: «También hay buenos cantaores payos. Mairena antes, Poveda ahora». ¡Don Antonio!, que estuvo toda la vida defendiendo el origen gitano-andaluz de los cantes básicos.

Para comprobar, con claridad, que el cante de siempre tiene poco que ver con los experimentos comerciales clónicos que se están haciendo ahora, sólo hay que ir a un concierto de José Mercé, por ejemplo. Es la evidencia, sintetizada, de lo que está ocurriendo actualmente en el mundo del flamenco. El jerezano suele empezar la actuación por tonás y sigue por alegrías, soleá y malagueña, más o menos. Con la guitarra de Moraíto. Atesora una voz flamenquísima, tablas, compás, de todo... Y pertenece a una familia gitana de las más importantes de la historia flamenca. Todo eso lo tiene ahí y lo puede sacar en cualquier momento. Pero después, cuando sale con todo su grupo, cantando las pachanguitas que le han compuesto Vicente Amigo o Isidro Sanlúcar, con los tambores y la fanfarria, aquello se convierte en otra cosa. En un concierto pop y de calidad muy discutible.

Curiosamente, en 1994, Mercé nos decía: «El flamenco corre el peligro de desaparecer».[6] Rechazaba, indignado, las denominaciones de «nuevo flamenco» y «jóvenes flamencos» y afirmaba que «en esta música se ha inventado casi todo». En aquel momento, cuando aún le quedaban un par de años para alcanzar su primer gran éxito de ventas, declaraba: «Lo que hace falta es cantar bien y saber lo que se hace. Pero sentarse en una silla y templarse por soleá, apoyado sólo por una guitarra, es muy difícil, sin nadie más que te acompañe ni te arrope. Además, así se gana menos dinero». Después arremetía contra las casas de discos: «Son las primeras que van a buscar los duros, sin importarles la calidad ni la autenticidad. Lo que quieren es vender, y si para eso hay que poner la etiqueta de flamenco a las mezclas comerciales que se graban ahora, lo hacen».

La «lógica» consecuencia de esas reflexiones fue que, poco después, fichaba por la multinacional Virgin y se dejaba asesorar por Vicente Amigo para hacer un disco superventas, *Del amanecer*. Y lo consiguió: más de 150.000 ejemplares, una cifra que no había alcanzado hasta entonces ni Camarón. Su caso resulta especialmente elocuente y significativo, después de cantar por derecho desde los trece años, le llegaba el éxito de masas con casi cuarenta y cinco. Pero no haciendo cante de verdad, sino «temas», como se dice ahora. Entonces, su discurso cambió: «Me gusta arriesgarme, porque si tengo que estar toda la vida haciendo lo mismo, llega un momento que me aburro. El flamenco debe estar abierto al futuro, porque es una música viva». Pero él sigue siendo José Soto Soto, gitano del barrio de Santiago y miembro de la saga de los Sordera.[7] Los que vienen detrás no atesoran ese patrimonio histórico.

Ahora los jóvenes artistas flamencos tienen mayor información a su alcance que nunca: discos, imágenes, libros... Sin embargo, son pocos los que se preocupan por mirar hacia atrás para ampliar su formación y su perspectiva. Enrique Morente, un maestro creador y siempre inquieto, pero con un sólido conocimiento de la tradición, señalaba desde las páginas de *El Mundo*:[8] «La creatividad no está reñida con ser buen aficionado. Y eso es lo primero que debe ser un flamenco: buen aficionado, respetuoso con el cante jondo y también pasional. Es la única manera de adquirir paladar para distinguir las expresiones que son válidas y buenas. Si te metes en una corriente, a favor o en contra, te pierdes muchas cosas».

La crítica flamenca también puede hacer mucho a la hora de orientar, de forma constructiva, a los artistas que empiezan. Teniendo en cuenta que muchos problemas actuales del arte jondo no son una cuestión exclusiva del universo flamenco. Las complicaciones del relevo generacional y el escaso interés de los jóvenes por conocer las raíces del arte al que se quieren dedicar alcanza a ámbitos muy diversos de la vida cultural. En una entrevista publicada en el diario *El País*,[9] el director de cine norteamericano Peter Bogdanovich, autor de películas como *Luna de Papel* y *Qué me pasa doctor*, declaraba: «En una ocasión, le comenté a un actor que me recordaba a James Cagney y él no tenía ni la más remota idea de quién era Cagney. A otro le pedí que actuara como Cary Grant y no tenía ni idea de quién era el punto de comparación... Es horrible. Los actores deberían conocer sus raíces, quiénes estuvieron antes que ellos, cuáles fueron sus etapas anteriores...». La reflexión nos resulta muy familiar.

Quienes se han acercado a disfrutar de esta música más o menos recientemente no pueden imaginar las dificultades que encontrábamos los jóvenes aficionados de hace treinta y cinco años para conseguir, por ejemplo, una grabación de Antonio Chacón, Manuel Torre o Tomás Pavón. Pero ya se acabó el hermetismo, el cante está al alcance de todos. Ahora, los artistas flamencos y los nuevos aficionados que se acercan al mundo del cante, el toque y el baile tienen mayor información a su alcance que nunca: discos, imágenes, libros... Ya sólo hace falta interés por encontrar los cimientos de este arte y poder mirar desde atrás hacia el futuro con fundamentada perspectiva.

NOTAS

2. LAS ALEGRÍAS DE CÁDIZ Y LA TRAICIÓN DEL BORBÓN

1. Ramón Solís, *El Cádiz de las Cortes*, Madrid, Silex, 1987.
2. El mariscal Joachim Murat, cuñado de Napoleón, era hijo de un posadero.
3. Fernando Quiñones, *De Cádiz y sus cantes*, Sevilla, Fundación José Manuel Lara, 2005.
4. Ducas: penas, en caló.

3. LA PREHISTORIA DEL CANTE: HERMETISMO Y PERSECUCIÓN

1. Antonio Machado y Álvarez, *Colección de cantes flamencos*, Madrid, Ediciones Demófilo, 1975.
2. Carlos y Pedro Caba, *Andalucía. Su comunismo libertario y su cante jondo*, Sevilla, Renacimiento, Biblioteca de Rescate, 2008.
3. Paco Espínola, *Flamenco de ley*, Granada, Universidad de Granada, 2007.
4. Calorrés: gitanos. Calorrea: gitanas. Jundamales o jondunares: soldados o guardias.
5. Eric J. Hobsbawm, *Rebeldes primitivos*, Barcelona, Ariel, 1983.
6. Génesis García Gómez, *Cante flamenco, cante minero*, Barcelona, Antrophos, 1993.
7. Esta copla aparece en *Mr. Witt en el Cantón*, de Ramón J. Sender, citado por Génesis García.

4. FANDANGOS POR LA REPÚBLICA Y UN COMANDANTE GITANO EN EL FRENTE DE MADRID

1. «No me interesa ningún bailaor actual», entrevista de Alfredo Grimaldos a Joaquín Cortés publicada en *El Mundo*, 7 de marzo de 2003.

2. Antonio Burgos, *Juanito Valderrama. Mi querida España*, Madrid, La Esfera de los Libros, 2002.

3. Antonio Burgos, *op. cit.*

4. F. Bruno de Perinat, *Paco el Americano. Figuras del cante jondo. Nuevo repertorio de canciones*, edición facsímil, Sevilla, Extramuros, 2007.

5. José Blas Vega, *El flamenco en Madrid*, Córdoba, Almuzara, 2006.

6. Anthony Beevor, *La guerra civil española*, Barcelona, Crítica, 2005.

7. Alfonso G. de la Higuera y Luis Molina, *Historia de la revolución española*, Cádiz, 1940, citado por Beevor.

8. Antonio Bahamonde, *Un año con Queipo. Memorias de un nacionalista*, Barcelona, Ediciones Españolas, 1938, citado por Beevor.

9. Ángel Sody de Rivas, *Diego del Gastor. El eco de unos toques*, El Flamenco Vive, Madrid, 2004.

10. Alfredo Grimaldos, *La Iglesia en España (1977-2008)*, Barcelona, Península, 2008.

11. Conversación con el autor.

12. Antonio Burgos, *op. cit.*

13. Ortega, Antonio, *Voz de canela. Bosquejo biográfico del Bizco Amate*, Sevilla, Ayuntamiento de Sevilla, 2003.

5. CANTAR PARA DISTRAER EL HAMBRE

1. Conversación con el autor, septiembre de 1982.

2. Estela Zatania, *Flamencos de Gañanía*, Sevilla, Giralda, 2007.

3. Declaraciones a José María Velázquez, *La Calle*, 11 de diciembre de 1979.

4. José Luis Ortiz Nuevo, *Tío Gregorio, Borrico de Jerez. Recuerdos de infancia y juventud*, Cádiz, edición del autor, 1984.

5. Luis Caballero Polo, *Historias de flamencos*, Sevilla, Giralda, 1999.

6. Manuel Bohórquez, *Tomás Pavón. El Príncipe de la Alameda*, Sevilla, Pozo Nuevo, 2007.

7. José Luis Ortiz Nuevo, *Las mil y una historias de Pericón de Cádiz*, Barcelona, Barataria, 2008.

8. Entrevista con el autor, *Cabal*, noviembre de 1982.

9. Donn E. Pohren, *Una forma de vida*, Sevilla, Fundación Fernando Villalón, 1998.

10. Ángel Sody de Rivas, *Diego del Gastor. El eco de unos toques*, Madrid, El Flamenco Vive, 2004.

11. Entrevista de Ángel Casas, *Vibraciones*, noviembre de 1974.

12. Alfredo Grimaldos, *Luis de la Pica. El duende taciturno*, Madrid, El Flamenco Vive, 2007.

13. Ibid.

6. ANTONIO MAIRENA Y LA TRANSICIÓN DEL FLAMENCO DESDE LAS VENTAS A LOS FESTIVALES

1. Entrevista de Alfredo Grimaldos, *Cabal*, enero de 1983.

2. Antonio Mairena, *El calor de mis recuerdos*, Pasarela.

3. Reportaje de Carmen Amores en *El País*, 4 de noviembre de 1984.

4. Entrevista de Alfredo Grimaldos, *Cabal*, mayo de 1984.

5. Alberto García Ulecia, *Las confesiones de Antonio Mairena*, Sevilla, Publicaciones de la Universidad de Sevilla, 1976.

7. MENESE Y MORENO GALVÁN: COMPROMISO Y RENOVACIÓN

1. Entrevista de Alfredo Grimaldos a José Menese, *Cabal*, 1983.

2. Entrevista de J.M. Siles a José Menese, *El País*, 8 de julio de 1984.

3. Entrevista de Alfredo Grimaldos a José Menese, *La Tarde de Madrid*, 13 de junio de 1986.

4. Génesis García, *José Menese, biografía jonda*, Madrid, El País/ Aguilar, 1996.

5. Rafael Alberti y Blas de Otero dedicaron sendos poemas a José Menese:

A LA VOZ DE JOSÉ MENESE

Tan solo, penando,
Sin saber que un día
Una voz que vino de lejos
Me consolaría.

Voz que cantaba
Los años oscuros,
Las fatigas de todos mis muertos
Entre cuatro muros.

El arranque ciego,
La sangre valiente,
Ese toro metido en las venas
Que tiene mi gente.

La furia del viento
Que afila la espuela
Y el bramido del mar amarrado
Sin barcas de vela.

Tan solo penando
Sin saber que un día
Esa voz que me vino hasta Roma
Me consolaría.

Rafael Alberti

JOSÉ MENESE

La voz, la voz que cierra y abre las palabras,
El cante cortado de perfil bruscamente,
Voz acendrada ensanchándose desde adentro,

José Menese

Hay un golpe, un temblor y una rabia
Que es a un tiempo poderosa vida y muerte,
Una vibración de mar junto a la costa,

José Menese.

Callad, el silencio se cierra y abre,
Las palabras pasan, caen de bruces, ascienden,
Un hombre solo con la voz de todo el pueblo,

Blas de Otero.

6. Génesis García, *op. cit.*

7. Bastantes años después, en 2005, Miguel Poveda también se acordará cumplidamente del dictador. En su disco *Desglaç* ('Deshielo'), cantado en catalán, incluye un poema de Joan Brossa, «Final!» (con música de Marcelo Mercadante y del propio cantaor), escrito el mismo día que murió Franco. Poveda explica por qué lo seleccionó: «Cuando yo me vi eligiendo los poemas, sin darme cuenta estaba eligiendo temáticas que yo no había tratado nunca. Nunca había sido reivindicativo con nada, simplemente cantaba flamenco, lo que me gustaba y demás. Entonces me di cuenta de que estaba eligiendo poemas en contra de la guerra, de la intolerancia... Un poema muy fuerte que leí es el de Joan Brossa, que escribió el mismo día que Franco murió, el 20 de noviembre de 1975. Notaba una rabia contenida muy fuerte y ponía a Franco como los trapos. Le decía, traducido al castellano: "Podrido verdugo, santo excremento, gloria del cagarro, con tufo de sangre y mierda, tendrías que haber estado colgado de un árbol...". En fin, todos esos sentimientos que tiene un ser humano cuando está tan reprimido, tan oprimido por una dictadura, esa rabia. Y esa celebración también, porque al final, dice: "Bueno, ha muerto el dictador más viejo de Europa, un abrazo de amor y alcemos la copa". Entonces yo dije: "Esto lo tengo que cantar yo". Decía muchas palabrotas —"tu puta vida de asesino"—, y yo nunca había dicho palabrotas cantando, pero está bonito». (*Los flamencos hablan de sí mismos*. Vol. II, Universidad Internacional de Andalucía).

FINAL!

—Havies d'haver fet una altra fi;
et merixies, hipòcrita, un mur a
un altre clos. La teva dictadura,
la teva puta vida d'assassí.

Quin incendi de sang! Podrit botxí,
prou t'havia d'haver estovat la dura
fosca dels pobles, donat a tortura,
penjat d'un arbre al fons d'algun camí.

Rata de la més mala delinqüència,
t'esqueia una altra mort amb violència,
la fi de tants des d'aquell juliol.

Però l'has feta de tirà espanyol,
sol i hivernat, gargall de la ciència
i amb tuf de sang i merda, Sa Excremència!-

Glòria del bunyol,
ha mort el dictador més vell d'Europa.
Una abraçada, amor, i alcem la copa!

Joan Brossa (1919-1998)
«Poemes escollits» (1995)

8. Alfredo Grimaldos, *La sombra de Franco en la transición*, Oberon, Madrid, 2004.
9. Conversación con el autor.

8. DINASTÍAS GITANAS

1. Conversación con el autor.
2. Reportaje de Alfredo Grimaldos sobre la familia Habichuela, *Interviú*, 12 de diciembre de 1991.
3. Entrevista de Alfredo Grimaldos a Sordera, *Cabal*, abril de 1985.

9. EL MADRID DE LOS TABLAOS

1. Antonio Fernández de los Santos, El Chaqueta (1918-1980), fue un cantaor genial, de cuyo indiscutible magisterio aprendieron muchos artistas jóvenes. Semejante pozo de sabiduría jonda finalizó sus días cantando al plato por los bares de la plaza de Santa y de la calle de Echegaray. Camarón le dedicó una soleá en uno de sus discos: «El Chaqueta está en el cielo, / y la soleá de Cádiz / con Antonio fue muriendo». Y el cantaor Agustín Fernández declaraba (*Cabal*, enero de 1984): «Yo aprendí mucho de Antonio El Chaqueta, que era el cantaor más largo que he visto en mi vida. Conocía más malagueñas que nadie, y de Cádiz y los Puertos, todo. Si se metía por seguiriyas, igual. Lo que ocurre es que, en Villa Rosa, cantaba canciones para ganarse la vida, como han hecho muchos. Pero en un cuarto, había que escucharlo. Su última fiesta antes de morir la echó conmigo, en El Cerdito con Tirantes, ahí en Atocha. Creo que, a excepción de Vallejo, ha sido quien mejor compás y métrica del cante ha tenido».

2. Conversación con el autor.

3. La madre de Yul Brynner era gitana de Besarabia, una región hoy repartida entre Rumanía y Rusia.

4. Declaraciones al autor, *El Mundo*, 29 de febrero de 1996.

5. Entrevista de Alfredo Grimaldos, *El Mundo*, 9 de mayo de 2001.

6. Entrevista a Paco de Lucía, *Interviú*, 19 de julio de 1993.

10. «NO QUIEREN SOLTAR LA PRENDA»

1. Alfredo Grimaldos, *La CIA en España*, Debate, Madrid, 2006.

2. Blas de Otero tampoco dejó a Gerena sin su requiebro, incluido en el disco *Cantando a la libertad*, 1975:

Manuel Gerena canta desde los pies a la
cabeza del cuerpo y el alma, y el cante
queda vapuleado y vapuleado queda el que escucha.
Y sus letras —*letrillas*, como él dice— sencillas pero profundas:
auténtico *Viento del Pueblo*.
Nada más. Escuchad.

Y Alberti, como es reglamentario, también se acuerda de él:

> Las coplas que de ti salen,
> te salgan como te salgan,
> valen.
>
> Porque tú no estás, ni estamos,
> para fuegos de artificio,
> cuando apenas respiramos.
>
> Escribir para cantar...
> Cuando se canta lo escrito,
> ya pertenece a la mar.
>
> Te llaman Manuel Gerena.
> ¡Qué bien consuena tu nombre
> con la pena!
>
> La pena, que es valentía,
> cuando no dejan al pueblo
> más que pena y agonía.
>
> Pena grande que quebranta
> los huesos, si al pueblo ponen
> una soga en la garganta.
>
> Canta, muchacho andaluz,
> porque tu cante a la sombra
> le quita cruz y da luz.
>
> Canta y sigue, que delante
> se abre toda España
> a la honda voz de tu cante.

3. Manuel Bohórquez, *Manuel Gerena. La voz prohibida*. Sevilla, Pozo Nuevo, 2007.

4. Recogido por Bohórquez, *op. cit.*

5. Entrevista de Alfredo Grimaldos en *El Mundo*, 6 de diciembre de 2002.

6. Conversación con el autor.

7. Conversación con el autor.

8. «Camarón se entregó»

Camarón y Rancapino fueron los triunfadores del Festival del Taranto. El mayor genio cantaor actual llegó el sábado a su hora, sin dar lugar a sobresaltos. Estaba dispuesto a ofrecer espectáculo y lo hizo como sólo él sabe hacerlo. Se templó por soleá, abordó la obligada tanda de cantes mineros y puso la sala patas arriba por bulerías. Después cantó tangos y, en el bis, fandangos. A continuación desapareció. Ya era suficiente; casi una hora con Camarón por derecho es mucha tela...» (crítica de Alfredo Grimaldos, *El Mundo*, 27 de enero de 1992).

9. «Un escándalo injustificable».

Intérpretes: Manuel Agujetas (cante) y Antonio Soto (toque)./ Escenario: Sala Clamores, Madrid. / Fecha: 2 de diciembre.

Calificación: (**)

MADRID.— Manuel Agujetas es la encarnación del mal salvaje. Aunque pasará a la historia del cante por su impresionante eco de voz, como individuo no hay por dónde cogerlo. Siempre hay que intentar separar la talla profesional de cualquier artista de su propia calidad humana, pero en el caso de este gitano de Jerez, él mismo cierra al aficionado con sensibilidad la más mínima posibilidad de hacerlo. El martes, en Madrid, al final de un concierto muy irregular, con indudables pinceladas de singular calidad, ofreció de nuevo lamentables evidencias de su catadura personal.

Estamos acostumbrados a salidas de tono suyas como las de que «Camarón es un endrogao» o «Carmen Amaya no sabía bailar», pero esta vez se esmeró en sus renovadas inmundicias. Para Agujetas no tiene ningún sentido hablar de malos tratos a mujeres, a pesar de que cada año haya decenas de víctimas mortales.

Este aborrecible personaje de las cavernas considera que, en realidad, sucede todo lo contrario, porque «casi todos los hombres son maricones y las mujeres, machorras». Y piensa que eso es un signo característico de este tiempo: «Con Franco no había maricones». Pero lo más lamentable del asunto es que las réplicas a los comentarios de este mal bicho fueron aisladas y minoritarias. La mayoría de los espectadores permaneció en silencio, no aprobatorio, pero sí pasivo. Esta sociedad está cada vez más desarmada moralmente y demasiado acostumbrada a convivir con la ignominia.

Primitivo en el peor sentido del término, a Manuel Agujetas sólo se le puede reivindicar como cantaor depositario de la mejor herencia flamenca de Jerez. La de los barrios de Santiago y San Miguel —de donde proviene su familia—. Y eso a pesar de que ahora también reniega públicamente de los suyos y de sus propios orígenes gitanos.

Siempre ha sido así de intratable, pero la obvia carencia de cantaores puros no justifica que se mitifique a personajes como éste. Quizá nadie como Manuel Agujetas transmite la tragedia de su mítico paisano Manuel Torre por soleá o seguiriya y, además, atesora un privilegiado soniquete antiguo, pero eso sería suficiente para conservarlo como una reliquia si únicamente abriera la boca para cantar.

Su leyenda romántica de personaje raro, al margen de las convenciones sociales, tampoco se sostiene: no mantiene relaciones con ninguno de sus hijos ni con sus hermanos y, en Jerez, hasta los flamencos que se rinden ante su innegable categoría como cantaor hacen una mueca evasiva cuando se les habla de él. Sorprende la naturalidad con que saca de dentro el cante más profundo e indigna su ralea.

(Crítica de Alfredo Grimaldos),
publicada en *El Mundo* el 4 de diciembre de 1994.)

10. Entrevista de Camino Brasa en La Revista (*El Mundo*), el 15 de mayo de 1998.

11. Entrevista de Alfredo Grimaldos. *Área Crítica*, junio de 1986.

12. Ibíd.

13. Otro destacado luchador en defensa de la legítima utilización de las veredas de trashumancia es Manuel Gómez Laguna, el Cabrero de Medina Sidonia. Durante muchos años, ha ido siempre acompañado de sus tenazas de cortar alambre. Es el principal enemigo de los latifundistas que usurpan el 70 por ciento de las veredas de trashumancia —3.500 kilómetros— de la provincia de Cádiz. El pertinaz enfrentamiento que el Cabrero de Medina mantiene con ellos, en el corazón de la Andalucía profunda, le ha llevado, en más

de doscientas ocasiones, a declarar en los tribunales y a sufrir intimidatorios procedimientos judiciales. Ha sido apuñalado por guardas
y capataces de los grandes propietarios de la tierra y ha descubierto,
en los amaneceres, cómo sus cabras habían sido degolladas, víctimas
de la venganza de los señoritos.

14. José Manuel Gamboa, *Una historia del flamenco*, Espasa, Madrid, 2005.

15. Entrevista de Carmen Rigalt, *Diario 16*, 21 de agosto de
1986.

16. Conversación con el autor. Enero de 1998.

17. Alfredo Grimaldos. *La sombra de Franco en la Transición*, Oberon, Madrid, 2004.

18. *Morir en Madrid*, 1962, del director Frédéric Rossif, es una
película documental sobre la represión desatada en el bando fascista
durante la Guerra Civil y los bombardeos sobre la población de la
capital. En España no se pudo estrenar hasta 1978.

19. VV. AA. *Los flamencos hablan de sí mismos*, Vol. I, Universidad
Internacional de Andalucía 2007 y 2008. Coordinados por Manuel
Curao.

20. *ABC Cultural*, 19 de noviembre de 1993.

21. Discurso leído con motivo de la concesión, en 2002, del Premio de las Artes Escénicas Corral de Comedias de Almagro. Recogido del libro de homenaje a Antonio Gades editado por la Fundación Autor y la Fundación Antonio Gades en 2005.

22. Declaraciones al autor, *El Mundo*, 26 de julio de 1995.

23. Conversación con el autor.

24. Conversación con el autor

12. «AGITANAOS»

1. Entrevista de Alfredo Grimaldos en *Interviú*, 14 de marzo de
1991.

2. Miguel de Vega Cruz, Niño Miguel (Huelva, 1952), hijo del
guitarrista Miguel El Tomate y tío de Tomatito, estaba considerado,
en 1970, como uno de los guitarristas flamencos con mayor personalidad y proyección. En 1975 y 1976 grabó, como solista, dos dis

cos extraordinarios, *La guitarra de El Niño Miguel* y *Diferente*. Según señala Ángel Álvarez Caballero en el texto que acompaña un compacto donde se recoge gran parte de los temas incluidos en aquellos dos discos: «El esplendor de aquellos años se fue apagando poco a poco. Una inestabilidad psíquica que llevó al artista a tener un comportamiento con frecuencia imprevisible influyó en su arte. En 1984, en la III Bienal de Arte Flamenco de Sevilla, tuvo su última actuación en un acontecimiento de importancia. Hoy el Niño Miguel está olvidado, aunque sigue tocando en su tierra en lo que buenamente le sale».

3. Fernando el de Triana, *Arte y artistas flamencos*, Demófilo. Córdoba, 1978.

EPÍLOGO

1. Arie C. Sneeuw, *Flamenco en el Madrid del siglo xix*, Virgilio Márquez Editor, Córdoba, 1989.

2. *La Época*, 6 de junio de 1983, citado por Arie C. Sneeuw.

3. *Vibraciones*, noviembre de 1974.

4. *Ya*, 21 de septiembre de 1975.

5. *Triunfo*, 13 de marzo de 1976.

6. *Metrópoli*, 2 de septiembre de 1994.

7. *El Mundo*, 9 de noviembre de 1998.

8. *El Mundo*, 30 de septiembre de 2005.

9. *El País*, 22 de enero de 2006.

BIBLIOGRAFÍA

ÁLVAREZ CABALLERO, ÁNGEL, *El cante flamenco*, Madrid, Alianza, 1994.

BEEVOR, ANTHONY, *La guerra civil española*, Barcelona, Crítica, 2005.

BERNALDO DE QUIRÓS, CONSTANCIO, *El bandolerismo andaluz*, Madrid, Turner, 1973.

BLANCO GARZA, JOSÉ LUIS; JOSÉ LUIS RODRÍGUEZ OJEDA y FRANCISCO ROBLES RODRÍGUEZ, *Las letras del cante*, Sevilla, Signatura, 2005.

BLAS VEGA, JOSÉ, *El flamenco en Madrid*, Córdoba, Almuzara, 2006.

— *Vida y cante de don Antonio Chacón: la edad de oro del flamenco*, Madrid, Cinterco, 1990.

BLAS VEGA, JOSÉ y MANUEL RÍOS RUIZ, *Diccionario Enciclopédico Ilustrado del Flamenco*, Madrid, Cinterco, 1988.

BOHÓRQUEZ CASADO, MANUEL, *Manuel Gerena. La voz prohibida*, Sevilla, Pozo Nuevo, 2007.

— *Tomás Pavón. El Príncipe de la Alameda*, Sevilla, Pozo Nuevo, 2007.

BRUNO DE PERINAT, F., *Paco el Americano. Figuras del cante jondo. Nuevo repertorio de canciones*, edición facsímil, Sevilla, Extramuros, 2007.

BURGOS, ANTONIO, *Juanito Valderrama. Mi querida España*, Madrid, La Esfera de los Libros, 2002.

CABA, CARLOS y PEDRO, *Andalucía. Su comunismo libertario y su cante jondo*, Renacimiento, Sevilla, Biblioteca de Rescate, 2008.

CABALLERO BONALD, JOSÉ MANUEL, *Luces y sombras del flamenco*, Barcelona, Lumen, 1997.

CABALLERO POLO, LUIS, *Historias de flamencos*, Sevilla, Giralda, 1999.

CALVO, PEDRO y JOSÉ MANUEL GAMBOA, *Historia-guía del Nuevo Flamenco: el duende de ahora*, Madrid, Guía de Música, 1994.

CASTRO, ADOLFO DE, *Historia de Cádiz y su provincia*, Cádiz, Diputación de Cádiz, 1985.

CRUCES ROLDÁN, CRISTINA, *Antropología y flamenco*, Sevilla, Signatura, 2003.

ESPÍNOLA, PACO, *Flamenco de ley*, Granada, Universidad de Granada, 2007.

GAMBOA, JOSÉ MANUEL, *Una historia del flamenco*, Madrid, Espasa, 2005.

GARCÍA GÓMEZ, GÉNESIS, *Cante flamenco, cante minero*, Barcelona, Antrophos, 1993.

— *José Menese, biografía jonda*, Madrid, El País/Aguilar, 1996.

GARCÍA ULECIA, ALBERTO, *Las confesiones de Antonio Mairena*, Sevilla, Publicaciones de la Universidad de Sevilla, 1976.

GERENA, MANUEL, *Escribir para cantar. Cantaores y poetas*, Sevilla, 2007.

GIL NOVALES, ALBERTO, *Rafael de Riego. La Revolución de 1820*, día a día, Madrid, Tecnos, 1976.

GONZÁLEZ SACRISTÁN, SANTIAGO, *La fiesta infinita: Bambino (1940-1999)*, Sevilla, edición del autor, 2003.

GRANDE, FÉLIX, *Memoria del flamenco*, Galaxia Gutenberg, Barcelona, 1995.

GRIMALDOS, ALFREDO, *Luis de la Pica. El duende taciturno*, Madrid, El Flamenco Vive, 2007.

— *La sombra de Franco en la transición*, Madrid, Oberon (Anaya), 2004.

HOBSBAWM, ERIC J., *Rebeldes primitivos*, Barcelona, Ariel, 1983.

MACHADO Y ÁLVAREZ, ANTONIO, *Colección de cantes flamencos*, Madrid, Ediciones Demófilo, 1975.

MERCADO, JOSÉ, *La seguidilla gitana*, Madrid, Taurus, 1982.

MORENO GALVÁN, FRANCISCO, *Letras flamencas completas*, Sevilla, F. Moreno Galván, 1998.

MUÑOZ, JUAN ANTONIO, *Mis recuerdos de Antonio Mairena*, Madrid, Juan Antonio Muñoz, 2007.

ORTEGA, ANTONIO, *Voz de canela. Bosquejo biográfico del Bizco Amate*, Sevilla, Ayuntamiento de Sevilla, 2003.

ORTIZ NUEVO, JOSÉ LUIS, *Las mil y una historias de Pericón de Cádiz*, Barcelona, Barataria, 2008.

— *Pensamiento político en el cante flamenco*, Sevilla, Editoriales Andaluzas Unidas, 1985.

— *Tío Gregorio, Borrico de Jerez. Recuerdos de infancia y juventud*, Cádiz, edición del autor, 1984.

— *Yo tenía mu güena estrella. Escritos de memoria de Tía Anica la Piriñaca*, Madrid, Hiparión, 1987.

POHREN, DONN E., *Una forma de vida*, Sevilla, Fundación Fernando Villalón, 1998.

QUIÑONES, FERNANDO, *De Cádiz y sus cantes, llaves de una ciudad y un folklore milenarios*, Sevilla, Fundación José Manuel Lara, 2005.

SNEEUW, ARIC C., *Flamenco en el Madrid del siglo XIX*, Córdoba, Virgilio Márquez Editor, 1989.

SODY DE RIVAS, ÁNGEL, *Diego del Gastor. El eco de unos toques*, Madrid, El Flamenco Vive, 2004.

SOLÍS, RAMÓN, *El Cádiz de las Cortes*, Madrid, Silex, 1987.

STEINGRESS, GERHARD, *Sociología del cante flamenco*, Cádiz, Centro Andaluz de Flamenco, 1993.

TRIANA, FERNANDO EL DE, *Arte y artistas flamencos*, Córdoba, Demófilo, 1978.

URBANO PÉREZ, MANUEL, *Pueblo y política en el cante jondo*, Sevilla, Ayuntamiento de Sevilla, 1980.

VV. AA., *Los flamencos hablan de sí mismos*, vol. I y II, Universidad Internacional de Andalucía 2007 y 2008. Coordinados por Manuel Curao.

VÉLEZ, JULIO, *Flamenco. Una aproximación crítica*, Madrid, Akal, 1976.

ZATANIA, ESTELA, *Flamencos de Gañanía*, Sevilla, Giralda, 2007.